KB070033

# 주역절중

周易折中

*1*

이 책은 (재)한국연구재단의 지원으로 학고방출판사에서 출간, 유통합니다.

한국연구재단 학술명저번역총서 동양편 620

# 주역절중

## 周易折中

## 1

### 序 · 凡例 · 綱領 · 義例

편찬
이광지
李光地
책임역주
신창호
공동역주
김학목 · 심의용 · 윤원현

學古房

# 서문

『주역』은 '변화(變化)의 성경(聖經)'이라 불린다. 그만큼 자연 질서와 인간 사회 법칙을 변화의 원칙에 따라 변주하며, 성스럽게 우주적 삶의 기준을 구가한다. 그러나 '이현령비현령(耳懸鈴鼻懸鈴)'이라는 말이 붙을 정도로 다양하고 복합적인 해석의 차원이 개입하면서, 『주역』은 축적된 역사 이상으로 심오하고 의미심장한 세계를 형성한다. 그것이 『주역』의 특성이자 묘미일 수 있다.

본 번역 연구서 『어찬주역절중(御纂周易折中)』은 강희제(康熙帝)가 이광지(李光地, 1642~1718)에게 총괄책임의 칙명을 내려 1713~1715년에 걸쳐 완성한 『주역』 해설서이다. 전체 22권의 석판본(石版本)이 내부각본(內府刻本)으로 현존한다. 『주역절중』은 『주역』이 경전으로 성립된 이후 한대(漢代)에서 명대(明代)까지의 다양한 견해를 핵심적으로 정돈한 『주역』 학술의 결정판이다. 주희의 견해를 기본으로 하여 경(經)과 전(傳)이 분리된 『주역』 고본(古本)의 체제를 회복하였다. 또한 주희의 주역관을 근거로 의리학(義理學)과 상수학(象數學)을 망라하는 다양한 학설을 폭넓게 해석하고, 의리에 국한되었던 『주역전의대전(周易傳義大全)』의 결점을 보완하였다. 정주(程朱)의 뜻을 존숭하면서도 그와 다른 주장들을 절충하고 있는 저작이다.

『주역절중』의 편찬자인 이광지는 중국 청대(淸代) 사람으로 복건성(福建省) 천주(泉州) 출신이다. 자(字)는 진경(晋卿)이고 호(號)는 후암(厚庵)이다. 1670년 진사(進士)에 급제하고 삼번(三藩)의 난을 평정함으로써 강희제의 두터운 신임을 받았고, 관직이 문연각대학사

겸이부상서(文淵閣大學士兼吏部尙書)에 이르렀다. 학문의 경지도 상당하여 경전에 두루 통달하였는데, 특히 『주역』에 정통하여 『주역통론(周易通論)』, 『주역관상(周易觀象)』, 『이문정역의(李文貞易義)』, 『역의전선(易義前選)』 등을 저술하였다. 당시 반주자학적(反朱子學的) 학풍을 대표하던 모기령(毛奇齡)과 달리 정주리학(程朱理學)의 학풍을 충실히 계승하였다.

『주역절중』의 체계와 내용을 보면, 경과 전을 분리하여 편찬하고, 64괘의 괘사와 효사, 「단전」, 「상전」, 「계사전」, 「문언전」, 「설괘전」, 「서괘전」, 「잡괘전」의 순서로 『주역』 전문을 서술하였다. 그리고 『역학계몽』, 「계몽부록(啓蒙附錄)」, 「서괘잡괘명의(序卦雜卦明義)」를 첨부하였다. 주희의 『주역본의(周易本義)』, 정이(程頤)의 『역정전(易程傳)』, 한대부터 명대까지 역학에 조예가 깊은 학자 218명의 「집설(集說)」, 편찬자의 「안(案)」, 이를 종합한 「총론(總論)」이 실려 있다. 그런 만큼 『주역절중』은 『주역』 관련 학술 연구에서 의미가 크다.

본 번역 연구는 내부각본을 저본으로 하고 문연각(文淵閣) 『사고전서(四庫全書)』본을 대교본으로 하였으며 무구비재(無求備齋) 『역경집성(易經集成)』본을 참고하였다. 1715년에 이광지가 『어찬주역절중』을 완성했으므로, 『주역절중』이 만들어진지 이제 막 300년이 지났다. 이 긴 세월의 무게만큼 『주역』 연구도 질적으로 깊이를 더하고 양적으로 방대해졌다. 그런 와중에 300년 만인 21세기 초반에 『주역절중』이 한글로 번역·출간되어 무척이나 기쁘다. 『주역』을 비롯한 역학 연구자, 나아가 동양학을 연구하는 관련 학인들에게 조금이나마 보탬이 된다면 번역 연구자로서 더욱 보람을 느낄 것 같다.

본 번역 연구는 먼저, 『주역절중』의 본문을 완역하고, 원문 및 번역문을 온전하게 이해하기 위해 자세한 설명이 필요한 부분은 각주로 해설하였다. 아울러 『주역절중』에 등장하는 학자들의 「인명사전」을 별도로 작성하여 첨부하였다. 이런 연구 성과가 『주역절중』의 한문을 옮기는 수준을 훨씬 넘어서 있기에, 단순하게 『주역절중』 '번역'이라 하지 않고 '번역 연구'라고 자부해 본다.

본 번역 연구 작업은 2015년 5월~2017년 4월까지 2년여 동안 이루어졌다. 연구책임자를 맡은 신창호 교수를 비롯하여, 공동연구자인 윤원현 박사·김학목 박사·심의용 박사 등 우리 번역 연구진은 번역 연구기간 동안 수시로 만나 초교를 윤독하고 다양한 연구 자료를 교환하면서 『주역』의 학술 마당을 열었다. 한대부터 명대에 걸쳐 있는 『주역절중』의 특성상, 역학(易學) 사상의 방대함으로 인해 내용을 정확하게 이해하고 정돈하는데 애로 사항도 많았다. 하지만 전문 학자들의 자문과 번역 연구자 상호 간의 소통을 통해 문제점을 극복하려고 노력했다. 그러나 번역과 연구의 두 측면에서 여전히 아쉬운 부분이 많다. 대부분의 번역 연구가 장·단점을 지니고 있듯이, 본 번역 연구도 미비한 점이 있을 것이다. 특히, 제대로 연구가 이루어지지 않아 오류가 난 부분이 있다면, 사계의 권위 있는 학자들의 애정 어린 질정을 부탁한다.

본 번역 연구진 이외에 감사해야 할 분들이 있다. 먼저, 교정과 윤문 등 원고를 정돈하는 과정에서 수고해 준 고려대학교 대학원의 철학 및 교육철학 전공의 여러 제자들(김지은, 우버들, 위민성, 이유정, 임용덕, 장우재, 정순희, 한지윤 등)에게 고마운 마음을 전한다. 젊은 제자들은 그들의 시각에서 번역 연구 내용의 가독성과 표현 등 여러 부분을 꼼꼼하게 살피며 의미 있는 충고를 해 주었다.

또한 교육부와 한국연구재단에 감사를 드린다. 본 번역 연구는 2015년 한국연구재단의 '명저번역지원' 사업으로 2년 동안 지원을 받아 수행한 결과이다. 방대한 분량이기 때문에 한국연구재단의 지원이 없었다면, 실행하기 어려운 작업이었다. 마지막으로 어려운 사정에도 불구하고 편집과 출판을 맡아 책을 깔끔하게 정돈해 준 하운근 대표님을 비롯한 도서출판 학고방 가족들에게 감사의 말씀을 전한다.

어떤 저술이건 혼자만의 노력과 작업에 의해 이루어지는 성과는 존재하지 않는다. 마찬가지로 이 『주역절중』의 번역 연구에도 많은 분들의 땀과 열정이 녹아들어 있다. 번역 연구에 직·간접으로 참여한 모든 분들과 이 책을 참고로 연구를 진행하는 여러 학인들도 『주역』의 사유가 더욱 풍성해지기를 소망한다. 나아가 미래에 또 다른 공동 노력의 결실로, 본 번역 연구보다 세련된 『주역절중』이 많이 저술되기를 기대해 본다.

2018. 6
번역 연구자를 대표하여
신창호 삼가 씀

# 일러두기

1. 본 역서는 문연각(文淵閣)판본 『어찬주역절중(御纂周易折中)』을 저본으로 하였다.
2. 본 역서는 원문을 먼저 제시하고 번역문을 붙이는 대조본 형식으로 하였다.
3. 번역은 직역을 원칙으로 하되, 가독성을 높이기 위해 필요에 따라 의역을 가미하였다.
4. 『역』의 경문(經文) 번역은 편자 이광지(李光地)가 정이(程頤)의 『이천역전』보다 주희(朱熹)의 『주역본의』를 전면으로 내세운 의도에 따라 주희의 주장을 기준으로 하였다.
5. 원문에는 최소한의 현대식 표점을 표기하였다.
6. 인용한 선행 학설에 대해서는 가능한 출전을 밝히고, 요약문일 경우 필요에 따라 설명을 첨가하였다.
7. 인용한 학설은 전체적으로 큰 따옴표(“ ”)로 묶고, 인용문 속의 인용문은 작은 따옴표(‘ ’), 작은 꺽쇠(「 」) 순으로 하였다.
8. 각주에서, 원문에 대한 각주는 원문을 먼저 제시하고(예 : 潛龍勿用[잠긴 용은 쓰지 않는다]), 번역문에 대한 각주는 한글을 먼저 제시하였다(예 : 잠긴 용은 쓰지 않는다[潛龍勿用]).
9. 괘명(卦名)은 ‘곤(坤)괘’와 같은 형식으로 통일하되, 필요할 경우 ‘곤(坤䷁)괘’, ‘곤(坤☷)괘’와 같이 괘상(卦象)을 병기하였다.
10. 국한문 병기는 매 장과 매 괘의 첫 부분에서 표기하고, 나머지는 국문을 중심으로 하되, 각주에는 한문으로 처리한 것도 있다.

11. 번역문이 내용 파악에 어려움을 준다고 판단될 경우, 가독성을 높이기 위해 가능한 단락을 구분하였다.
12. 『역』과 관련된 전문적 개념어는 주석에서 풀이하고, 번역문에는 해석하지 않고 드러내었다.
13. 제1권의 "인용 성씨" 아래 『주역절중』에서 인용된 학자들의 약력을 정돈한 별도의 「인명사전」을 작성하여 첨부하였다.
14. 『주역절중』의 맨 마지막 부분인 22권 「서괘·잡괘명의(序卦·雜卦明義)」는 편의상 「서괘·잡괘전(序卦·雜卦傳)」 다음에 배치하였다.

## 『주역절중』 강희황제서문
## 御製『周易折中』序

易學之廣大悉備, 秦·漢而後無復得其精微矣. 至有宋以來, 周·邵·程·張闡發其奧, 唯朱子兼象數·天理, 違衆而定之, 五百餘年無復同異. 宋·元·明至於我朝, 因先儒已開之微旨, 或有議論已見, 漸至啓後人之疑. 朕自弱齡留心經義, 五十餘年未嘗少輟, 但知諸書『大全』之駁雜, 奈非專經之純熟. 深知大學士李光地素學有本, 易理精詳, 特命修『周易折中』. 上律「河」·「洛」之本末, 下及衆儒之考定, 與通經之不可易者, 折中而取之, 越二寒暑, 甲夜披覽, 片字一畫, 斟酌無怠. 康熙五十四年春告成而傳之天下後世, 能以正學爲事者, 自有所見歟!

康熙五十四年春三月十八日書

역학(易學)은 광대하여 모두 구비하고 있는데, 진(秦)나라·한(漢)나라 이후로 다시 그 정미함을 얻지 못했다. 송(宋)나라 이래로 주돈이(周敦頤)·소옹(邵雍)·정이(程頤)·장재(張載)가 그 심오한 내용을 드러내 밝혔지만, 주자(朱子 : 朱熹)만이 상수(象數)와 천리(天理)를 겸하여 많은 사람들과 달리 역학을 확정했으니, 그 뒤 500여 년 간 다시는 같고 다름이 없었다.

송(宋)·원(元)·명(明)대를 지나 우리 청(淸)나라에 이르러, 선대 학자들이 이미 열어놓은 미묘한 취지를 따랐지만, 간혹 의론(議論)이 나타나기 시작해 점차 후세 사람들의 의심을 열어놓게 되었다. 짐은 유년시절부터 경전의 의미에 관심을 두고 50여 년 동안 잠시도 중단한 적이 없었으나, 여러 책을 모은 『대전(大全)』은 잡박하기만 하니 이에 오로지 경(經)을 연구하여 정통한 것이 아니라는 것을 알았다.

대학사(大學士) 이광지(李光地)가 평소 학문에 근본이 있고 역(易)의 이치에 정밀·상세하다는 것을 잘 알기 때문에, 『주역절중』을 편찬하라고 특별히 명을 내렸다. 위로 「하도(河圖)」와 「낙서(洛書)」의 본말을 정비하고, 아래로 여러 학자들이 고찰하여 결정한 것에 대해 경(經)에 통달한 사람의 바꿀 수 없는 이론과 절충하여 취하도록 했다.

두 번의 겨울과 여름을 지나 오늘 초저녁에야 받아서 읽어보니, 한 글자 한 획에도 고려한 것이 나태함이 없다. 강희(康熙) 54년 봄에 완성을 알려 천하 후세들에게 전하니, 올바른 학문을 하려는 자는 반드시 얻는 것이 있으리라!

강희 54년(1715년) 봄 3월 18일 쓰다.

# 어제『주역절중』 범례
# 御製『周易折中』凡例

一. 『易經』二篇·「傳」十篇, 在古元不相混. 費直·王弼乃以「傳」附『經』, 而程子從之. 至呂大防·晁說之·呂祖謙諸儒, 以爲應復其舊, 朱子『本義』所據者, 祖謙本也. 明初, 程『傳』·朱『義』並用, 而以世次先程後朱, 故修『大全』書, 破析『本義』而從『程傳』之序. 今案易學當以朱子爲主, 故列『本義』於先, 而『經』·「傳」次第, 則亦悉依『本義』原本. 庶學者由是以復見古經, 不至習近而忘本也.

1. 『역경』 두 편과 「전(傳)」 10편은 옛날에는 원래 서로 섞여 있지 않았다. 비직(費直)·왕필(王弼)이 비로소 「전(傳)」을 『경(經)』에 붙였고, 정자(程子 : 程頤)가 그것을 따랐다. 여대방(呂大防)·조열지(晁說之)·여조겸(呂祖謙) 등의 학자들이 그 구본(舊本)을 회복해야 한다고 여겼고, 주자(朱子)의 『주역본의』가 의거한 것은 여조겸의 판본이다.

명나라 초기까지 정이의 『이천역전(伊川易傳)』과 주자의 『주역본의』가 함께 사용되었고, 연도순으로 정이가 앞서고 주자가 나중이기 때문에 『주역전의대전(周易傳義大全)』을 편찬할 때 『주역본의』를 쪼개 『이천역전』의 순서를 따랐다.

지금 생각건대 역학은 마땅히 주자를 위주로 해야 하기 때문에,

『주역본의』를 앞에 나열하고 『경』과 「전」의 차례 또한 모두 『주역본의』 원본에 의거했다. 배우는 사람들은 이것으로 말미암아 고경(古經)을 다시 보고, 자주 접하는 것에 익숙해서 원본을 잊는 지경에 이르지 않기를 바란다.

二. 諸儒所論『易』書作述傳授, 以及易理之奧, 易義之綱, 學者讀易之方, 說者同異之概, 皆後學所宜先知也. 『大全』有「綱領」一篇, 止存程·朱之說. 今案周子·張子·邵子, 皆於易理精邃, 雖無說經全書, 而大義微言, 往往獨得. 又歷代諸儒敘述源流, 講論指趣, 其說皆不可廢, 並以世次義類, 敘爲三篇, 不獨與程·朱之言, 互相發明, 亦以見程·朱之書, 有源有委. 合古今以爲公, 非夫師心立異者比也.

2. 여러 학자들이 논한 『역』이라는 책의 저술과 전수 및 역에 담긴 이치의 오묘함, 역에 드러난 내용의 강령, 배우는 사람들이 역을 읽는 방법, 설명하는 사람의 주장의 차이에 대한 개괄 등은 모두 후대 학자들이 마땅히 먼저 알아야 한다.

『주역전의대전』에는 강령이 한 편 있는데 정자와 주자의 학설만을 보존하였다.

지금 생각건대 주자(周子 : 周敦頤)·장자(張子 : 張載)·소자(邵子 : 邵雍)는 모두 역의 이치에 대해 정밀하고 심오한 학설을 제시했는데, 경전 전체를 설명한 것은 없지만 주역의 큰 의미와 은미한 말에 대해 가끔씩 독특한 터득을 했다. 또 역대 여러 학자들이 원류(源流)를 서술하고 취지를 강론한 것에 대해서는 그 주장들을 모두 없앨 수 없어, 연도순과 의미 분류로 세 편을 서술하였으니, 정이와 주자의 말과 서로 드러내 밝힐 뿐 아니라 정이와 주자의 책이 근원이 있고 따른 것이 있음을 알 수 있다.

고금(古今)을 합쳐 공평하게 했으니 자신의 마음을 믿고서[1] 특이한 것을 세우려는 자들에 비할 바가 아니다.

三. 『易』辭有義例, 據夫子「彖傳」·「象傳」求之, 皆可推見. 自王氏『略例』以後, 諸儒皆有發明而未詳備. 今稍爲之臚列分析, 示學者觀象玩辭之要, 蓋全經之大凡, 故與綱領並敘卷首.

3. 『역』의 설명은 그 요지와 형식이 있으니 공자의 「단전」과 「상전」에 근거하여 구하면 모두 미루어 알 수 있다. 왕필의 『주역약례』 이후 여러 학자들이 모두 드러내 밝힌 것이 있지만 상세히 갖추지 못했다.

지금 잠시 그것을 열거하고 분석하는 것은 배우는 사람들에게 상(象)을 살펴보고 사(辭)를 완미하는 요체와 전체 경(經)을 개괄하는 대체를 보여주는 것이기 때문에 강령과 함께 책의 첫머리에 서술한다.

四. 『大全』書所采諸家之說, 惟宋·元爲多. 今所收, 上自漢·晉, 下迄元·明, 使二千年易道淵源, 皆可覽見. 列朱『義』於前者, 易之本義, 朱子獨得也; 程『傳』次之者, 易之義理, 程子爲詳

1) 자신의 마음을 믿고서 : 사심(師心)을 번역한 말이다. 『장자(莊子)』「인간세(人間世)」에서 "마음을 스승으로 삼아 스스로 옳다고 하는 것이다.[夫胡可以及化, 猶師心者也.]"라고 하였다.

也. 二子實繼四聖而有作, 故以其書系經後. 其餘漢·晉·唐·宋·元·明諸儒, 所得有淺深, 所言有粹駁, 並采其有益於經者. 又系朱·程之後, 其或所言與朱·程判然不合, 而亦可以備一說廣多聞者, 別標爲附錄以終之. 稽異闕疑, 用俟後之君子, 是亦朱子之志也.

4. 『주역전의대전』에서 채집한 여러 학자들의 말은 오직 송나라와 원나라 때의 것이 많다. 지금 수집한 것은 위로 한(漢)나라와 진(晉)나라로부터 아래로 원나라와 명나라에 이르니 2천여 년 간 역도(易道)의 연원을 모두 살펴볼 수 있다.

주자의 『주역본의』를 앞에 배열한 것은 역의 본래 뜻을 주자가 홀로 터득했기 때문이고, 정이(程頤)의 『이천역전』을 그 다음에 배치한 것은 역의 의리는 정이의 해설이 상세하기 때문이다. 이 두 사람은 실로 네 성인을 이어 지은 것이 있기 때문에 그 책들로 경(經)의 뒤를 이었다.

그 나머지 한나라·진나라·당나라·송나라·원나라·명나라의 여러 학자들은 터득한 것에 깊고 얕음이 있고 말한 것에 순수하고 잡박함이 있어, 경(經)에 유익한 것을 아울러 뽑았다.

또 주자와 정자를 이은 뒤에 간혹 말한 것이 주자·정자와 확연하게 부합하지 않지만, 또한 하나의 주장을 갖추어 많이 들어 넓힐 수 있는 것은, 별도 부록으로 표시하여 끝맺었다. 다른 것을 살펴 의심나는 것을 빼놓아 후대의 군자를 기다리는 것은 또한 주자의 뜻이다.

五. 漢·晉間說易者, 大抵皆淫於象數之末流, 而離其宗. 故隋·唐後惟王弼孤行, 爲其能破互卦·納甲·飛伏之陋, 而專於理以談經也. 然弼所得者, 乃老莊之理, 不盡合於聖人之道, 故自程『傳』出而弼說又廢. 今案溺於象數, 而支離無根者, 固可棄矣. 然易之爲書, 實根於象數而作, 非它書專言義理者比也. 但自焦贛·京房以來, 穿鑿太甚, 故守理之儒者, 遂鄙象數爲不足言.

至康節邵子, 其學有傳, 所發明圖卦蓍策, 皆易學之本根, 豈可例以象數目之哉? 故朱子表章推重, 與程子幷稱. 『本義』之作, 實參程·邵兩家以成書也. 後之學者, 言理義·言象數, 但折中於朱子可矣. 近代解經者, 猶多拾術數之緖餘, 以矜其奇僻, 而不知其非數之眞也; 陳事理之糟粕, 而入於迂淺, 而不知其失理之妙也. 凡若此者, 皆刪不錄, 以還潔靜精微之舊焉.

5. 한나라와 진나라 때에 역을 말한 자들은 대체로 모두 상수(象數)의 말류에 빠져 정통에서 벗어났다. 그러므로 수나라·당나라 이후는 오직 왕필(王弼)의 주장이 홀로 성행했는데, 그것이 호괘(互卦)·납갑(納甲)·비복(飛伏)의 조잡함을 논파하고 오로지 이치로 경전을 담론할 수 있었기 때문이다. 그러나 왕필이 터득한 것은 노장(老壯)의 이치여서 성인의 도에 모두 부합하지는 않았기 때문에 정이의 『이천역전』이 나온 뒤로 왕필의 주장은 또 폐기되었다.

지금 생각건대 상수에 빠져 지루하고 근거가 없는 것은 본디 버릴 수 있다. 그러나 역이라는 책은 실로 상수에 근거하여 지어졌으니 다른 책들이 오로지 의리만 말하는 것에 비할 바는 아니다. 그러나 초공(焦贛)·경방(京房) 이래로 천착함이 너무 심했기 때문에, 의리를 고수하는 학자들은 마침내 상수를 비루하게 여겨 말할 가치가 없다고 하였다.

소강절(邵康節 : 邵雍)에 이르러 그 학문이 전해져 도(圖)·괘(卦)와 시책(蓍策)을 드러내 밝힌 것이 모두 역학의 근본이니, 어찌 으레 상수로 간주할 수 있겠는가? 그러므로 주자가 표창하고 추숭하여 정자와 병칭했다. 『주역본의』의 저술은 실로 정이와 소옹 두 사람을 참조하여 완성한 책이다. 후대 학자들이 의리를 말하고 상수를 말하는데, 주자에게서 절중(切中)만 해도 괜찮다.

근래에 경전을 해석하는 자들은 또한 대부분 술수(術數)의 잔여물을 모아 그 기이함을 자랑하지만 그것이 수의 참됨이 아님을 알지 못하고, 사리(事理)의 잔재를 늘어놓아 천박함에 빠지지만 그것이 이치의 오묘함을 잃는 것임을 알지 못한다. 이와 같은 것들을 모두 삭제하여 깨끗하고 정미한 옛 모습으로 되돌렸다.

六. 朱子之學, 出自程子, 然文義異同者甚多, 諸經皆然, 不獨『易』也. 況『易』則程以爲聖人說理之書, 而朱以爲聖人卜筮之教, 其指趣已自不同矣. 然程子所說, 皆修·齊·治·平之道, 平易精實, 有補學者. 朱子亦謂所作『本義』簡略, 以義理『程傳』既備故也.
今經·傳之說, 先以『本義』爲主, 其與『程傳』不合者, 則稍爲折中其異同之致. 『傳』·『義』之外, 歷代諸儒, 各有所發明, 足以佐『傳』·『義』所未及者, 又参合而研覈之, 並爲折中, 以系於諸說之後. 或前人之所未言, 朕亦時出己意, 参錯其閒, 鑽仰高堅, 何敢自信? 庶幾體先賢虛公無我之意, 求合乎此理殊塗同歸之宗云.

6. 주자의 학문은 정자로부터 나왔지만 문장의 의미에서 차이나

는 것이 너무 많으니, 여러 경들이 모두 그러한데, 유독 『역』만 그러한 것이 아니다. 게다가 『역』에 대해 정자는 성인이 이치를 말한 책이라고 여겼고 주자는 성인이 점치는 것을 가르친 일이라고 여겼으니, 그 취지가 저절로 달랐다.

그러나 정자가 말한 것은 모두 수신·제가·치국·평천하의 도리로 평이하고 정밀하며 실제적이어서 학문에 도움이 되는 것이 있다. 주자도 『주역본의』를 간략하게 지은 이유에 대해, 의리는 『이천역전』에 이미 갖추어졌기 때문이라고 하였다.

지금 경(經)과 전(傳)의 말은 우선 『주역본의』를 위주로 하고, 그것이 『이천역전』과 부합하지 않는 것은 그 다르게 된 까닭을 조금 절충하였다.

『이천역전』과 『주역본의』 이외에 역대 여러 학자들이 각각 드러내 밝힌 것이 있는데, 『이천역전』과 『주역본의』가 미치지 못한 것을 충분히 도와 줄 수 있는 것은 또 참조하고 연구·조사하여 함께 절충해서 여러 주장들의 뒤에 붙였다.

혹 이전 사람이 말하지 않은 것은 짐 또한 때때로 의견을 내어 그 사이에 섞어 넣어 깊게 연구했지만 어찌 감히 자신하겠는가? 선현들의 공평하고 사심 없는 뜻을 체현하여, 이 이치에 부합하도록 길은 달라도 같은 곳에 돌아가는 종지를 구할 뿐이다.

七. 『啓蒙』爲朱子成書, 與『本義』相表裏. 今『大全』中所載圖說數條, 乃作『本義』時, 略撮大要, 以冠篇端. 卦變一圖, 則又因『本義』卦下有以卦變爲說者, 故作此以明之, 與占筮卦變異法, 總不若『啓蒙』之詳備也. 『大全』以圖說爲主, 而采『啓蒙』以附其下, 且又但采其「本圖書」·「原卦畫」二篇, 至「明蓍策」·「考變占」二篇, 則文旣不錄, 圖亦不載. 但以筮時儀節, 及不同法之卦變當之, 使學者不見朱子極論象數之全, 未免疏略.
今以『啓蒙』全編, 具載書後, 庶幾古人右書左圖之意. 朕講學之外, 於曆象·九章之奧, 遊心有年, 渙然知其不出易道. 故自「河」·「洛」本原, 先·後天位置, 以至大衍推迎之法, 皆稍爲摹畫分析, 敷暢厥旨, 附於『啓蒙』之後, 目曰『啓蒙附論』.

7. 『역학계몽』은 주자가 쓴 책으로 『주역본의』와 서로 표리가 된다. 지금 『주역전의대전』에 수록된 도설(圖說)의 여러 조목은 『주역본의』를 쓸 때 큰 요체를 간략히 모아 머리말로 삼았다. 괘변도(卦變圖)는 또 『주역본의』에서 괘 아래에 괘변으로 설명한 것이 있기 때문에, 이를 지어 밝혔지만, 점서와 괘변의 다른 방법에 대해서는 끝내 『역학계몽』이 상세하게 갖춘 것만 못하다.

『주역전의대전』은 도설(圖說)을 중심으로 하여 『역학계몽』을 취해 그 아래 부기해 두었는데, 또 「본도서(本圖書)」와 「원괘획(原卦畫)」 두 편을 취했을 뿐 「명시책(明蓍策)」과 「고변점(考變占)」 두 편의 경우는 글을 수록하지 않고 도(圖) 또한 싣지 않았다. 단지 점을 칠 때의 의식 절차와 다른 방법의 괘변으로 그것을 충당하여, 배우는 사람들이 주자가 상수를 지극히 논한 전모를 알 수 없게 했으니, 엉성하고 간략함을 면치 못했다.

이제 『역학계몽』 전편을 책 뒤에 모두 실어 옛사람들이 오른쪽에는 글을 두고 왼쪽에 그림을 두는 뜻에 가깝게 했다.

짐은 강학 이외에 역상(曆象)과 구장산술(九章算術)의 오묘함에 수년간 몰입하여 그것이 역도(易道)에서 벗어나지 않음을 확실히 깨달았다. 그러므로 「하도」·「낙서」의 근원과 선천(先天)·후천(後

天)의 위치에서부터 대연(大衍)의 수를 추론하는 방법에 이르기까지 모두 묘사하고 분석하여, 그 요지를 펼쳐『역학계몽』뒤에 붙이고『계몽부론』이라 이름 지었다.

八. 夫子十翼以「序卦」·「雜卦」終編. 其次第微密, 錯雜成章, 諸儒置而不講已久. 朕因陳希夷反覆九卦之指, 而思「序卦」之義, 因邵康節四象相交成十六事之言, 而悟「雜卦」之根. 始知聖意微妙, 聖言精深, 引而不發, 如衆曜之羅列, 七緯之交錯, 參差淩亂. 有待於仰觀推步者之能求其故也. 故爲「序卦·雜卦明義」, 次於『啓蒙附論』之後而終編焉.

8. 공자의 십익(十翼)은「서괘(序卦)」·「잡괘(雜卦)」로 끝마쳤다. 그 차례가 정밀하지만 혼잡하게 뒤섞인 상태로 편장이 이루어져 있어 여러 학자들이 내버려두고 강의하지 않은지 오래 되었다.
짐은 진희이(陳希夷)가 구괘(九卦)를 반복하는 요지를 따라「서괘」의 뜻을 생각했고, 소강절이 사상(四象)을 교차하여 16가지 일을 이루는 말을 따라「잡괘」의 근본을 깨달았다. 이에 비로소 성인의 미묘한 뜻과 성인의 정밀한 말이 여러 별자리가 나열된 것과 칠위(七緯 : 해·달과 금·목·수·화·토 다섯 별)가 교착하는 것처럼 잘 유도해주지만 길을 알려주지는 않음을 알았다. 우러러 살피고 추론하여 그 까닭을 찾을 수 있는 자를 기다린다. 그러므로「서괘·잡괘 명의」를 써서『계몽부론』뒤에 두고서 끝마쳤다.

## 성지를 받들어 어찬 『주역절중』의 총재·교열·분담편수·교정기록·제작을 담당한 여러 신하들의 직명을 나열함
## 奉旨開列御纂『周易折中』總裁·校對·分脩·校錄·監造諸臣職名

總裁:

文淵閣大學士兼吏部尚書 臣 李光地

총재:

문연각 대학사 겸 이부상서 이광지

御前校對:

翰林院侍講 臣 魏廷珍

右春坊右中允兼翰林院編脩 臣 何國宗

右春坊右中允兼翰林院編脩 臣 吳孝登

翰林院庶吉士 臣 梅瑴成

舉人 臣 王蘭生

어전 교열:

한림원 시강 위정진

우춘방 우중윤 겸 한림원 편수 하국종

우춘방 우중윤 겸 한림원 편수 오효등

한림원 서길사 매곡성

거인 왕란생

南書房校對：

詹事府少詹事兼翰林院侍講學士 臣 蔣廷錫
翰林院侍講學士 臣 張廷玉
翰林院侍講學士 臣 陳邦彦
翰林院侍讀 臣 趙熊詔
候補翰林院侍講 臣 楊名時
右春坊右中允兼翰林院編脩 臣 王圖炳

남서방 교열：

첨사부 소첨사 겸 한림원 시강학사 장정석
한림원 시강학사 장정옥
한림원 시강학사 진방언
한림원 시독 조웅조
후보 한림원 시강 양명시
우춘방 우중윤 겸 한림원 편수 왕도병

分脩：

翰林院編脩 臣 儲在文
翰林院檢討 臣 胡煦
翰林院庶吉士 臣 何焯
戶部主事 臣 李鼎徵
進士 臣 蔣杲
舉人 臣 陳萬策
貢生候選知縣 臣 王之銳
監生 臣 陳汝楫
生員 臣 李清植

生員 臣 郭珣
生員 臣 李璣

분담 편수:
한림원 편수 저재문
한림원 검토 호후
한림원 서길사 하작
호부주사 이정징
진사 장고
거인 진만책
공생 후선 지현 왕지예
감생 진여즙
생원 이청식
생원 곽순
생원 이기

武英殿校對:
翰林院編脩 臣 張起麟
翰林院編脩 臣 徐用錫
擧人 臣 成文

무영전 교열:
한림원 편수 장기린
한림원 편수 서용석
거인 성문

武英殿繕寫：

翰林院脩撰 臣 王世琛

翰林院編脩 臣 嵇曾筠

翰林院編脩 臣 蔣漣

翰林院編脩 臣 徐葆光

翰林院編脩 臣 劉於義

翰林院編脩 臣 潘允敏

翰林院編脩 臣 狄貽孫

翰林院編脩 臣 薄海

翰林院編脩 臣 任蘭枝

翰林院檢討 臣 陳世侃

原任光祿寺署丞 臣 伊都立

候補翰林院待詔 臣 曹曰瑛

留京食俸知縣 臣 王曾期

進士 臣 張棨源

무영전 필사：

한림원 수찬 왕세침

한림원 편수 혜증균

한림원 편수 장련

한림원 편수 서보광

한림원 편수 유어의

한림원 편수 반윤민

한림원 편수 적이손

한림원 편수 박해

한림원 편수 임란지

한림원 검토 진세간
원임 광록사서승 이도립
후보 한림원대조 조왈영
유경 식봉지현 왕증기
진사 장영원

在館校對繕寫：
翰林院編脩 臣 繆沅
翰林院編脩 臣 李鍾僑
原任翰林院編脩 臣 程夢星
翰林院檢討 臣 張照
翰林院檢討 臣 董宏
原任內閣中書 臣 閻詠

재관 교열 필사：
한림원 편수 무원
한림원 편수 이종교
원임 한림원 편수 정몽성
한림원 검토 장조
한림원 검토 동굉
원임 내각중서 염영

武英殿監造：
總監造兼佐領 臣 張常住
總監造 臣 李國屏

監造兼驍騎校 臣 巴實
監造 臣 神保

무영전 제작:

총감조 겸 좌령 장상주
총감조 이국병
감조 겸 효기교 파실
감조 신보

## 인용 성씨
## 引用姓氏

漢:

董氏仲舒
孔氏安國 子國
司馬氏遷 子長
京氏房 君明
劉氏向 子政
揚氏雄 子雲
班氏固 孟堅
馬氏融 季長
服氏虔 子愼
荀氏爽 慈明 一名諝
鄭氏玄 康成
宋氏衷 仲子 一作忠
虞氏翻 仲翔
陸氏績 公紀
王氏肅 子邕
姚氏信 德祐
王氏弼 輔嗣
翟氏子玄 : 未詳世次, 見荀爽『九家易』, 今附於此.

한나라 :

동중서
공안국 자국
사마천 자장
경방 군명
유향 자정
양웅 자운
반고 맹견
마융 계장
복건 자신
순상 자명 일명 서
정현 강성
송충 중자 일작 충
우번 중상
육적 공기
왕숙 자옹
요신 덕우
왕필 보사
적자현 : 생몰연대를 알 수 없지만 순상의 『구가역』에 나오니, 이 제 여기에 붙인다.

晉 :

干氏寶 令升
范氏長生 蜀才 一名賢
韓氏伯 康伯

진나라 :

간보 영승

범장생 촉재 일명 현

한백 강백

齊 :

沈氏驎士 雲禎

제나라 :

심린사 운정

北魏 :

關氏朗 子明

북위 :

관랑 자명

隋 :

王氏通 仲淹 文中子

수나라 :

왕통 중엄 문중자

唐 :

陸氏玄朗 德明

孔氏穎達 仲達 一作沖遠
房氏喬 玄齡
侯氏行果 : 李鼎祚『集解』作侯果
陸氏贄 敬輿
韓氏愈 退之
王氏凱沖
崔氏憬 : 以上二人未詳世次, 見李鼎祚『集解』, 今附於此.
李氏鼎祚
陸氏希聲 君陽遯叟
劉氏蛻 復愚

당나라 :

육현랑 덕명
공영달 중달 일작 충원
방교 현령
후행과 : 이정조의 『주역집해』에는 후과라고 하였다.
육지 경여
한유 퇴지
왕개충
최경 : 이상 두 사람은 생몰연대를 알 수 없지만 이정조의 『주역집해』에 나오니, 이제 여기에 붙인다.
이정조
육희성 군양둔수
유태 복우

宋：

王氏昭素 酸棗

句氏微

代氏淵 仲顏

范氏仲淹 希文

劉氏牧 長民

胡氏瑗 翼之 安定

王氏逢 會之

石氏介 守道 徂徠

歐陽氏脩 永叔 廬陵

蘇氏舜欽 子美

周子敦頤 茂叔 濂溪

邵子雍 堯夫 康節

王氏安石 介甫 臨川

司馬氏光 君實 涑水

張子載 子厚 橫渠

程子顥 伯淳 明道

程子頤 正叔 伊川

蘇氏軾 子瞻 東坡

呂氏大臨 與叔 藍田

楊氏繪 元素

陸氏佃 農師

沈氏括 存中

晁氏說之 以道 嵩山

龔氏原 深父 括蒼

薛氏温其

盧氏
集氏 : 以上三人未詳世次, 見房審權『義海』, 今附於此.
謝氏良佐 顯道 上蔡
游氏酢 定夫 廣平
楊氏時 中立 龜山
尹氏焞 彦明 和靖
郭氏忠孝 立之 兼山
耿氏南仲 希道 開封
李氏元量
閻氏彦升
李氏彦章 元達
李氏開 去非 小舟
張氏浚 德遠 紫巖
劉氏子翬 彦沖 屛山
鄭氏剛中 亨仲
沈氏該 守約
朱氏震 子發 漢上
郭氏雍 子和 白雲
程氏迥 可久 沙隨
鄭氏東卿 少梅 合沙
鄭氏汝諧 舜擧 東谷
楊氏萬里 庭秀 誠齋
蘭氏廷瑞 惠卿
馮氏當可 時行 縉雲
王氏宗傳 景孟 童溪
林氏栗 黃中

袁氏樞 機仲 梅巖
鄭氏樵 漁仲 夾漈
朱子熹 元晦 紫陽
張氏栻 敬夫 南軒
呂氏祖謙 伯恭 東萊
陸氏九淵 子靜 象山
李氏舜臣 子思 隆山
項氏安世 平父 平庵
易氏祓 彦章 山齋
趙氏彦肅 子欽 復齋
蔡氏元定 季通 西山
陳氏淳 安卿 北溪
黄氏榦 直卿 勉齋
董氏銖 叔重 磐澗
陳氏埴 器之 潛室
楊氏簡 敬仲 慈湖
蔡氏淵 伯靜 節齋
李氏過 季辨 西溪
馮氏椅 儀之 厚齋
毛氏璞 伯玉
柴氏中行 與之
眞氏德秀 希元 西山
魏氏了翁 華父 鶴山
趙氏汝騰 茂實
趙氏汝楳
李氏心傳 微之 秀巖

劉氏彌劭 壽翁 習靜
錢氏時 子是 融堂
饒氏魯 仲元 雙峯
稅氏與權 巽父
潘氏夢旂 天錫
楊氏文煥 彬夫 釋褐
徐氏幾 子與 進齋
翁氏泳 永叔 思齋
丘氏富國 行可 建安
吳氏綺 終畝
田氏疇 興齋 雲閒
徐氏直方 立大 古爲
陳氏友文 隆山
王氏應麟 伯厚 深寧叟
吳氏應回
鄭氏湘鄕
陳氏
劉氏
董氏
楊氏
鄭氏 : 以上五人未詳世次, 或失其名字, 今附於此.

송나라 :
왕소소 산조
구미
대연 중안
범중엄 희문

유목 장민
호원 익지 안정
왕봉 회지
석개 수도 조래
구양수 영숙 여릉
소순흠 자미
주자돈이 무숙 렴계
소자옹 요부 강절
왕안석 개보 임천
사마광 군실 속수
장자재 자후 횡거
정자호 백순 명도
정자이 정숙 이천
소식 자첨 동파
여대림 여숙 남전
양회 원소
육전 농사
심괄 존중
조열지 이도 숭산
공원 심부 괄창
설온기
노씨
집씨 : 이상 세 사람은 생몰연대를 알 수 없지만 방심권의 『주역의해』에 나오니, 이제 여기에 붙인다.
사량좌 현도 상채
유초 정부 광평

양시 중립 구산
윤돈 언명 화정
곽충효 입지 겸산
경남중 희도 개봉
이원량
염언승
이언장 원달
이개 거비 소주
장준 덕원 자암
유자휘 언충 병산
정강중 형중
심해 수약
주진 자발 한상
곽옹 자화 백운
정형 가구 사수
정동경 소매 합사
정여해 순거 동곡
양만리 정수 성재
난정서 혜경
풍당가 시행 진운
왕종전 경맹 동계
임률 황중
원추 기중 매암
정초 어중 협제
주자희 원회 자양
장식 경부 남헌

여조겸 백공 동래
육구연 자정 상산
이순신 자사 융산
항안세 평부 평암
역불 언장 산재
조언숙 자흠 복재
채원정 계통 서산
진순 안경 북계
황간 직경 면재
동수 숙중 반간
진식 기지 잠실
양간 경중 자호
채연 백정 절재
이과 계변 서계
풍의 의지 후재
모박 백옥
시중행 여지
진덕수 희원 서산
위료옹 화부 학산
조여등 무실
조여매
이심전 미지 수암
유미소 수옹 습정
전시 자시 융당
요로 중원 쌍봉
세여권 손부

반몽기 천석
양문환 빈부 석갈
서기 자여 진재
옹영 영숙 사재
구부국 행가 건안
오기 종무
전주 흥재 운한
서직방 입대 고위
진우문 융산
왕응린 백후 심녕수
오응회
정상향
진씨
유씨
동씨
양씨
정씨 : 이상 다섯 사람은 생몰연대를 알 수 없거나 혹 그 이름을 잃었을 것이니, 이제 여기에 붙인다.

金 :

單氏渢
雷氏思 西仲

금나라 :

단풍
뇌사 서중

元:

許氏衡 平仲 魯齋
李氏簡 蒙齋
王氏申子 巽卿 秋山
熊氏朋來 與可
胡氏方平 師魯 玉齋
吳氏澄 幼清 草廬 臨川
龔氏煥 幼文 泉峯
胡氏允 潛齋
齊氏夢龍 覺翁 節初
胡氏一桂 庭芳 雙湖
鮑氏雲龍 景翔 魯齋
徐氏之祥 麒父 方塘
胡氏炳文 仲虎 雲峯
張氏清子 希獻 中溪
熊氏良輔 任重 梅邊
萬氏善 明復
余氏芑舒 德新 息齋
龍氏仁夫 觀復
黃氏瑞節 觀樂
董氏眞卿 季眞 番陽
保氏八 公孟 普庵
俞氏琰 王吾 石澗

원나라:

허형 평중 노재

이간 몽재
왕신자 손경 추산
웅붕래 여가
호방평 사로 옥재
오징 유청 초려 임천
공환 유문 천봉
호윤 잠재
제몽룡 각옹 절초
호일계 정방 쌍호
포운룡 경상 노재
서지상 기부 방당
호병문 중호 운봉
장청자 희헌 중계
웅량보 임중 매변
만선 명부
여기서 덕신 식재
용인부 관복
황서절 관락
동진경 계진 번양
보팔 공맹 보암
유염 숙오 석간

明:

梁氏寅 孟敬 石門
蔣氏悌生 仁叔

薛氏瑄 德温 敬軒
劉氏定之 主靜 保齋
胡氏居仁 叔心 敬齋
蔡氏淸 介夫 虛齋
邵氏寶 國賢 二泉
林氏希元 懋貞 次崖
陳氏琛 思獻 紫峯
余氏本 子華
金氏賁亨 汝白
豐氏寅初 復初
葉氏良佩 敬之
姜氏寶 廷善 鳳阿
楊氏時喬 宜遷 止庵
歸氏有光 熙甫 震川
趙氏玉泉
沈氏一貫 肩吾 蛟門
錢氏一本 國瑞 啓新
唐氏鶴徵 元卿 凝庵
高氏萃
蘇氏濬 君禹 紫溪
顧氏憲成 叔時 涇陽
鄭氏維嶽 孩如
姚氏舜牧 虞佐 承庵
潘氏士藻 去華 雪松
高氏攀龍 存之 景逸
許氏聞至 長聖

焦氏竑 弱侯 澹漪
陸氏銓 君啓
來氏知德 矣鮮 瞿唐
章氏潢 本淸
江氏盈科 楚餘 綠蘿
方氏時化 雨若
楊氏啓新 文源
趙氏光大
陸氏振奇 庸成
繆氏昌期 當時 西谿
方氏應祥 孟旋
陳氏仁錫 明卿
張氏振淵 彦陵
谷氏家杰 拙侯
喬氏中和 還一
何氏楷 玄子
黄氏淳耀 藴生 陶庵
錢氏志立 爾卓
趙氏振芳 胥山
徐氏在漢 天章 寒泉
顧氏象德 善伯
錢氏澄之 幻光
吳氏曰愼 徽仲 敬齋
葉氏爾瞻
汪氏砥之
程氏敬承

張氏雨若
孫氏質卿
吳氏一源
汪氏咸池
盧氏中庵
郭氏鵬海
游氏讓溪 : 以上十人未詳世次, 或失其名字, 今附於此.

명나라 :

양인 맹경 석문
장제생 인숙
설선 덕온 경헌
유정지 주정 보재
호거인 숙심 경재
채청 개부 허재
소보 국현 이천
임희원 무정 차애
진침 사헌 자봉
여본 자화
김분형 여백
풍인초 복초
섭량패 경지
강보 정선 봉아
양시교 의천 지암
귀유광 희보 진천
조옥천

심일관 견오 교문
전일본 국서 계신
당학징 원경 응암
고췌
소준 군우 자계
고헌성 숙시 경양
정유악 해여
요순목 우좌 승암
반사조 거화 설송
고반룡 존지 경일
허문지 장성
초횡 약후 담의
육전 군계
내지덕 의선 구당
장황 본청
강영과 초여 녹라
방시화 우약
양계신 문원
조광대
육진기 용성
무창기 당시 서계
방응상 맹선
진인석 명경
장진연 언릉
곡가걸 졸후
교중화 환일

하해 현자
황순요 온생 도암
전지립 이탁
조진방 서산
서재한 천장 한천
고상덕 선백
전징지 유광
오왈신 휘중 경재
섭이첨
왕지지
정경승
장우약
손질경
오일원
왕함지
노중암
곽붕해
유양계 : 이상 열 사람은 생몰연대를 알 수 없거나 혹 그 이름을 잃었을 것이니, 이제 여기에 붙인다.

# 인명사전

ㄱ

• **가규** 賈逵, 30~101

자는 경백(景伯)이고, 부풍 평릉(扶風平陵 : 현 섬서성 함양서북〈咸陽西北〉) 사람이다. 동한 때의 경학자·천문학자이다. 시중(侍中)의 벼슬을 지냈으며, 『좌전』과 참위(讖緯)설이 서로 상응하고, 『고문상서』와 『이아(爾雅)』가 서로 상응한다고 주장하여 고문경학의 지위를 높였다. 저서로는 『춘추좌씨전해고(春秋左氏傳解詁)』, 『국어해고(國語解詁)』 등이 있지만 모두 망실되었다.

• **가복** 賈復

오교(五校)를 격파하다가 크게 상처를 입었는데, 광무제(光武帝)가 크게 놀라 나의 명장을 잃을 뻔했다고 할 정도로 신임한 신하이다.

• **간보** 幹寶, ?~336

자는 영승(令升)이고, 동진(東晉)의 신채(新蔡 : 현 하남성 신채현) 사람이다. 역사·음양·산수를 연구했고, 원제(元帝) 때 저작랑(著作郞)이 된 뒤 역사찬집(歷史撰集)에 종사했다. 특히 역학(易學)에 조예가 깊어 『진서(晉書)』에서 "간보가 『주역』을 주석했다."고 했으며, 『수서(隋書)』「경적지(經籍志)」에는 "『주역』10권을 진(晉)의 산기상시(散騎常侍)인 간보가 주석했고, 또한 『주역효의(周易爻義)』 1권을 간보가 지었으며, 양(梁)나라에는 『주역종도(周易宗塗)』 4권이 있는데 간보가 지었다."라고 기재되어 있다. 저서에는 『주역주(周易注)』, 『오기변화론(五氣變化論)』, 『진기(晉記)』, 『주관례주(周官禮注)』, 『춘추좌자의외전(春秋左子義外傳)』, 『수신기(搜神記)』 등이 있으며, 특히 『수신기』는 괴이전설(怪異傳說)을 집대성한 것으로 육조(六朝) 소설의 뛰어난 작품일 뿐만 아니라, 당·송시대(唐宋時代) 전기물(傳奇物)의 선구가 되었다.

• **강보** 姜寶, 1514~1593

자는 정선(廷善) 또는 유선(惟善)이고, 호는 봉아(鳳阿)이다. 명(明)대 진강부 단양(鎭江府丹陽 : 현 강소성 단양시) 사람이다. 가정(嘉靖) 32년(1553)에 진사에 급제하여, 편수(編修)에 임명되었다. 엄숭(嚴嵩)의 눈 밖에 나 사천제학첨사(四川提學僉事)로 쫓겨났다가 남경국자감좨주(南京國子監祭酒), 예부상서(禮部尙書)를 역임하였다. 학문은 정이(程頤)와 주희를 종주로 삼았다. 저서에 『주역전의보의(周易傳義補疑)』, 『사서해략(四書解略)』, 『춘추사의전고(春秋事義全考)』, 『자치대정기강목(資治大政記綱目)』 등이 있다.

• **강영과** 江盈科, 1555~1605

자는 진지(進之)이고, 호는 녹라산인(綠蘿山人)이다. 명(明)대 호광 도원(湖廣桃源 : 현 호남성 도원현) 사람이다. 만력(萬曆) 20년(1592)에 진사에 급제하여 장주지현(長州知縣), 호부원외랑(戶部員外郞), 사천제학부사(四川提學副使) 등을 역임하였다. 학문관은 공안파(公安派)에 속하여 의고(擬古)를 반대했다. 저서에 『설도각집(雪濤閣集)』, 『설도소설(雪濤小說)』, 『설도해사(雪濤諧史)』, 『담언(談言)』 등이 있다.

• **강왕** 康王

주나라 제3대 왕이며 성왕의 아들. 성왕부터 강왕으로 이어지는 주나라 초기 40여 년을 '성강지치(成康之治)'라고 한다. 형벌을 사용할 필요가 없을 정도로 태평했다고 한다.

• **경남중** 耿南仲, ?~1129

송나라 유학자로 개봉(開封) 사람이며, 자는 희도(晞道)다. 신종(神宗) 5년(1082)에 진사가 된 후 흠종(欽宗)때에는 상서좌승과 문하시랑에 발탁되었다. 금나라가 공격해오자 적극 화친을 주장해 이강(李綱) 등과 충돌했는데, 이 때문에 제대로 방어할 기회를 놓쳐 버리고 말았다. 고종(高宗)이 즉위하자 화친을 주장해 나라를 그르쳤다면서 언관들이 따져 별가(別駕)로 좌천되고 남웅주(南雄州)에 안치되었는데, 가는 도중 길주(吉州)에서 죽었다. 저서로는 『주역신강의(周易新講義)』가 있다.

• **경방** 京房, B.C.77~B.C.37

자는 군명(君明)이고, 전한(前漢) 때 동군 돈구(東郡頓丘 : 현 하남성 청풍〈淸豐〉) 사람이다. 본래의 성은 이씨(李氏)였는데, 율(律)을 미루어 스스로 경(京)씨로 고쳤다. 양(梁)나라 사람 초연수(焦延壽)에게서 역학(易學)을 배웠으며, 효렴(孝廉)으로 관리가 되었다. 재이사상(災異思想)에 밝았으므로 원제(元帝)의 총애를 받았고, 나중에 위군(魏郡)의 태수(太守)가 되었으나, 재이점후(災異占候)에 대하여 자주 황제에게 아뢰였기 때문에 석현(石顯)·오록충종(五鹿充宗) 등의 미움을 사서, 하옥된 후에 살해당했다. 그는 또한 당시의 음악이론가였으며, 음률(音律)에 조예가 깊었다. 그는 그때까지의 율관(律管)에 의한 12율(律)의 산정법(算定法)이 삼분손익으로 11율을 만든 뒤 다시 처음의 율로 돌아오지 못하는 불합리함을 알고, 새로이 현(絃)에 의한 음률측정기인 준(準)을 발명함으로써 60률을 산정하였다. 이 60율은 극히 미세한 음의 차이로서 음율을 변환시키는 이론적 가치가 뛰어나지만, 악기 제작과 실제 연주에 곤란한 점이 많아 실제에 적용되지 못한 단점도 있었다. 저서에는 『경씨역전(京氏易傳)』이 유명하다.

• **경엄** 耿弇

등우보다 한 살이 적었던 경엄(耿弇)은 27세에 대장(大將)이 되어 정벌을 전담하였다.

• **경휘** 敬暉, ?~706

중종(中宗) 신룡(神龍) 원년(705) 장간지(張柬之) 등과 함께 장창종(張昌宗)과 장역지(張易之)를 살해하고 중종을 맞이 복위시켰고, 시중(侍中)에 발탁되어 평양군공(平陽郡公)에 봉해졌다. 얼마 뒤 무삼사(武三思)의 모함을 받아 위후(韋后)를 폐위하려는 음모를 꾸몄다는 죄목으로 애주(崖州)로 좌천되었다가 살해되었다.

• **고헌성** 顧憲成, 1550~1612

명나라 상주부(常州府) 무석(無錫) 사람. 자는 숙시(叔時)고, 별호는 경양(涇陽)이며, 시호는 단문(端文)이다. 만력(萬曆) 8년(1580) 진사(進士)가 되어 호부주사(戶部主事)에 올랐다. 15년(1587) 글을 올려 집정에 간섭했다가 계양주판관(桂陽州判官)으로 쫓겨났다. 이부원외랑과 문선낭중(文選郎中) 등을 지냈다. 22년(1594) 황제의 뜻을 거슬러 삭적(削籍)된 뒤 귀향했다. 어려서부터 설응기(薛應旂), 장기(張淇)에게 배웠다. 동생 고윤성(顧允成)과 함께 송나라 때 양시(楊時)가 강학하던 동림서원(東林書院)을 수리하여 고반룡(高攀龍), 전일본(錢一本) 등과 함께 강학했다. 동림당의 영수가 되었다가 뒤에 붕당의 화를 입었다. 주희의 폐단은 구(拘)에 있고 왕수인의 폐단은 탕(蕩)에 있다고 여겨, 정주학과 육왕학을 조화시키려 했다. 숭정(崇禎) 초에 이부우시랑에 추증되었다. 저서에 『사서강의(四書講義)』와 『환경록(還經錄)』, 『질의편(質疑編)』, 『증성편(證性編)』, 『상어(商語)』, 『소심재찰기(小心齋札記)』, 『경고장고(涇皐藏稿)』, 『고단문유서(顧端文遺書)』 등이 있다.

• **공안국** 孔安國, B.C.156~B.C.74

자는 자국(子國)이며, 산동성 곡부(曲阜) 사람이다. 그는 서한(西漢) 무제 때의 학자로서, 공자의 제11대 자손이며, 박사(博士)·간대부(諫大夫)를 지내고, 임회(臨淮) 태수를 지냈다. 『시(詩)』는 신공(申公)에게서 배우고, 『상서』는 복생(伏生)에게서 받았다. 공안국은 노(魯)나라의 공왕(共王)이 공자의 옛 집을 헐었을 때 나온 과두문자(蝌蚪文字)로 된 『고문상서(古文尙書)』, 『예기(禮記)』, 『논어(論語)』, 『효경(孝經)』을 금문(今文)과 대조·고증, 해독하여 주석을 붙였는데, 이것에서 고문학(古文學)이 비롯되었다고 하여, 공안국을 고문학의 시조라고 한다.

• **공영달** 孔穎達, 574~648

자는 중달(仲達)이고 시호는 헌공(憲公)이며, 기주 형수(冀州衡水 : 현 하북성 형수〈衡水〉) 사람이다. 동란의 와중에서 학문을 닦았으며 남북 2학파의 유학은 물론 산학(産學)과 역법(曆法)에도 정통했다. 당 태종(唐太宗)에게 중용되어, 벼슬은 국자박사(國子博士)를 거쳐 국자감의 좨주(祭酒)·동궁시강(東宮侍講) 등을 역임하였다. 특히 문장·천문·수학에 능통하였으며, 위징(魏徵)과 함께 『수서(隋書)』를 편찬하였다. 당 태종의 명에 따라 고증학자 안사고(顔師古) 등과 더불어 오경(五經) 해석의 통일을 시도하여 『오경정의(五經正義)』 170권을 편찬하였다. 이는 위진 남북조 이래 경학의 집대성이라고 할 수 있다.

• **공원** 龔原, 1043~1110

송(宋)대 수창(遂昌 : 현 절강성 운봉진〈雲峰鎭〉) 사람으로 자는 심지(深之) 혹 심부(深父)이고 호는 무릉(武陵)이며, 당시에 괄창선생(括蒼先生)으로 불렸다. 어려서 왕안석(王安石)에게 배우고 21세에 진사에 급제하여 국자직강(國子直講), 태상박사(太常博士), 공부시랑겸시강(工部侍郎兼侍講) 등을 역임하면서 왕안석의 변법에 적극 참여하였다. 저술로는 『주역속해의(周易續解義)』 17권과 『괄창선생문집(括蒼先生文集)』이 있었다고 한다.

• **공환** 龔煥

자는 유문(幼文)이고, 천봉선생(泉峯先生)이라고 불렸다. 원(元)대 임천(臨川)사람이다. 요응중(饒應中)에게 사사하여 본체를 밝히고 실천에 옮기는 데 힘썼다. 당시 아직 과거제도가 시행되지 못했는데, 시행되면 반드시 정자와 주자의 학문을 법식으로 삼아야 한다고 주장했다. 과연 뒤에 그의 말대로 시행되었다.

- **교중화** 喬中和, ?~?

명나라 순덕부(順德府) 내구(內丘) 사람. 자는 환일(還一)이다. 숭정(崇禎) 연간에 발공(拔貢)되었다. 거듭 승진해서 태원부(太原府) 통판(通判)에 이르렀다. 저서에 『설역(說易)』과 『설주(說疇)』, 『도서연(圖書衍)』, 『대역변통(大易通變)』, 『원운보(元韻譜)』 등이 있다.

- **곽광** 霍光

자는 자맹(子孟)이고, 대략 한 무제(漢武帝) 원광년간(元光年間 : B.C. 134~B.C.129)에 태어나서 한 선제(漢宣帝) 지절(地節) 2년(B.C.68)에 사망하였다. 하동 평양(河東平陽 : 현 산서성 임분시〈臨汾市〉) 사람이다. 10여 세 때부터 무제(武帝)를 측근에서 섬기다가, 무제가 죽을 무렵에는 대사마대장군(大司馬大將軍)·박륙후(博陸侯)가 되었으며, 김일제(金日磾)·상관걸(上官桀)·상홍양(桑弘羊) 등과 함께 후사(後事)를 위탁받았다. 무제가 죽자 8세로 즉위한 소제(昭帝)를 보필하여 20여년간 정사(政事)를 집행하였다.

- **곽경** 郭京

당대의 역학가이다. 그는 『주역거정(周易擧正)』에서 육덕명(陸德明)의 『경전석문』과 이정조(李鼎祚)의 『주역집해』의 해석을 근거로 하여 왕필주와 한강백주의 역 해석상의 오류를 지적하였다. 『주역거정(周易擧正)』3권은 유실되어 그 전모를 알 수 없으나 대만의 서근정(徐芹庭)의 『주역거정평술(周易擧正評述)』(臺灣成文出版社印行)을 통해 그 사상을 엿볼 수 있다.

- **곽박** 郭璞

동진(東晋) 시기 유명한 학자이다. 자는 경순(景纯)이고 하동(河東) 군문희현(郡聞喜縣) 사람이다. 건평태수(建平太守) 곽원(郭瑗)의 아들이다. 문학가이며 훈고학자이며 풍수가이며 천문, 역산(曆算), 복서에 정통했다. 시부(詩賦)를 잘이어 유선시(游仙詩)의 시조이다. 곽박은 역학을 전했을 뿐 아니라 도교의 술수학을 계승하여 양진(兩晋) 시기 유명한 방술가(方術家)이다. 서진(西晋) 말기에 선성태수은우참군(宣城太守殷祐參軍)을 지냈다. 나중에 왕돈(王敦) 왕실의 참군(參軍)이 되었고 복서(卜筮)로 불길하다 하여 왕돈의 모반을 막아서 피살되었다. 『이아(尔雅)』, 『방언(方言)』, 『산해경(山海經)』, 『목천자전(穆天子傳)』 등에 주석했다. 명나라 사람에 의해서 편집된 『곽홍농집(郭弘農集)』이 유명하다.

- **곽옹** 郭雍, 1106~1187

송(宋)대 낙양(洛陽 : 현 하남성 낙양시) 사람으로 자는 자화(子和)이고 자호는 백운(白雲)이다. 정이(程頤)의 제자인 곽충효(郭忠孝)의 둘째 아들로 가학을 이었으며, 벼슬길은 나아가지 않고 은거하면서 역학과 의학에 정통하였다고 한다. 역학 방면 저술로 『전가역해(傳家易解)』, 『괘사지요(卦辭指要)』, 『시괘변의(蓍卦辨疑)』 등이 있다고 한다.

• **곽자의** 郭子儀, 697~781

화주(華州) 정현(鄭縣) 사람으로 자는 자의(子儀), 별명은 곽령공(郭令公), 곽분양(郭汾陽)이다. 당(唐)나라 때 명장(名將)으로 어려서부터 무예가 출중하여 종군(從軍)하여 공을 쌓아 구원태수(九原太守)가 되었다. 하지만 중앙에서 중용 받지 못하고 있다가 안사(安史)의 난(亂)이 폭발한 후 삭방절도사(朔方節度使)가 되어 군대를 이끌고 하북(河北), 하동(河東)을 수복하여 병부상서(兵部尙書), 동중문하평장사(同中書門下平章事)가 되었다. 757년 광평왕(廣平王) 이숙(李俶)과 더불어 서경(西京) 장안(長安), 동도(東都) 낙양(洛陽)을 수복했다. 그 공으로 사도(司徒)가 되고 , 대국공(代國公)에 봉해졌다.

• **곽충효**郭忠孝

곽충효(郭忠孝, ?~1128)의 자는 입지(立之)이고 하남(河南) 낙양(洛陽) 사람이다. 신종(神宗) 원풍(元豊) 연간에 진사(進士)가 되었고 휘종(徽宗) 선화(宣和) 연간에 하동로제거(河東路提擧)가 되었다. 금(金)나라와의 화친에 반대했다. 금나라가 침입해 왔을 때 사망했다. 정이(程頤)의 제자이다.

• **관랑** 關朗

자는 자명(子明)이다. 북위(北魏) 해주(解州 : 현 산서성 소속) 사람이다. 효문제(孝文帝 : 재위기간 471~499)에게 천거되었으나, 효문제가 죽어서 벼슬에 나가지 못했다. 저술로는 『관씨역전(關氏易傳)』이 있다.

• **구부국** 丘富國

자는 행가(行加)이고, 남송 건안(建安 : 현 복건성 건구〈建甌〉) 사람이다. 주자의 문인으로 주자의 역학사상을 주로 계승 발전시켰다. 이종(理宗) 순우(淳祐) 7년(1247)에 진사에 급제하여 벼슬은 단주첨판(端州僉判)을 역임했다. 남송이 망하자 은거하고 벼슬하지 않았다. 저서에는 『주역집해(周易輯解)』, 『역학설약(易學說約)』, 『경세보유(經世補遺)』가 있다.

• **구양수** 歐陽修, 1007~1072

북송(北宋)시대 정치가, 문인, 학자로서 자는 영숙(永叔)이고, 호는 취옹(醉翁), 육일거사(六一居士)이다. 시호는 문충(文忠)이며 후세에 '구양문충공(歐陽文忠公)'이라 부렸다. 가난한 집안에서 태어나 4살 때 아버지를 여의고 문구를 살 돈이 없어 어머니가 모래 위에 갈대로 글씨를 써서 가르쳤다고 한다. 10살 때 한유(韓愈)의 선집을 읽은 것이 문학의 길로 들어선 계기가 되었다. 1030년 진사에 급제하여, 한림원학사(翰林院學士), 참지정사(參知政事) 등의 관직을 거쳐 태자소사(太子少師)가 되었다. 인종(仁宗)과 영종(英宗) 때 범중엄(范仲淹)을 중심으로 한 새 관료파에 속하여 활약했으나 신종(神宗) 때 동향 후배인 왕안석(王安石)의 신법(新法)에 반대하여 관직에서 물러났다. 그는 한유(韓愈), 유종원(柳宗元), 소식(蘇軾)과 더불어 '천고문장사대가(千古文章四大家)'라고 일컫고, 한유(韓愈), 유종원(柳宗元), 소식(蘇軾), 소순(蘇洵), 소철(蘇轍), 왕안석(王安石), 증공(曾鞏)과 더불어 '당송산문팔대가(唐宋散文八大家)'라 부른다. 일찍이 『신당서(新唐書)』 편수에 참여했고, 『신오대사(新五代史)』와 『집고록(集古錄)』을 편집했다. 저서로 『구양문충집(歐陽文忠集)』이 있다.

• **김비형** 金賁亨, 1483~1564

자는 여백(汝白)이고, 호는 일소(一所)이다. 명(明)대 절강 임해(臨海) 사람으로, 정통(正統) 9년(1514)에 진사에 급제하여, 벼슬은 형부랑중(刑部郞中), 강서안찰사첨사(江西按察司僉事), 강서제학부사(江西提學副使) 등을 역임했다. 강서(江西) 지방에서 이학(理學) 보급에 힘썼고, 우수한 학생을 뽑아 백록서원(白鹿書院)에서 강학했다. 저서에는 『학역기(學易記)』, 『학서기(學書記)』, 『학용의(學庸議)』, 『도남록(道南錄)』, 『상산하사요어(象山白沙要語)』 등이 있다.

## ㄴ

• **나종언** 羅從彦, 1072~1135

자는 중소(仲素)이고 호는 예장(豫章)이며, 시호는 문질(文質)이다. 세칭 예장선생(豫章先生)이라고 불렸다. 송나라 남사 검주(南沙劍州 : 현 복건성 남평〈南平〉) 사람이다. 동향의 선배 양시(楊時)의 가르침을 받고, 두 정자(程子)의 학문을 동향의 후배 이연평(李延平)에게 전하여 주자에 이르러서 '남검의 세 선생[劍南三先生]'이라고 불렸다. 고종(高宗) 건염(建炎) 4년(1130) 특과(特科)에 급제하여 박라현(博羅縣) 주부(主簿)에 임명되었다. 나중에 부라산(羅浮山)에 들어가 정좌(靜坐)하며 학문을 연구하여 마침내 양시 문하의 제1인자가 되었다. 치심(治心)의 중요성을 강조하여 마음을 수양하는 근본 방법으로 정좌(靜坐)를 주장했고, 도덕

수양에 있어 무욕(無欲)이 가장 중요하다고 여겼다. 저서에 『준요록(遵堯錄)』, 『춘추지귀(春秋指歸)』, 『춘추해(春秋解)』, 『중용설(中庸說)』, 『논어해(論語解)』, 『맹자해(孟子解)』, 『모시해(毛詩解)』, 『의론요어(議論要語)』, 『예장문집(豫章文集)』 등이 있다.

• **남괴** 南蒯

춘추시대 노(魯)나라 비읍(費邑)의 재상이었는데, 당시 노나라의 실권자였던 계평자(季平子)의 홀대에 모반을 일으켰다가 실패하였다.

## ㄷ

• **당학징** 唐鶴徵

자는 원경(元卿)이고 호는 응암(凝菴)이다. 명(明)대 무진(武進) 사람으로, 융경(隆慶) 신미년(辛未 : 1571)에 진사에 급제하여, 예부주사(禮部主事), 공부랑(工部郞), 상보사승(尙寶司丞), 광록시소경(光祿寺少卿), 태상시소경(太常寺少卿) 등을 역임하였다. 평생 책을 손에서 뗀 적이 없으며, 노장학을 비롯하여 천문, 지리 등 다방면으로 해박했는데, 역(易)에는 자득이 있었다고 한다. 저서에 『주역상의(周易象義)』, 『보세편(輔世編)』, 『헌세편(憲世編)』 등이 있다.

• **대연** 代淵, 985~1057

송나라 대주(代州) 사람. 자는 중안(仲顔) 또는 온지(蘊之)고,

만호(晩號)는 허일자(虛一子)다. 인종(仁宗) 천성(天聖) 2년(1024) 진사(進士)가 되고, 일찍이 이전(李畋)과 장달(張達)에게 배웠다. 청수주부(淸水主簿)를 지내다가 관직을 버리고 돌아와 강학(講學)했는데, 항상 자리가 가득 찼다. 안무사(安撫使)가 천거한 자리를 사양하고 나가지 않았다. 익주지주(益州知州) 양일엄(楊日嚴)이 천거하여 태자중윤(太子中允)을 지내고, 치사(致仕)했다. 저서에 『주역지요(周易指要)』와 『노불잡설(老佛雜說)』 등이 있다.

- **동수** 董銖, 1152~1214

자는 숙중(叔重)이고, 학자들에게 반간(槃澗)선생이라 불렸다. 요주 덕흥(饒州德興 : 현 강서성 소속) 사람으로 가정(嘉定)연간에 진사에 급제하여 벼슬은 무주 금화현위(婺州 金華縣尉)를 역임하였다. 처음에는 정순(程洵)에게 배우다가 주희의 문인이 되어 주희에게 깊이 신임을 얻었다. 심지어 학자들이 찾아오면 먼저 동수와 논변을 하게 하고 주희가 나중에 그것을 절충할 정도였다. 덕흥에서 강학을 하고 반간서원(槃澗書院)을 세웠다. 저술은 『성리주해(性理注解)』, 『역서주(易書注)』 등이 있다.

- **동중서** 董仲舒, B.C.179?~B.C.104?

서한(西漢) 때의 유학자로서 금문경학(今文經學)에 밝았으며, 하북성 광천현(廣川縣) 사람이다. 일찍부터 공손홍(公孫弘)과 『춘추공양전(公羊傳)』을 익혔으며 경제(景帝) 때는 박사가 되었다. 장막(帳幕)을 치고 제자를 가르쳤기 때문에 그의 얼굴을 모르는 제자도 있었다고 한다. 3년 동안이나 정원에 나가지 않았을 정도로 그는 학문에 정진하였다. 무제(武帝)가 즉위하여 크게 인재를 구하므로 현량대책(賢良對策)을 올려 천인감응(天人感應)·대일통(大一統)의 학설과 '모든 학파를 몰아내고, 오직 유가만을 존중[罷黜百家獨尊儒術]'할 것을 주장하여 인정을 받았고, 이후로 유가는 독존의 지위를 차지하게 되었다. 그러나 동중서는 『춘추공양전(公羊傳)』에 의거하여 유가철학을 음양오행설과 결합시켜 공맹유학을 변질시켰다. 저서에 『동자문집(董子文集)』·『춘추번로(春秋繁露)』 등이 있다.

• **동진경** 董眞卿

자는 계진(季眞)이고, 주자학을 계승한 동정(董鼎)의 아들이다. 송말원초 때 파양(鄱陽 : 현 강서성 파양현) 사람이다. 어려서는 부친에게 가학으로 주자학을 배우고, 대덕(大德) 8년(1304)에는 무이산(武夷山)에서 호일계(胡一桂)에게 역학을 배웠다. 그의 역학은 주자의 『주역본의』를 중시하는 호일계의 『역찬소(易纂疏)』를 근본으로 하지만, 『주역』의 편제는 경(經)과 전(傳)을 분리한 『주역본의』에 의거하지 않고 경(經)과 전(傳)을 합쳐놓은 현행본의 체제를 따랐으며, 문호에 관계없이 여러 학자들의 학설을 널리 수집하여 상수학(象數學)과 의리학(義理學)을 모두 수용했다. 저서에 『주역회통(周易會通)』이 있다.

• **두예** 杜預, 222~284

자는 원개(元凱)이며, 경조두릉(京兆杜陵 : 현 섬서성 장안현〈長安縣〉) 사람이다. 중국 진대(晉代)의 학자·정치가이며, 진주자사(秦州刺史)·진남대장군(鎭南大將軍) 등을 역임하였다. 유일하게 삼국시대의 명맥을 유지하고 있던 오(吳)나라를 공격하여 평정(280년)하였으며 뛰어난 군사전략가로서 실력을 발휘하였다. 만년에는 학문과 저술에 힘을 기울였다. 저서에 『춘추좌씨경전집해(春秋左氏經傳集解)』, 『춘추석례(春秋釋例)』 등이 있는데, 특히 『춘추좌씨경전집해』는 종래 별개의 책으로 되었던 『춘추(春秋)』의 경문(經文)과 『좌씨전(左氏傳)』을 한 권의 책으로 정리하여, 경문에 대응하도록 『좌씨전』의 문장을 분류하여 춘추의례설(春秋義例說)을 확립하고, 춘추학으로서의 좌씨학을 집대성하였다. 또한, 훈고에서도 선유(先儒)의 학설의 좋은 점을 모아 『좌씨전』을 춘추학의 정통적 지위로 올려놓았다. 이 저서는 현재에도 가장 기본적인 주석(註釋)으로 꼽힌다.

- **등우** 鄧禹

후한(後漢) 광무제(光武帝)를 도와 천하를 평정한 논공제일(論功第一)의 개국공신. 24세 때 광무제가 즉위하자 삼공(三公)의 하나인 대사도(大司徒)에 임명되고 고밀후(高密侯)에 봉(封)해졌다.

## ㄹ

- **래지덕** 來知德, 1525~1604

양산(梁山)현 사람으로 자는 의선(矣鮮)이고 호는 구당(瞿塘)이다. 명나라 때 이학자이다. 가정(嘉靖) 31년 고향에서 천거되어 만력(萬曆) 30년 총독왕상건(總督王象乾)을 지내고 한림시조翰林侍詔)를 지냈다. 상수와 의리를 결합하여 『역』을 주석하여 큰 성취를 이루었다. 『주역집주(周易集注)』, 『대학고본장구(大学古本章句)』 등이 있다.

## ㅁ

• **마융** 馬融, 79~166

자는 계장(季長)이고, 섬서성 흥평(興平) 사람이다. 중국 동한(東漢)의 유학자이며, 저명한 경학가로서 고문경학(古文經學)에 밝았다. 안제(安帝)와 환제(桓帝) 때에 벼슬하여 교서랑(校書郎), 무도(武都)와 남군(南郡)의 태수를 지냈다. 수많은 경전에 통달하여 노식(盧植), 정현(鄭玄) 등을 가르쳤다. 『춘추삼전이동설(春秋三傳異同說)』을 짓고, 『효경』, 『논어』, 『시경』, 『주역』, 『삼례』, 『상서』, 『열녀전』, 『노자』, 『회남자』, 『이소(離騷)』 등을 주석했다. 문집 21편이 있었으나 지금은 그 단편(斷片)만이 남아 있다.

• **마국한** 馬國翰, 1794~1857

자는 사계(詞溪)이고 , 호는 죽오(竹吾)이며, 산동성 역성현 남권부장(曆城縣 南權府莊 : 현 제남시 전복장〈濟南市 全福莊〉) 사람이다. 청대의 저명한 학자로서 한학자이면서 장서가(藏書家)이다. 그는 어릴 적부터 산서(山西)의 지현(知縣)의 관직을 지낸 부친을 좇아 공부했고, 이후에 김보천(金寶川)·여심원(呂心源)에게 사사받았으며, 경사(經史)에 밝았다. 섬서(陝西)의 부성(敷城)·석천(石泉)·운양(雲陽)의 지현(知縣)을 역임했다. 마국한은 당대(唐代) 이전에 이미 망실되고 훼손된 고서(古書)를 각종의 저작

안에 있는 주석과 인용문 및 여러 문헌 중에 단편적으로 남아있는 문장을 가려 뽑아서 고증하고 진위를 가렸다. 이후에 부문별로 나누고 편집해서 『옥함산방집일서(玉函山房輯佚書)』라는 이름으로 책을 만들었다. 이 책은 경(經)·사(史)·제자(諸子) 3편(編)으로 분류했고, 700 여권에 이르며 , 총 594 종류의 일서(佚書)를 모아 몸소 서록(序錄)를 써서 각각의 책머리에 덧붙였다. 『옥함산방집일서』는 일종의 문헌학의 거대한 저작이며, 마국한은 중국고대문화의 서적을 수집하고 보존한 점에서 커다란 공헌을 했다.

• **목백장** 穆伯長, 979~1032

목수(穆修)는 자는 백장(伯長)이고, 목참군(穆參軍)으로 불리었다. 송대 운주 문양(鄆州 汶陽 : 현 산동성 문상〈汶上〉) 사람인데, 나중에 채주(蔡州 : 현 하남성 여남〈汝南〉)에 살았다. 태주사리참군(泰州司理參軍)과 영주·채주문학참군(潁州·蔡州文學參軍)을 역임하였다. 소순(蘇舜)·소흠(蘇欽)형제와 친교하고 고문에 뛰어났다. 진단(陳摶)에게서 역수학(易數學)을 배우고 그것을 이지재(李之才)에게 전수해 주었으며, 이지재(李之才)는 또 소옹(邵雍)에게 전수하였다고 한다. 또 충방(种放)에게서 진단의 「태극도」를 얻어 주돈이에게 전수해주었다고 한다. 저서는 『목참군집(穆參軍集)』이 있다.

• **목생** 穆生

전한 노(魯)의 사람사람으로 초원왕(楚元王) 유교(劉交)가 젊었을 때 그와 함께 부구백(浮丘伯)에게서 『시(詩)』를 배웠다. 유교가

원왕이 되자 백생(白生), 신공(申公)과 함께 중대부(中大夫)에 임명했다. 목생이 평소 술을 좋아하지 않아 원왕은 항상 단술[례(醴)]을 준비해 두었다. 급왕(及王) 유무(劉戊)가 자리를 이었는데, 단술을 준비해 두는 것을 잊자 왕의 태도가 나태해졌다고 여겨 병을 이유로 사직했다.

• **무삼사** 武三思, ?~707

당나라 사람으로 측천무후(則天武后)의 이복 오빠의 아들인데 아첨을 잘해 무측천의 신임을 얻었다. 둘째 아들 무숭훈(武崇訓)이 중종의 딸 안락공주(安樂公主)와 결혼하자 환언범(桓彦范) 등 대신들을 모함하여 사람들이 조조(曹操)나 사마의(司馬懿)에 비교했다. 황태자 이중준(李重俊)을 제거하려다가 태자의 거병으로 부자가 함께 참형되었다.

• **무조** 武曌, 625~705

무측천(武測天)이라고도 한다. 당나라 고종(高宗 : 649~683)의 비(妃)로 들어와 황후(皇后)의 자리에까지 올랐으며 40년 이상 중국을 실제적으로 통치했다. 생애 마지막 15년(690~705) 동안은 국호를 당(唐)에서 주(周)로 변경하고 천수(天授)라는 연호를 썼다. 무후는 당조의 기반을 튼튼하게 해 제국 통일에 기여했다.

• **무창기** 繆昌期, 1562~1626

명(明)나라 때 관리이다. 강음(江陰) 사람으로 자는 당시(當時), 우원(又元)이고, 호는 서계(西溪)이며, 시호는 문정(文貞)이다.

만력(萬曆) 41년(1613)의 진사(進士) 출신으로 벼슬은 한림원서길사(翰林院庶吉士), 검토(檢討)를 지냈다.

## ㅂ

• **반고** 班固, 32~92

자는 맹견(孟堅)이며, 산서성 함양(咸陽) 사람이다. 중국 후한 초기의 역사가이며 문학가이다. 아버지 표(彪)의 유지를 받들어 고향에서 기전체 역사서인 『한서(漢書)』의 편집에 종사하였으나, 62년경 국사를 개작(改作)한다는 중상모략으로 투옥되었다. 그의 형인 초(超)의 노력으로 명제(明帝)의 용서를 받아, 20여 년 걸려서 『한서』를 완성하였다. 79년 여러 학자들이 백호관(白虎觀)에서 오경(五經)의 이동(異同)을 토론할 때, 황제의 명을 받아 『백호통의(白虎通義)』를 편집하였다. 화제(和帝) 때 두헌(竇憲)의 중호군(中護軍)이 되어 흉노 원정에 수행하고, 92년 두헌의 반란사건에 연좌되어 옥사하였다. 저서로는 『한서(漢書)』, 『백호통의』, 『양도부(兩都賦)』 등이 있다.

• **반몽기** 潘夢旂:

남송의 역학자로 자는 천석(天錫)이다. 저서로는 『대역약해(大易約解)』9권이 있다.

• **반사조** 潘士藻, 1537~1600

자는 법화(去華)고, 호는 설송(雪松)이다. 명(明)대 휘주부(徽州

府) 무원(婺源) 사람이다. 만력(萬曆) 11년(1583)에 진사(進士)에 급제하여 벼슬은 온주추관(溫州推官)을 제수 받고, 어사(御史)에 발탁되어 북성(北城)을 순시했으며, 상보경(尙寶卿)을 역임했다. 저서에 『암연당집(闇然堂集)』, 『세심재독역술(洗心齋讀易述)』 등이 있다.

• **반시거** 潘時擧

자가 자선(子善)이고, 송대 태주 천태현(台州天台縣 : 절강성 소속) 사람이다. 가정(嘉定) 때 국자정록(國子正錄)에 올랐다. 반시거가 기록한 주자어록은 계축년(1193년) 이후에 들었던 내용으로 거의 400여 조목에 달하며, 직접 질문한 것도 70~80조목이 된다. 『주자대전』 권60에 주자가 그에게 답하는 11통의 편지가 있다.

• **방교** 房喬, 579~648

제주(齊州) 임치(臨淄) 사람으로 자는 현령(玄齡)이다. 당(唐)나라 대신(大臣) 방언겸(房彦謙)의 아들이다. 18세에 진사(進士)가 되었고, 벼슬은 우기위(羽騎尉)가 되었다. 뒤에 이세민(李世民)에게 투항하여 참모가 되었다. 그는 이세민의 현무문(玄武門) 변란을 두여회(杜如晦), 장손무기(長孫無忌), 위지경덕(尉遲敬德), 후군집(侯君集) 등과 주도적으로 추진하여 일등공신이 되었다. 이세민이 황제가 된 후에 중서령(中書令), 상서좌부야(尙書左仆射)가 되었고, 양국공(梁國公)으로 봉해졌다. 그 뒤에 사공(司空)이 되어 조정의 정사를 총괄하였다. 시호는 문소(文昭)이다.

• **방응상** 方應祥, 1560~1628

자는 맹선(孟旋)이고 호는 청동(青峒)이다. 명(明)대 구주부 서안현(衢州府西安縣 : 현 절강성 구주시〈衢州市〉) 사람이다. 학문이 깊고 넓어서 30세가 되기 전에 제자들을 가르쳐 당시에 명망이 높았다. 명(明) 만력(萬曆) 44년(1616)에 진사에 급제하여 남경병부직방사주사(南京兵部職方司主事), 전사부랑중(轉祠部郎中), 산동포정사참정 겸 안찰사첨사(山東布政司參政兼按察司僉事) 등을 역임하였다. 저서에는 『사서강의(四書講義)』, 『청래각문집(青來閣文集)』 등이 있다.

• **범장생** 范長生, 218~318

일명 연구(延久), 중구(重久)로 불리며, 부릉 단심(涪陵丹心 : 현 중경시〈重慶市〉 검강〈黔江〉) 사람으로, '촉지팔선(蜀之八仙)' 가운데 한 사람이다. 토착호족 출신으로 서진(西晉) 시대에 성도(成都) 일대의 천사도(天師道) 수령으로 명망이 높았으며, 벼슬은 5호16국 시대에 16국의 하나인 대성정권(大成政權)의 승상을 역임하였다. 장생술과 천문에 뛰어났고, 술수 방면으로 『역』을 깊이 연구하여, 『촉재역기(蜀才易技)』를 저술하였다.

• **범조우** 范祖禹, 1041~1098

북송의 문인. 자는 순부(淳夫) 또는 몽득(夢得). 시호는 정헌(正獻). 진사에 합격한 뒤 사마광을 좇아 『자치통감』을 편수했다. 책을 만든 뒤 비서정자(秘書正字)에 추천되어 벼슬을 받고, 철종 때에는 급사중(給事中)이 되었다. 나중에 무고를 입어 소주별가(昭州別駕)로 폄적되었다가 죽었다. 저서에 『당감(唐鑑)』 등이 있다.

• **범중엄** 范仲淹, 989~1052

북송(北宋)시대 오현(吳縣 : 현 강소성 소주〈蘇州〉) 사람으로, 사상가이자 정치가, 군사가, 문학가이다. 자는 희문(希文)이다. 대중상부(大中祥符) 8년(1015)에 진사(進士)로 급제하여, 벼슬은 비각교리(秘閣校理), 추밀부사(樞密副使), 참지정사(參知政事), 하동섬서선무사(河東陝西宣撫使) 등을 역임하였다. 송 인종(仁宗)에게 올린 10개항의 개혁 상소문은 나중에 왕안석(王安石) 신법의 선구가 되었다. 1043년에 경력신정(慶曆新政)에 참여했고, 『답수조조진십사(答手詔條陳十事)』라는 상소문을 올려 10가지 개혁을 주장했다. 1045년, 신정(新政)이 실패하자 좌천되어 나주지주(那州知州), 항주지주(杭州知州), 청주지주(青州知州)를 지냈다. 시호는 문정(文正)이고, 세인들은 '범문정공(范文正公)'이라고 불렀다. 문학 방면에서의 성취도 커서 후세에 많은 영향을 끼쳤다. 저서로 『범문정공문집(范文正公文集)』이 있다.

• **보팔** 保八, ?~1311

자는 공맹(公孟)이고, 호는 보암(普庵)이며, 이름은 보파(保巴) 또는 보파(寶巴)라고도 한다. 원(元)대 색목인(色目人)(일설에는 몽고인)으로 낙양(洛陽)에서 살았다. 벼슬은 태자태사(太子太師), 상서우승(尙書右丞), 대중대부(大中大夫), 황주로총관내권농사(黃州路總管內勸農事) 등을 역임했다. 정주(程朱) 이학(理學)을 계승하면서 도가사상(道家思想)을 취하여 『역』과 태극론을 펼쳤다. 저서에 『역원오의(易源奧義)』, 『주역원지(周易原旨)』, 『역체용(易體用)』 등이 있다.

• **보광** 輔廣

자는 한경(漢卿)이고 호는 잠암(潛菴)이다. 송대 조주 경원(趙州慶源 : 현 강서성 무원현〈婺源縣〉 동북) 사람이다. 여조겸과 주자에게 배웠다. 경원(慶元) 초기 위학(僞學)을 금하는 일이 일어나 학자들이 대부분 흩어졌지만 보광은 홀로 변함없이 주자를 곁에서 모셨다. 황간(黃榦)·위료옹(魏了翁)과 동문수학하여 주희의 학문을 많이 토론하였다. 전이서원(傳貽書院)을 세워 후학들이 궁행실천에 힘쓰도록 가르쳤다. 당시 사람들이 전이선생(傳貽先生)이라고 불렀다. 저서에 『사서찬소(四書纂疏)』, 『육경집해(六經集解)』, 『주자독서법(朱子讀書法)』, 『통감집의(通鑑集義)』, 『시동자문(詩童子問)』, 『일신록(日新錄)』이 있다.

• **복건** 服虔

복건(服虔)은 동한(東漢)의 경학자이다. 자는 자신(子愼)이고 처음 이름은 중(重)이었다가 또 지(祇)라고 했다가 다시 건(虔)으로 바꿨다. 하남(河南) 형양(滎陽) 동북 사람이다. 관직은 상서시랑(尙書侍郎), 고평령(高平令), 중평말(中平), 구강태수(九江太守) 등을 지냈고, 세상이 혼란해지자 병으로 죽었다.

## ㅅ

• **사량좌** 謝良佐, 1050~1103

자는 현도(顯道)이고, 시호는 문숙(文肅)이며, 상채선생(上蔡先生)이라고 불리었다. 유초(游酢)·여대림(呂大臨)·양시(楊時)와 함께 '정문4선생(程門四先生)'이라 일컫고 상채학파의 시조가 되었다. 처음에 정호에게 배우다가 정호가 죽자 정이에게 배웠다. 송대 상채(上蔡 : 현 하남성 소속) 사람으로 지응성현(知應城縣)·경사(京師)에 이르렀다. 그는 우주의 근원적 이법(理法)을 직관적으로 파악하여 따른다는 정호학설을 이어받아 발전시켜서 남송 육상산(陸象山) 심학(心學)의 선구가 되었다. 저서는 『논어해(論語解)』, 『상채어록(上蔡語錄)』 등이 있다.

- **사마광** 司馬光, 1019~1086

자는 군실(君實)이고, 호는 우부(迂夫)와 만년의 우수(迂叟)이며, 시호는 문정(文正)이다. 세칭 사마태사(司馬太師)·온국공(溫國公)·속수선생(涑水先生)이라 한다. 송대 하현 속수향(夏縣 涑水鄕 : 현 산서성 하현〈夏縣〉) 사람으로 한림시독(翰林侍讀)·권어사중승(權御使中丞)·문하시랑(門下侍郞) 등을 역임하였다. 왕안석의 신법에 반대하여 퇴출되었다가 재상으로 복직하여 신법을 폐지하였다. 저서는 『문집』과 『자치통감(資治通鑑)』, 『계고록(稽古錄)』, 『역설(易說)』, 『잠허(潛虛)』 등이 있다.

- **사마담** 司馬談, ?~B.C.110

중국 전한 때의 사상가로서 하양(夏陽, 지금의 섬서성 한성〈韓城〉) 출신이다. 『사기(史記)』의 저자 사마천이 그의 아들이다. 건원(建元, B.C.140~B.C.135)에서 원봉(元封, B.C.110~B.C.108)에 걸쳐 관리 생활을 하였다. 벼슬은 태사(太史)에 이르러, 천문과 역법을 주관하고 황실의 전적을 관장하였다. 무제(武帝) 때 한나라 황실의 봉선(封禪) 의식에 참여하지 못해 화를 이기지 못하고 죽었는데, 아들에게 자신이 쓰던 사적(史籍)을 완성해 달라고 유언하였다. 유가(儒家)·묵가(墨家)·명가(名家)·음양가(陰陽家)·법가(法家)·황로학(黃老學) 등 제가(諸家)에 두루 능하였고, 특히 황로학을 좋아하였다. 저서에는 당시의 학자들이 각 학설의 본뜻을 이해하지 못함을 안타까이 여겨 육가(六家)의 학문 요지를 논한 『논육가요지(論六家要旨)』가 있다.

• **사마상여** 司馬相如, B.C.179~B.C.117

중국 전한의 문인. 부에 있어 가장 아름답고 뛰어나, 초사(楚辭)를 조술(祖述)한 송옥(宋玉)·가의(賈誼)·매승(枚乘) 등을 이어 '이소재변(離騷再變)의 부(賦)'라고도 일컬어진다. 수사존중(修辭尊重)의 풍(風)이 육조문학(六朝文學)에 끼친 영향은 크다. 주요 저서에는 『자허부(子虛賦)』 등이 있다.

• **사마양저** 司馬穰苴, ?~?

전국 시대 제(齊)나라 사람. 본래 성은 전(田)씨다. 대부(大夫)를 지냈다. 제나라 경공(景公) 때 진(晉)나라와 연(燕)나라가 쳐들어왔는데, 안영(晏嬰)의 추천으로 장군이 되어 나가서 물리치고 실지(失地)를 회복했다. 경공이 교외로 나가 맞으며 노고를 위로하고 대사마(大司馬)로 높여 '사마양저'라 부르게 되었다. 나중에 다른 대부들의 참소를 당하여 쫓겨나자 병이 나서 죽었다. 전국 시대 제위왕(齊威王)이 그의 용법 전술을 본받아 제후(諸侯) 사이에서 위세를 보였다. 대부들에게 옛날의 사마병법(司馬兵法)을 추론하게 하고 양저를 그 안에 넣었는데, 이 때문에 『사마양저병법』이라 불렀다. 일설에는 전국 시대 말기 제민왕(齊湣王)의 장수가 되어 집정(執政)했는데, 용병술이 뛰어났지만 나중에 민왕에게 살해당했다고 한다. 지금 『사마법(司馬法)』의 잔본이 남아 있는데, 춘추 시대의 병법과 병제(兵制)를 엿볼 수 있다.

- **사마의** 司馬懿, 179~251

삼국시대 위의 대신. 하내군(河內郡) 온현(溫縣) 출신. 자는 중달(仲達). 진 왕조 건국 뒤에 고조선제(高祖宣帝)라고 추존되어 사마선왕(司馬宣王) 또는 진의 고조선제라고도 한다. 처음에 조조(曹操)의 청으로 그의 부하가 되고, 조조의 아들 조비(曹丕)가 위를 세운 뒤에는 명제(明帝), 제왕(齊王) 등 3대 황제를 섬겼다. 그 동안 대도독(大都督)이 되어 위의 군사를 통솔하고, 위와 진의 유일한 권신이 되어 그의 손자 사마염(司馬炎) 때 제위를 빼앗아 진을 일으키는 터전을 닦았다. 주요 업적은 조비의 유언을 받아 명제 및 제왕을 보좌하였을 뿐만 아니라 삼국 정립의 위기에 처하여 외적을 물리친 일이다. 특히 촉한(蜀漢)의 제갈공명(諸葛孔明)을 오장원(丈原)에서 막아 그의 의도를 꺾었다. 또 요동(遼東)을 정벌하여 요동태수 공손연(公孫淵)을 멸망시키고, 요동을 위의 영토로 삼았다. 그 밖에 남방의 오나라에 대처하여 회하(淮河) 유역에 광대한 군둔전(軍屯田)을 설치하여 국방을 튼튼히 한 일도 큰 업적이다.

- **사마천** 司馬遷, B.C.145?~B.C.86?

자는 자장(子長)이고, 용문(龍門 : 현 한성현〈韓城縣〉) 사람이다. 서한의 역사가로서 『사기(史記)』의 저자이다. 사마담(司馬談)의 아들로서 7세 때 아버지가 천문 역법과 도서를 관장하는 태사령

(太史令)이 된 이후 무릉(武陵)에 거주하며 고문을 독서하던 중, 20세경 낭중(郎中, 황제의 시종)이 되어 무제를 수행하여 강남(江南)·산동(山東)·하남(河南) 등의 지방을 여행하였다. B.C.110년에는 아버지를 이어 무제의 태사령이 되었고 태산 봉선(封禪, 흙을 쌓아 제단을 만들고 제사를 지내는 의식) 의식에 수행하여 장성 일대와 하북·요서 지방을 여행하였다. 이 여행에서 크게 견문을 넓혔고, 『사기』를 저술하는 데 필요한 귀중한 자료를 수집하였다. 기원 전 110년 아버지 사마담이 죽으면서 자신이 시작한 『사기』의 완성을 부탁하였고, 그 유지를 받들어 B.C.108년 태사령이 되면서 황실 도서에서 자료 수집을 시작하였다. 그러나 그는 흉노의 포위 속에서 부득이하게 투항하지 않을 수 없었던 이릉(李陵) 장군을 변호하다 황제인 무제의 노여움을 사서, B.C.99년 사마천의 나이 48세 되던 해 남자로서 가장 치욕스러운 궁형(宮刑, 생식기를 제거하는 형벌)을 받았다. 사마천은 옥중에서도 저술을 계속하였으며 B.C.95년 황제의 신임을 회복하여 환관의 최고직인 중서령(中書令)이 되었다. 중서령은 황제의 곁에서 문서를 다루는 직책이었다. 하지만 그는 환관(宦官)신분으로 일부 사대부들의 멸시를 받았으며 운신의 폭도 자유롭지 못했다. 이러한 어려움 속에서도 사마천은 마침내 『사기』를 완성하였다. 사기 완성의 정확한 연대를 확인하기는 어렵지만 기원 전 91년 사마천이 친구인 임안이 옥에 갇혔다는 소식을 듣고 보낸 서한을 통해 추정해 볼 수 있다.『사기』의 규모는 본기(本紀) 12권, 연표(年表) 10권, 서(書) 8권, 세가(世家) 30권, 열전(列傳) 70권 모두 130권 52만 6천 5백자에 이른다.

• **사안** 謝安

동진(東晋) 중기의 재상. 동진 명문인 진군(陳郡) 양하(陽夏) 출신. 자는 안석(安石). 오랫동안 회계(會稽)에서 은둔생활을 하면서 왕희지(王羲之), 지둔(支遁) 등과 교우하며 풍류를 즐기다가 마흔이 넘은 중년에 비로소 중앙 정계에 투신했다. 처음 정서대장군(征西大將軍) 환온(桓溫)의 휘하에서 활약하다가 이부상서의 요직으로 진급하고, 제위를 찬탈하려는 환온의 야망을 저지했다. 환온이 죽은 뒤 재상이 되었을 때 전진왕(前秦王) 부견(堅)이 100만 대군을 이끌고 남하하는 것을 막고, 383년 형의 아들 사현(謝玄)과 부견의 군대를 비수(水)에서 격파했다. 국초(國初)의 왕도(王導)와 함께 명재상으로 칭송이 높았으며, 또 당시의 손꼽는 문화인이기도 했다. 비수에서 승리를 거둔 지 2년 만에 병사했다.

• **서기** 徐幾

자는 자여(子與)이고, 호는 진재(進齋)이다. 송대 숭안(崇安 : 현 복건성 무이산시〈武夷山市〉) 사람이다. 송 리종(理宗) 경정(景定) 5년(1264)에 적공랑(迪功郎)에 천거되고, 건녕부교수(建寧府教授) 겸 건안서원산장(建安書院山長) 겸 숭정전설서(崇政殿說書)를 제수받았다. 박학다재(博学多才)하였고 특히 역학에 정통하여 『역집(易輯)』·『역의(易義)』 등을 저술하였다.

• **서직방** 徐直方

남송의 역학자로 자는 입대(立大)이며, 호는 고위(古爲)이다. 저서로는 『역설(易說)』을 지었으나 전하지 않는다.

• **석개** 石介, 1005-1045

자는 수도(守道)이고 혹은 공조(公操)이다. 곤주(兗州) 봉부(奉符) 사람이다. 북송(北宋) 초기 학사이며 사상가이다. 송대 이학(理学)의 선구자이다. 태산서원(泰山書院)과 조래(徂徠書书院)을 창건하여 『역』과 『춘추(春秋)』를 가르쳐서 의리(義理)를 중시했다. 세상에서는 조래선생(徂徠先生)이라 부른다. 태산(泰山)학파의 창시자이다. 이정(二程)과 주희(朱熹)에게 영향을 미쳤다. 천성(天聖) 8년에 진사(進士)가 되었으며 국자감직강을 역임했다. 손복(孫復), 호원(胡瑗)과 함께 북송 삼선생(三先生)으로 불린다. 백성을 천하 국가의 근본으로 여겼다. 저작은 『조래집(徂徠集)』이 있다.

• **설방** 薛方

중국 전한(前漢) 말의 정치가로 '신(新)' 왕조를 세운 왕망(王莽, B.C.45~A.D.23)이 설방(薛方)에게 관직을 주려고 하였으나 설방은 "요임금과 순임금 때 아래로 허유(許由)와 소보(巢父)가 있었는데, 지금 임금께서 요순시대의 덕을 드높이려 하시니 저는 기산의 절개를 지키려고 합니다[堯舜在上 下有巢由 今明主方隆堯舜之德 小臣欲守箕山之節也]"라고 말하며 벼슬자리를 거절하였다.

• **설선** 薛瑄, 1389~1464

자는 덕온(德溫)이고 호는 경헌(敬軒)이다. 명(明)대 하진(河津) 사람으로, 하동학파(河東學派)의 창시자이다. 세칭 설하동(薛河東)이라 불렸다. 벼슬은 통의대부(通議大夫), 예부좌시랑 겸 한림원학사(禮部左侍郎兼翰林院學士)를 지냈다. 시호는 문청(文清)

이고, 후세에 설문청(薛文清)이라 불렸다. 저서에 『설문청공전집(薛文清公全集)』이 있다.

• **설훤** 薛煊, ?~?

명나라 전기의 학자이다. 자(字)는 덕온(德溫)이고 호는 경헌(敬軒)으로 명나라 이학의 조종이라고 불린다.

• **섭량패** 葉良佩

자는 경지(敬之)이고, 명(明)대 태주 태평(台州太平 : 현 절강성 태평) 사람이다. 명 세종(世宗) 가정(嘉靖) 2년(1523)에 진사에 급제하여 벼슬은 형부낭중(刑部郎中)에 이르렀다. 저서에 『주역의총(周易義叢)』, 『섭해봉문(葉海峰文)』이 있다.

• **소공** 召公

이름은 석(奭). 주나라 무왕(武王)의 동생이다. 형제인 주공(周公)과 함께 어린 성왕(成王)을 보필하여 주나라 왕조의 기반을 확립시켰다. 주나라 초기의 금문(金文)이나 『상서(尙書)』 등에서 '대보(大保)'라고 일컫는 것은 왕의 후견인이라는 뜻이고, 또 '황천윤대보(皇天尹大保)'라고도 일컫는 것은 소공이 사관(史官)의 장관으로서 성직(聖職)에 있었기 때문이다. 무왕이 죽자 무왕이 멸망시킨 은(殷)나라 왕조의 후손 무경(武庚)이 동남방의 이민족인 이(夷) 등과 짜고 반란을 일으켜 은 왕조를 부흥시키려고 하였다. 이에 소공은 주공과 함께 젊은 성왕을 옹립하고 출정하여 반란을 진압하고, 다시 동쪽의 산동 반도에 있는 이족의 본거지까지 원정하여 동방 경략의 대업을 완성했다. 소공은 다음 왕인 강왕(康王) 때까지 살아서 고령에도 불구하고 정치를 보살폈다.

• **소종** 昭宗, 867~904

당나라의 황제 이엽(李曄)으로 재위 기간은 888년부터 906년까지이다. 의종(懿宗)의 일곱 번째 아들이다. 초명은 걸(杰)인데, 민(敏)으로 고쳤다가 나중에 지금 이름으로 고쳤다. 처음에 수왕(壽王)에 봉해졌다. 희종(僖宗) 문덕(文德) 원년(888) 환관 양하공(楊夏恭)이 황태제로 옹립했고, 얼마 뒤 즉위했다. 당시 재상 최윤(崔胤)이 환관 한전해(韓全海)와 다투면서 각각 번진(藩鎭)과 결탁해서 호응을 받았다. 천복(天復) 원년(901) 한전해가 황제를 위협해 봉상(鳳翔)으로 달아나 절도사 이무정(李茂貞)에 의지했다. 최윤이 선무절도사(宣武節度使) 주온(朱溫, 朱全忠)을 이끌고 공격했다. 3년(903) 이무정이 한전해를 죽이고 주온과 화해하자 황제는 장안(長安)으로 돌아와 환관 7백여 명을 죽였다. 모든 일은 다 주온에게 일임했고, 강권에 못 이겨 낙양(洛陽)으로 천도했다. 그리고 얼마 뒤 주온에게 피살당했다. 16년 동안 재위했고, 시호는 성목경문효황제(聖穆景文孝皇帝)다.

• **소백온** 邵伯溫, 1057~1134

자는 자문(子文)이고 송대 낙양(洛陽 : 현 하남성 소속) 사람으로서, 소옹의 아들이다. 철종 때 천거로 특별히 대명부조교(大名府助教)를 제수받고 여러 지방관직을 역임하였다. 저술로는 『역변혹(易辨惑)』, 『황극계술(皇極系述)』, 『황극경세서(皇極經世序)』, 『관물내외편해(觀物內外篇解)』, 『소씨문견록(邵氏聞見錄)』,

『변무(辨誣)』 등이 있다.

• **소순** 蘇洵, 1009~1066

자는 명윤(明允)이고, 자호는 노천(老泉)이며, 북송 미주 미산(眉州眉山 : 현 사천성 미산) 사람이다. 북송의 문장가로 두 아들 소식(蘇軾)·소철(蘇轍)과 함께 당송팔대가(唐宋八大家)로 칭송되었다. 이들 세 부자를 세칭 삼소(三蘇)라고 하며, 소순을 노소(老蘇), 소식을 대소(大蘇), 소철을 소소(小蘇)라고도 부른다. 소순은 자신의 장기(長技)인 날카로운 논법과 정열적인 필치로 정치평론 22편을 구양수(歐陽修)에게 올려 일약 유명해졌다. 벼슬은 비서성교서랑(秘書省校書郎), 문안현주부(文安縣主簿)를 역임했다. 저술로는 북송 건륭(建隆) 이래의 예(禮)에 관한 글을 모은 『태상인혁례(太常因革禮)』 100권을 편찬했고, 『가우집(嘉祐集)』, 『시법(謚法)』 등이 있다.

• **소식** 蘇軾, 1037~1101

자는 자첨(子瞻), 화중(和仲)이고, 호는 동파거사(東坡居士), 설당(雪堂), 단명(端明), 미산적선객(眉山謫仙客), 소염경(笑髯卿), 적벽선(赤壁仙) 등이며, 북송 미주 미산(眉州眉山 : 현 사천성 미산〈眉山〉) 사람이다. 소순(蘇洵)의 아들이고 소철(蘇轍)의 형으로 대소(大蘇)라고도 불렸다. 송대 저명한 문필가로 당송팔대가(唐宋八大家)의 한 사람이다. 북송 인종(仁宗) 가우(嘉祐) 2년(1057) 진사에 급제하여, 벼슬은 중서사인(中書舍人), 한림학사겸시독(翰林學士兼侍讀), 한림승지(翰林承旨), 예부상서(禮部尙書) 등을 역임했다. 저서에 『동파칠집(東坡七輯)』, 『동파역전(東

坡易傳)』, 『동파서전(東坡書傳)』, 『동파악부(東坡樂府)』, 『논어설(論語說)』 등이 있다.

• **소옹** 邵雍, 1011~1077

자는 요부(堯夫)이고, 호는 안락선생(安樂先生)이며, 소문산 백원(蘇文山 百源)가에 은거하여 백원선생(百源先生)이라고도 불리었다. 시호는 강절(康節)이다. 송대 범양(范陽 : 현 하북성 탁현〈涿縣〉) 사람으로 만년에는 낙양(洛陽)에 거주하였는데, 이때 사마광(司馬光)·여공저(呂公著)·부필(富弼) 등이 그를 존경하여 함께 교류하면서 대저택을 증여하였다. 이지재(李之才)에게 도서선천상수학(圖書先天象數學)을 배웠다고 한다. 그는 도가사상의 영향을 받고 유가의 역철학(易哲學)을 발전시켜 독특한 수리철학(數理哲學)을 완성하였다. 역(易)이 음과 양의 2원(二元)으로서 우주의 모든 현상을 설명하고 있음에 대하여, 그는 음(陰)·양(陽)·강(剛)·유(柔)의 4원(四元)을 근본으로 하고, 4의 배수(倍數)로서 모든 것을 설명하였다. 그의 역학(易學)은 주희(朱熹)에게 큰 영향을 주었다. 저서는 『황극경세(皇極經世)』, 『이천격양집(伊川擊壤集)』, 『어초문답(漁樵問答)』 등이 있다.

• **소준** 蘇浚, 1542~1599

명나라 유명한 안찰사이다. 자는 군우(君禹)이고 호는 자계(紫溪)이다. 진(晋)땅 강소(江蘇) 사람이다. 남경의 형부주사, 협서성 참의, 광서성 안찰사와 광서성 참정을 지냈다. 광서성에 있을 때 『광서통지(廣西通志)』를 편찬하였는데 병에 걸로 귀주(貴州)로 돌아가 연구에 매진했다. 『역경인설(易經儿說)』, 『사서인설(四書

儿說)』 등이 있다.

• **손복** 孫復, 992~1057

자는 명복(明復)이고, 이름은 복(復)이며, 호는 태산(泰山)이다. 중국 북송(北宋) 초기의 유학자이며 경학자로서 진주평양(晋州平陽 : 현 호남성 계양현〈桂陽縣〉) 사람이다. 과거에 낙제한 뒤 태산(泰山)에 은거하여 강학(講學)에 힘쓰다가 범중엄(范中淹)·부필(富弼) 등의 천거로 벼슬길에 나아갔다. 손복의 학풍은 당대(唐代) 이래의 주소학(注疏學)을 물리치고 직접 육경(六經)의 본의(本義)를 탐구하는 '통경치용(通經致用)의 실학(實學)'이다. 특히, 학술계에서 손복을 중시하는 것은 그의 춘추학(春秋學)에 있다. 손복은 『춘추』를 해석한 『춘추삼전(春秋三傳)』에 근거하지 않고, 자기의 뜻대로 『춘추』를 해석하였다. 손복은 "천자를 높이고, 제후를 물리친다.[尊天子 , 黜諸侯]"는 것에 의거하여 『춘추』에는 "폄하하는 것은 있지만 높이는 것은 없다.[有貶無褒]"고 생각하고, 맹자의 "공자가 『춘추』를 지으니, 난신적자들이 두려워했다.[孔子成《春秋》而亂臣賊子懼]"는 사상을 강조하였다. 범중엄·호원(胡瑗)과 함께 송초(宋初)의 3선생이라 불렀다. 저서로는 『춘추존왕발미(春秋尊王發微)』 12편이 있다.

• **순상** 荀爽, 128~190

후한의 역학자로 영천(潁川) 영음(潁陰, 하남성 許昌) 사람이며, 자는 자명(慈明)이고, 이름은 서(諝)이며, 순숙(荀淑)의 여섯째 아들이다. 12살 때 『춘추』와 『논어』에 통하여 경서를 깊이 연구하고 관직에 나오려는 부름을 받았으나, 응하지 않았다. 환제(桓帝)

166년에 지극한 효성으로 천거되어 낭중(郎中)에 임명되어 대책을 올려 시폐(時弊)에 대해 통렬하게 지적했지만, 곧 벼슬을 버리고 떠났다. 당고(黨錮)의 화(禍)가 일어나자 바닷가에 숨어 10여년을 지냈다. 헌제(獻帝) 때 다시 등용되어 사공(司空)을 지냈으며, 사도(司徒) 왕윤(王允)과 동탁(董卓)을 제거하려 하다가 뜻을 이루지 못하고 죽었다. 저서로는 『역전(易傳)』과 『시전(詩傳)』, 『예전(禮傳)』, 『상서정경(尙書正經)』, 『춘추조례(春秋條例)』, 『공양문(公羊問)』 등이 있었지만 모두 없어졌고, 비직(費直)의 고문역학(古文易學)을 연구한 『주역순씨주(周易荀氏注)』의 일부가 『옥함산방집일서』 및 『한위이십일가역주(漢魏二十一家易注)』에 전할 뿐이다.

• **순열** 荀悅, 148~209

자는 중예(仲豫)이며, 영천영음(潁川潁陰 : 현 하남성 허창〈許昌〉) 사람이다. 후한 말엽의 사상가이다. 12세 때 『춘추(春秋)』에 통달하였으나, 성장해서는 병약하여 세상에 나가기를 싫어하였다. 후에 조조(曹操)의 부름을 받고 황문시랑(黃門侍郎)이 되어 헌제(獻帝)에게 강의를 하였고, 비서감시중(秘書監侍中)에 올랐다. 때마침 조조가 실권을 잡고 후한 왕조가 쇠퇴하였으므로, 인의(仁義)를 바탕으로 하여 시폐(時弊)를 구제하려는 정책을 논한 『신감(申鑒)』 5편을 저술하였고, 『한서(漢書)』를 간편한 편년체(編年體)로 고친 『한기(漢紀)』 30권을 편찬하였다.

• **순자** 荀子, B.C.298?~B.C.238?

성은 순(荀), 이름은 황(況)이다. 조(趙)나라 사람이다. 순경(荀

卿)·손경자(孫卿子) 등으로 존칭된다. 『사기(史記)』에 전하는 그의 전기는 정확성이 없으나, 50세(일설에는 15세) 무렵에 제(齊)나라에 유학(遊學)하고, 진(秦)나라와 조나라에서 유세(遊說)하였다. 제나라의 왕건(王建, 재위 B.C.264~B.C.221) 때 다시 제나라로 돌아가 직하(稷下)의 학사(學士) 가운데 최장로(最長老)로 존경받았다. 세 차례나 직하학궁의 좨주(祭酒)를 지냈다. 뒤에 그곳을 떠나 초(楚)나라의 재상 춘신군(春申君)의 천거로 난릉(蘭陵, 山東省)의 수령이 되었다. 춘신군이 암살되자(B.C.238), 벼슬자리에서 물러나 그 고장에서 문인교육과 저술에 전념하며 여생을 마쳤다. 순자의 사상은 공자(孔子)·자궁(子弓)을 스승으로 하고 유가(儒家)의 실천 도덕을 바탕으로 하지만, 그들보다 한층 합리적이며, 더욱이 전국사상(戰國思想)의 여러 유형을 지양한 체계적이고 종합적인 것이었다. 순자의 저술은 당시 이미 성문(成文) 부분이 있었으나, 또 『순자』에는 부(賦) 10편이 있었는데 지금은 2편으로 줄여서 수록되어 있다.

- **순임보** 荀林父, ?~B.C.593

춘추 시대 진(晉)나라의 정치가이며, 6경(卿)의 일원으로 관직은 중군원수(中軍元帥)에 이르렀다. 필(邲) 땅 전투에서 대장을 맡았다가 패배해 진나라가 쥐고 있던 패권을 초 장왕에게 헌납했다. 중항(中行 : 진나라의 군대 편제의 한 단위)의 대장을 맡았기 때문에 중항(中行)을 성씨로 삼아, 진나라의 6경 중 중항씨의 시조가 되었다. 시호는 환(桓)으로, 순환자(荀桓子), 중항환자(中行桓子)라고도 한다. 순서오(荀逝敖)의 아들이며, 순경(荀卿)의 아버지다.

• **시중행** 柴中行

자는 여지(與之)고, 호는 남계(南溪)며, 시호는 헌숙(獻肅)이다. 남송 여간(餘干 : 현 강서성 만년현 남계향〈萬年縣南溪鄕〉) 사람이다. 소희(紹熙) 원년(1190)에 진사에 급제하여 벼슬은 강주교수(江州教授), 서경전운사(西京轉運使), 호남제형(湖南提刑), 숭정전설서(崇政殿說書), 우문전수찬(右文殿修撰)을 역임했다. 주자를 사숙했고 『정씨역전(程氏易傳)』을 깊이 연구했다. 남계서원(南溪書院)에서 강학하여 요로(饒魯)·탕간(湯幹)·탕건(湯巾)·탕중(湯中)·탕한(湯漢) 등의 문인을 배출했다. 저서에는 『역계집전(易繫集傳)』, 『서집전(書集傳)』, 『시강의(詩講義)』, 『논어동몽설(論語童蒙說)』 등이 있다.

• **신안 진씨** 新安陳氏, 1252~1334

원 신안(新安) 출신. 이름은 력(櫟). 자는 수옹(壽翁) 또는 정우(定宇). 스스로 동부(東阜)라고 불러서 만년의 호는 동부노인(東阜老人)이다. 거실을 정우당(定宇堂) 또는 근유당(勤有堂)이라 하여 정우선생(定宇先生)이라고도 불렀다. 주자를 자기 학문의 조종으로 삼았다. 송이 망하자 은거하고 책을 저술하다가 83살에 죽었다. 저서에 『역략(易略)』, 『사서발명(四書發明)』, 『서전찬소(書傳纂疏)』, 『예기집의(禮記集義)』, 『근유당수록(勤有堂隨錄)』, 『역조통략(歷朝通略)』, 『정우집(定宇集)』 등이 있다.

• **심괄** 沈括, 1031~1095

자는 존중(存中)이고 호는 몽계장인(夢溪丈人)이다. 절강성 항주(抗州) 사람이다. 인종(仁宗) 가우(嘉祐) 8년(1063년)에 진사에 급제하여, 신종(神宗) 때에 왕안석의 변법운동(變法運動)에 참여하였다. 변법운동이 실패한 뒤 보수파로부터 탄압을 받던 그는 58세에 완전히 정계에서 물러나, 강소성 진강(鎭江)에 있는 몽계원(夢溪園)에서 은거하여 그동안의 경험에 의거하여 다방면으로 연구에 몰두하였다. 이에 정치·경제·문화·군사뿐 아니라 수학·천문·역법·음악·의학·기상·지질·지리·물리·과학·생물·농업·수리·건축 등을 망라하는 백과전서적인 저술인 『몽계필담(夢溪筆談)』을 완성하였다. 특히 이 책은 북송대 과학발전의 지표를 가름할 수 있는 대표적인 저술로 평가된다.

• **심인사** 沈驎士, 419~503

남조(南朝) 제(齊)나라의 오흥 무강(吳興武康 : 현 절강성 소속) 사람으로 자는 운정(雲禎)이고 직렴선생(織簾先生)이라 불렸다. 당시 여러 나라에서 높은 관직으로 그를 등용하려했으나 벼슬에 나아가지 않고 은거하여 후진 교육에만 힘 쏟았다. 저서로 『주역·양계훈(周易·兩繫訓)』, 『장자·내편훈(莊子·內篇訓)』, 『노자요략(老子要略)』 등이 있으며, 『역경(易經)』·『예기(禮記)』·『춘추(春秋)』·『상서(尙書)』·『논어』 등을 주석하였다.

• **심해** 沈該 ?~?

남송 호주(湖州) 귀안(歸安) 사람. 자는 수약(守約)이고, 심시승(沈時升)의 아들이다. 고종(高宗) 소흥(紹興) 8년(1138) 금나라 사람이 회사(淮泗)에서 사신을 보내 화친을 청하자 글을 올렸는데, 바로 불려갔다. 16년(1146) 양절전운판관(兩浙轉運判官)으로 임안(臨安)을 다스렸다. 다음 해 권예부시랑(權禮部侍郎)이 되고,

외직으로 나가 기주지주(夔州知州)가 되었다. 불려 참지정사(參知政事)에 오르고 좌복야(左僕射)에 오른 뒤 나이가 들어 퇴직을 청했다. 『주역』에 정통했다. 저서에 문집과 『역소전(易小傳)』, 『중흥성어(中興聖語)』가 있다.

## ㅇ

- **안사고** 顔師古, 581~645

자는 사고(師古)이고, 이름 주(籀)이며, 섬서성 만년현(萬年縣) 사람이다. 중국 당나라 초기의 유학자·경학자·언어문자학자·역사학자이며, 특히 『한서(漢書)』의 전문가이다. 『안씨가훈(顔氏家訓)』의 저자인 안지추(顔之推)가 그의 조부이다. 학자 집안에 태어나 고전(古典)의 학습에 힘썼고 특히 문장에 뛰어났다. 당나라 고조(高祖)·태종(太宗)의 2대를 섬겨, 중서사인(中書舍人)·중서시랑(中書侍郎)·비서감(秘書監)을 역임하였고, 정치에도 능통하여 조령(詔令)의 기초를 맡았다. 그 동안 유교의 경전인 『오경(五經)』의 교정에 종사하여 정본(定本)을 만들었으며, 『대당의례(大唐儀禮)』의 수찬에 참여하였다. 오경의 주석(註釋)인 『오경정의(五經正義)』의 편찬에도 참여하였고, 『한서』에 주석을 가함으로써 전대(前代)의 여러 주석을 집대성하였다. 『한서』의 주석은 그의 문자학(文字學)·역사학의 온축(蘊蓄)으로, 오늘날도 『한서』 해석의 중요한 근거가 되었다.

- **안영** 晏嬰, ?~B.C.500

춘추시대 제(齊)나라의 정치가로 이름[諱]는 영(嬰), 자는 중(仲)

이다. 시호(諡號)는 평(平)으로서 평중(平仲)이라고도 불리며, 안자(晏子)라고 존칭되기도 하였다. 내주(萊州)의 이유(夷維 : 현 산동성 내주〈萊州〉) 사람이다. 제나라 영공(靈公)과 장공(莊公), 경공(景公) 3대에 걸쳐 몸소 검소하게 생활하며 나라를 바르게 이끌어 관중(管仲)과 더불어 훌륭한 재상으로 후대에까지 존경을 받았다. 안영은 기억력이 뛰어난 독서가였으며, 합리주의적 경향이 강했다고 평가된다. 그와 관련된 기록은 『안자춘추(晏子春秋)』로 편찬되어 전해진다.

• **양간** 楊簡, 1141~1226

남송 명주(明州) 자계(慈溪) 사람. 자는 경중(敬仲)이고, 호는 자호선생(慈湖先生)이며, 시호는 문원(文元)이다. 양정현(楊庭顯)의 아들이다. 효종(孝宗) 건도(乾道) 5년(1169) 진사(進士)가 되고, 부양주부(富陽主簿)에 올랐다. 이때 육구연(陸九淵)을 스승으로 섬겨 육씨심학파(陸氏心學派)의 대표적 인물이 되었다. 원섭(袁燮), 서린(舒璘), 심환(沈煥) 등과 함께 녹상사선생(甬上四先生), 사명사선생(四明四先生)으로 일컬어졌다. 육구연의 심학을 우주의 만물(萬物), 만상(萬象), 만변(萬變)이 모두 자신에게 속해 있다는 유아론(唯我論)으로 발전시켰다. 저서에 『자호시전(慈湖詩傳)』과 『양씨역전(楊氏易傳)』, 『계폐(啓蔽)』, 『선성대훈(先聖大訓)』, 『오고해(五誥解)』, 『자호유서(慈湖遺書)』 등이 있다.

• **양만리** 楊萬里, 1127~1206

송 길수(吉水) 출신. 이름은 만리(萬里). 자는 정수(廷秀). 시호는 문절(文節). 학자로서 성재선생(誠齋先生)이라고 불린다. 소흥(紹

興) 때 진사 및 영릉승(零陵丞)이 되었다. 때마침 영주(永州)에서 귀양살이하는 장준(張浚)에게 정심성의의 학을 공부했다. 양만리는 그의 가르침에 감복하여 책 읽는 방을 성재라고 불렀다. 효종 때 국자감박사가 되었고, 보문각대제(寶文閣待制)에서 벼슬을 사양하고 물러났다. 개희(開禧) 2년 보모각(寶謨閣) 학사에 나아갔다. 한탁주(韓胄)의 전참(專僭)에 분개하다 병이 나서 죽었다. 광종(光宗)이 성재라는 두 글자를 써서 내렸다. 시문에 뛰어났다. 저서에 『성재역전(誠齋易傳)』, 『당언(唐言)』, 『성재집(誠齋集)』, 『천려책(千慮策)』, 『성재시화(誠齋詩話)』가 있다.

• **양문환** 楊文煥

남송의 역학자로 태주사람이며, 자는 빈부(彬夫)이다. 저서로는 『오십가역해(五十家易解)』42권이 있다.

• **양시** 楊時, 1053~1135

자는 중립(中立)이고 호는 구산(龜山)이며 시호는 문정(文靖)이다. 북송 장락(將樂 : 현 복건성 장락현) 사람이다. 관직은 고종(高宗) 때 용도각직학사(龍圖閣直學士)에 이르렀다. 정호(程顥)·정이(程頤) 형제에 사사(師事)했는데, 특히 형 정호의 신임을 받았다. 민학(閔學)의 창시자이자 정문 4대 제자 가운데 한 사람이다. 그는 오래 살면서 이정(二程 : 정호·정이)의 도학을 전하여 낙학(洛學 : 이정의 학파)의 대종(大宗)이 되었으며, 그 학계(學系)에서는 주희·장식(張栻)·여조겸(呂祖謙) 등 뛰어난 학자가 많이 배출되었다. 저서에 『구산집(龜山集)』, 『구산어록(龜山語錄)』, 『이정수언(二程粹言)』 등이 있다.

- **양웅** 揚雄, B.C.53~18

서한시대 성도(城都 : 현 사천성 성도) 사람으로 자는 자운(子雲)이다. 40세에 도성으로 가서 「감천(甘泉)」, 「하동(河東)」의 부(賦)를 올리고 황제의 부름을 받았다. 성제(成帝) 때에 급사황문랑(給事黃門郎)이 되었고, 왕망(王莽)이 집권할 때에 교서천록각(校書天祿閣)으로 대부의 반열에 올랐다. 왕망(王莽)의 정권을 찬미하는 문장으로 그에게 협조하였기 때문에 지조가 없는 사람으로 송학(宋學) 이후에는 비난의 대상이 되기도 하지만, 그의 식견은 한(漢)나라를 대표한다. 사람의 본성에 대해서는 '성선악혼설(性善惡混說)'을 주장하였다. 초기에는 형식상 사마상여(司馬相如)를 모방하여 『감천(甘泉)』, 『하동(河東)』, 『우작(羽猎)』, 『장양(長楊)』 4부(四賦)를 지었으나, 후기에는 『역(易)』을 본떠서 『태현(太玄)』을 짓고 『논어』를 본떠서 『법언(法言)』을 지었다.

- **양인** 梁寅, 1309~1390

원말명초 강서(江西) 신유(新喩) 사람으로 자는 맹경(孟敬)이고, 호는 양오경(梁五經) 또는 석문선생(石門先生)이다. 대대로 농사를 지어 가난했다. 스스로 배우기를 게을리 하지 않아 오경(五經)에 정통했고, 백가(百家)의 학설을 두루 익혔다. 여러 차례 과거에 응시했지만 떨어졌다. 원나라 말에 일찍이 집경로유학훈도(集慶路儒學訓導)로 부름을 받아 2년 동안 있다가 사직하고 은거하여 학생들을 가르쳤다. 명나라 초기에 명유(名儒)로 불려 예국(禮局)에서 각종 예제(禮制)에 대해 토론했는데, 논리가 정확하고 예리해 여러 학자들이 탄복했다. 예악서(禮樂書)를 찬수하고 벼슬을 내렸지만 사양하고 귀향하여 석문산(石門山)에서 학문을 강론

했다. 저서에 『예서연의(禮書演義)』, 『주례고주(周禮考注)』, 『춘추고서(春秋考書)』 등이 있었지만 전해지지 않고, 『석문집』과 『주역참의(周易參義)』, 『시연의(詩演義)』만 남아 있다.

• **양하** 楊何, 생졸연도미상

자는 숙원(叔元)이며,서한의 치천(淄川) 사람이다. 일찍이 전하(田何)에게 『역』을 배웠으며, 사마담에게 『역』을 전수해 주었다고 한다. 한(漢) 무제(武帝)때에 중대부(中大夫)에 임명되었다. 저서로는 『역전양씨(易傳楊氏)』 2편이 있었지만, 이미 망실되었다.

• **여강** 呂强, ~184

동한 시대 하남성 사람이다. 자는 한성(漢盛)이다. 후한을 망하게 한 대규모의 반란은 황건적(黃巾賊)의 반란이다. 그때 환관(宦官)들 가운데 황건적과 밀통하면서 나라를 망하게 했던 무리들이 있었고, 영제(靈帝)도 탐욕스런 정치로 나라를 망하게 했다. 환관 가운데 황건적과 내통한 사람이 드러났을 때, 환관들은 엎드려 사죄하면서도 죄를 다른 사람에게 미루고 특히 여강(呂强)이 당인(黨人)들과 내통하면서 음모를 꾸민다고 모함했다. 영제(靈帝)가 그를 불렀을 때 화가 나서 자살했다고 한다.

• **여공저** 呂公著, 1018~1089

송대 사람. 자는 회숙(晦叔). 시호는 정헌(正獻). 공필(公弼)의 동생. 벼슬은 상서우복야(尙書右僕射) 겸 중서시랑(中書侍郞). 사마광과 뜻을 함께하여 정치를 도왔다. 사마광이 병으로 죽을 때 그에게 국사를 맡겼다. 나라 일을 맡은 지 3년 만에 죽어 신국공(申國公)에 봉해졌다.

• **여대균** 呂大鈞, 1031~1082

자는 화숙(和叔)이고, 여대방(呂大防)의 동생이다. 북송 경조 남전(京兆藍田 : 현 섬서성 소속) 사람이다. 인종(仁宗) 가우(嘉祐) 2년(1057) 진사(進士)가 되고, 진주우사리참군(秦州右司理參軍), 서사기밀문자(書寫機密文字)를 역임했고, 송나라가 서하(西夏)를 공격하자 부연전운사(鄜延轉運使)의 격문(檄文)을 썼다고 한다. 장재(張載)의 문인으로 그의 학문을 전한 중요 인물이다. 학문은 예를 근본으로 삼아 실천과 치용(治用)을 중시했다. 저서에 『사서주(四書注)』와 『성덕집(誠德集)』이 있었지만 대부분 없어지고, 지금은 『여씨향약(呂氏鄕約)』과 「향의(鄕儀)」, 「조설(吊說)」 등이 남아 있다.

• **여대림** 呂大臨, 1040~1092

자는 여숙(與叔)이고, 당시 예각선생(藝閣先生)으로 불리었다. 송대 남전(藍田 : 현 섬서성 소속) 사람으로 『여씨향약(呂氏鄕約)』을 쓴 여대균(呂大鈞)의 동생이다. 장재(張載)가 처음으로 관중(關中)에 와서 강학할 때 형들과 함께 장재를 스승으로 모셨으나, 장재가 죽은 뒤 이정(二程)에게 배워 사량좌(謝良佐) · 유초(游酢) · 양시(楊時)와 함께 '정문4선생(程門四先生)'이라 일컫는다. 태학박사(太學博士) · 비서성정자(秘書省正字)를 역임하였다. 저서는 『예기전(禮記傳)』, 『고고도(考古圖)』 등이 있다.

• **여조겸** 呂祖謙, 1137~1181

자는 백공(伯恭)이고, 세칭 동래선생(東萊先生)이라 한다. 송대 금화(金華 : 현 절강성 소속) 사람으로 주희·장식(張拭)과 함께 '동남3현(東南三賢)'으로 불리었다. 직비각저작랑(直秘閣著作郎), 국사원편수(國史院編修), 실록원검토(實錄院檢討)를 역임하였다. 『시(詩)』, 『서(書)』, 『춘추(春秋)』에 대하여 많은 고의(古義)를 궁구했다. 1175년 주희와 『근사록(近思錄)』을 편찬하였고, 신주(信州 : 현 강서성 상요〈上饒〉) 아호사(鵝湖寺)에 주희와 육구연을 초청하여 두 사람의 논쟁을 중재하려 하였다. 저서는 『고주역(古周易)』, 『동래좌씨박의(東萊左氏博儀)』, 『동래집(東萊集)』 등이 있다.

• **영포** 英布

한고조(漢高祖)가 항우(項羽)와 팽성(彭城)에서 크게 싸우다 불리해지자 구강왕(九江王) 영포(英布)에게 수하를 보내 초(楚)를 배반하게 하였다. 그런데 영포가 3일 동안이나 수하를 만나 주지 않자, 수하가 태재(太宰)를 유인해 영포를 만난 뒤에 설득해서 그의 마음을 돌린 후 마침 초나라의 사신이 오자 그가 이미 한(漢) 나라에 귀부(歸附)했다고 공공연히 선언을 하여 꼼짝없이 배반하도록 만들었다. 그 후 전공으로 회남왕으로 봉해졌는데, 한신과 팽월의 죽음을 보고 두려운 나머지 반란을 일으켰다가 죽었다.

• **오기** 吳綺

송대의 역학자로 자는 충무(忠畝)이며, 호는 삼산(三山)이다. 저서로는 『역설(易說)』이 있었으나 전하지 않는다.

• **오왈신** 吳曰愼

자는 휘중(徽仲)이고 흡현(歙縣 : 현 안휘성 黃山市) 사람으로 제생[諸生 : 명(明)·청(淸) 시대 성(省)에서 실시하는 각종 고시(考試)에 합격한 다음 부(府), 주(州), 현(縣)의 학교에 들어가 공부하는 자들]을 지냈다. 북송5자의 책에 마음을 다 쏟았고, 학문을 논함에 경을 주로 하기 때문에 정암(靜菴)이라고 스스로 호를 붙였다. 초년에 양계(梁溪)를 유람하다가 동림(東林)서원에서 강학을 했다. 얼마 뒤 흡현으로 돌아와 자양서원과 환고서원 두 서원에서 제자들을 모아 강학했는데, 흥기하는 자들이 많았다.

• **오징** 吳澄, 1249~1333

자는 유청(幼淸)이고, 세칭 초려선생(草廬先生)이라 한다. 송원(宋元)교체기 숭인(崇仁 : 현 강서성 소속) 사람으로 국자감사업(國子監司業)·한림학사(翰林學士)를 역임하였다. 시호는 문정(文正)이다. 그의 학문은 주로 주희와 육구연의 사상을 절충하는 경향이 있으며, 특히 주희 이래의 도통(道統)을 은연중에 자임하고 있다. 저서는 『학기(學基)』, 『학통(學統)』, 『서·역·춘추·예기찬언(書·易·春秋·禮記纂言)』, 『오문정공집(吳文正公集)』, 『효경장구(孝經章句)』 등이 있고, 『황극경세서(皇極經世書)』, 『노자(老子)』, 『장자(莊子)』, 『태현경(太玄經)』, 『팔진도(八陣圖)』, 『곽박장서(郭璞葬書)』를 교정했다.

• **옹영** 翁泳

자는 영숙(永叔) , 사재(思齋)이다. 송대 건양(建陽 : 현 복건성 건양) 사람으로 채원정의 아들 채연(蔡淵)의 제자이다. 저술은 『주석하락강의(注釋河洛講義)』, 『하락운행강의(河洛運行講義)』, 『역해(易解)』, 『소학집해(小學集解)』 등이 있다.

• **왕망** 王莽, B.C.45~A.D.25

산동(山東) 출신. 자는 거군(巨君). 한 원제(漢元帝)의 왕후인 왕(王) 씨 서모의 동생인 왕만(王曼)의 둘째 아들. 갖가지 권모술수를 써서 사실상 최초로 선양(禪讓) 혁명으로 전한의 황제 권력을 빼앗았다. 왕왕후의 아들 성제(成帝)가 즉위하자 왕망의 큰아버지 왕봉(王鳳)이 대사마대장군영상서사(大司馬大將軍領尙書事)가 되어 정치를 한 손에 쥐었다. 왕망은 불우하게 자랐으나 유학을 배우고 어른을 잘 섬겨 왕봉의 인정을 받았다. B.C.33년 황문랑(黃門郎)이 되고, B.C 16년에는 봉읍 1,500호를 영유하는 신야후(新野侯)가 되었다. 그 뒤 왕 씨 일족의 두령으로서 지위를 굳히고 B.C.8년에는 대사마(大司馬)가 되었다. 다음의 애제(哀帝) 때에 신흥 외척의 압박을 피하여 한때 정계에서 물러났으나 애제가 1년 만에 아들 없이 죽자 태황태후 왕 씨와 쿠데타에 성공하여 대사마에 복귀했다. 9살의 평제(平帝)를 옹립하여 자기 딸을 왕후로 삼고, 스스로 안한공(安漢公), 재형(宰衡)이라는 칭호를 붙였다. A.D.5년에는 평제를 독살한 뒤 2살의 유영(劉)을 세워 당시 유행하던 오행참위설(五行讖緯說)을 교묘히 이용하며 인심을 모았다. 스스로 가황제(假皇帝)라 하고, 신하들에게는 섭황제(攝皇帝)라 부르게 하였다. A.D.8년에는 유영을 몰아내 한을 멸망시키고 국호를 '신'이라 하며 황제가 되었다. 그는 복고적 색채를 띤 여러 번잡한 정책을 폈다. 주(周)나라의 정전법(井田法)을 모방하여 토지개혁을 단행하는데, 이것은 지방 호족의 대토지 소유를 제한하고 자영 농민의 빈민화를 막으려는 것이었다. 또 가난한 농민에게 싼 이자의 자금을 융자하는 사대(貸) 제도를 두기도 했다. 하지만 한 말기의 여러 모순과 사회문제를 해결하지 못한 채 모두 실패했다. 내외 정세가 악화된 속에서 18년 '적미(赤眉)의 난'이 일어나고, 각지에서 잇달아 반란이 일어났다. 22년에는 한 황족의 한 사람인 남양(南陽)의 호족 유수(劉秀)가 군대를 일으켜 이듬해 곤양(昆陽)에서 왕망의 군대를 크게 무찔렀다. 왕망은 장안(長安)의 미앙궁(未央宮)에서 부하에게 찔려 죽었다.

• **왕봉** 王逢

자는 원길(原吉)이고 호는 최한원정(最閑園丁), 최현원정(最賢園丁)이고 또 오계자(梧溪子), 석모산인(席帽山人)이라고 칭한다. 강음(江陰) 사람이다. 원명(元明) 시대 시인이다. 연릉(延陵) 진한경(陳漢卿)으로부터 시를 배우고 명성을 날렸다. 관직에 올랐으나 병이 깊어 사지했다. 송강(松江)을 유람하며 오계정사(悟溪精舍)를 청룡강(青龍江) 부근 청용진(青龍鎭)에 지었다. 왕봉의 이름이 원(園)이라서 최한원(最閑園)이고 사는 곳이 한한초당(閑閑草堂)이다.

• **왕소소** 王昭素, 894~982

송대 개봉 산조(開封酸棗 : 현 하남성 연진현〈延津縣〉) 사람으로 어려서부터 학문에 독실하여 경전에 두루 통달하고 노장학까지 섭렵하였다. 특히 『시(詩)』와 『역』에 정통하여 밝아 『역론(易論)』 2편을 저술하였다. 항상 문인들을 모아 가르쳤는데, 이목(李穆)과 그의 아우 이숙(李肅) 및 이휘(李惲) 등이 오랫동안 그를 사사하였다. 동네 사람들 사이에 송사(訟事)가 일어나면 관청에 가지 않고 그를 찾아가서 해결하였다고 한다. 70여세 때에 송 태조(宋太祖)가 그를 불러 『역경』과 양생술 및 정치의 법도에 관해 질문하고, 그를 곁에 두기 위해 국자박사(國子博士)에 임명했다고 한다.

• **왕숙** 王肅, 195~256

삼국시대 위(魏)나라 동해군 담현(東海郡 郯縣 : 현 산동성 소속) 사람으로 자는 자옹(子雍)이다. 삼국(三國)시대 조위(曹魏)의 관리이자 경학자(經學者)로 왕랑(王朗)의 아들이다. 사마소(司馬昭)의 장인으로 진(晉)나라 무제(武帝)의 외조부이며, 벼슬은 산기황문시랑(散騎黃門侍郎), 비서감(秘書監), 숭문관제주(崇文觀祭酒), 광평태수(廣平太守), 시중(侍中), 하남윤(河南尹) 등을 역임했다. 사후에 위장군(衛將軍)으로 추증되었고, 시호는 경후(景侯)이다. 부친인 왕낭(王朗)에게 금문학(今文學)을 배우고, 당대 대유학자(大儒學者)인 송충(宋忠)을 사사하여 고금경전(今古經典)에 해박했다. 특히 고문학자(古文學者) 가규(賈逵), 마융(馬融)의 현실주의적 해석을 계승해서, 정현(鄭玄)의 참위설(讖緯說)을 혼합한 경전해석을 반박하였다. 또한 정현의 예학(禮學) 체계에 반대하여 『성증론(聖證論)』을 지었다. 그의 학설은 모두 위나라의 관학(官學)으로서 공인받았다. 저서로는 『공자가어(孔子家語)』, 『고문상서공굉국전(古文尙書孔宏國傳)』 등이 있다.

• **왕신자** 王申子, ?~?

원나라 공주(邛州, 사천성 邛崍) 사람. 자는 손경(巽卿)이다. 인종(仁宗) 황경(皇慶) 연간에 무창로(武昌路) 남양서원(南陽書院)의

산장(山長)을 지냈다. 나중에 30여 년 동안 자리주(慈利州) 천문산(天門山)에 은거했다. 저서에 『춘추류전(春秋類傳)』과 『대역집설(大易集說)』, 『주례정의(周禮正義)』 등이 있다.

• **왕안석** 王安石, 1021~1086

북송(北宋)시대 사상가, 정치가, 문필가로서 임천(臨川 : 현 강서성 무주시 임천구〈撫州市臨川區〉) 사람이다. 자는 개보(介甫)이고 호는 반산(半山)이다. 1042년 진세에 급제하여 벼슬은 양주첨판(揚州簽判), 은현지현(鄞縣知縣), 서주통판(舒州通判) 등을 역임하고, 1069년 참지정사(參知政事)가 되어 변법(變法) 즉 신법(新法)을 주도하였으나. 구당파의 반대로 1074년 파직되었다. 1년 뒤 송 신종(神宗)이 재상에 재임용하여 신법(新法)을 시행하였으나, 또 파직되어 1086년 마침내 신법이 폐지되었다. 문학으로는 당송팔대가의 한 사람으로서, 특히 그의 시(詩)는 왕형공체(王荊公體)라는 하나의 문체를 이루었다. 경학(經學) 방면으로도 당시에 통유(通儒)라고 불릴 정도로 경전에 두루 해박하였으며, 특히 북송대의 의경변고학풍(疑經變古學風)을 촉진하는 데에 기여하였다. 저서로 『왕임천집(王臨川集)』, 『임천집습유(臨川集拾遺)』이 전해지고 있다.

• **왕열** 王烈, 142~219

후한 태원(太原) 사람으로 자는 언방(彦方) 또는 언고(彦考)라고 한다. 어릴 때 진식(陳寔)을 섬겨 의행(義行)으로 명성을 얻었다. 옳은 일만 한다는 칭송이 자자했다. 마을에서 소도둑을 잡았는데 그 소도둑이 주인에게 "무슨 벌이라도 달게 받겠으니 왕열에게만은 알리지 말라"고 하여 부끄러움을 아는 사람이라고 여겨 반드시 개과천선할 것이라면서 베[布] 한 단을 주어 보냈는데, 과연 새 사람이 되었다고 한다. 송사(訟事)도 잘 판결해 송사를 하려는 사람이 가다가 도중에서 돌아가기도 하고 왕열의 집만 바라보고 되돌아갔다는 고사가 전한다. 효렴(孝廉)으로 천거되었지만 나가지 않고 요동(遼東)에서 일생을 마쳤다.

• **왕윤** 王允, 137~192

후한 말 기현(祁縣) 사람으로 자는 자사(子師)이다. 어려서부터 경전과 말 타기, 활쏘기를 배웠다. 군리(郡吏)가 되어서 환관 당우(黨羽)를 죽였다. 영제(靈帝) 때 예주자사(豫州刺史)를 지냈고 황건적의 난을 진압하는 데 참여했다. 헌제(獻帝) 때 태복(太僕)과 상서령(尙書令), 사도(司徒)를 역임했다. 192년에 상서복야(尙書僕射) 손서(孫緖), 여포(呂布) 등이 밀모하여 동탁(董卓)을 죽이고 그에게 조정을 다스리게 했으나, 오래지 않아 동탁의 잔당 이각(李傕), 곽사(郭汜) 등이 장안(長安)을 공격해 와서 죽임을 당했다.

• **왕응린** 王應麟, 1223~1296

자는 백후(伯厚)이고, 호는 심녕거사(深寧居士)이다. 남송(南宋) 때의 학자로서 박학하고 경사백가(經史百家)·천문지리 등에 조예가 깊었다. 장고제도(掌故制度)에 익숙하고 고증에 능했다. 저서로는 『곤학기문(困學紀聞)』, 『옥해(玉海)』, 『시고(詩考)』, 『시지리고(詩地理考)』, 『한예문지고증(漢藝文志考證)』, 『옥당류고(玉堂類稿)』, 『심녕집(深寧集)』, 『삼자경(三字經)』 등이 있다. 그중에서 『옥해』 200권은 남송에서 가장 완비된 『유서(類書)』 곧 백과 사전이다.

• **왕이** 王廙, 276~322

동진시기의 서법가이고 자는 세장(世將)이다. 낭아 임기 사람이다. 승상 왕도(王導)과 왕돈(王敦)의 종제(從弟)이고 왕희지의 숙부이다.

• **왕종전** 王宗傳

자는 경맹(景孟)이고, 송대 영덕(寧德 : 현 복건성 영덕시) 사람이다. 1181년에 진사에 급제하여 소주교수(韶州教授)를 역임하였다. 왕필의 의리역학을 추종하여 상수역학을 배척하였다. 저서에는 『동계역전(童溪易傳)』이 있다.

• **왕충** 王充, ?30~?100

자는 중임(仲任)이며, 회계상우(會稽上虞 : 현 절강성) 사람이다. 중국 후한의 사상가로서 자유주의적 사상을 지녔으며 신비적 사상이나 속된 신앙, 유교적인 권위를 철저하게 비판하고, 언론의 자유를 주장하였다. 관료로서는 평생 불우하여 지방의 한 속리로 머물렀으나, 낙양(洛陽)에 유학하여 저명한 역사가 반고(班固)의 부친 반표(班彪)에게 사사하였다. 가난하여 늘 책방에서 책을 훔쳐 읽고 기억했다고 한다. 그는 철저한 반속정신(反俗精神)의 소유자로서 그 독창성에 넘치는 자유주의적 사상은 유교적 테두리 안에서 다듬어진 한대적(漢代的) 사상을 타파하고 언론의 자유를 내세우는 위진적(魏晉的) 사조를 만들어 내었다. 철저한 비판정신의 사상가인 그가 중국사상사에서 차지하는 위치는 매우 크다고 할 수 있다. 저서로는 『논형(論衡)』이 있다.

• **왕통** 王通, 584~617

자는 중엄(仲淹)이고, 수(隋)나라 강주 용문(絳州龍門 : 현 산서성 하진〈河津〉) 사람이다. 당(唐)나라 시인 왕발(王勃)의 조부이다. 어려서부터 영민해서 『시』, 『서』, 『예』, 『역』에 통달했다. 스스로 유자(儒者)임을 자부하고 강학(講學)에 힘을 쏟아 문하에서 당의 명신 위징(魏徵)·방현령(房玄齡) 등이 배출되었다. 제자들이 문중자(文中子)라고 시호를 올렸다. 송대 정자(程子)나 주자(朱子) 등은 그를 견유(犬儒)로 평가했다. 저서에 『논어』를 모방하여 대화 형식으로 편찬한 『문중자(文中子)』 10권과 『원경(元經)』이 있다.

• **왕필** 王弼, 226~249

자는 보사(輔嗣)이고, 산양(山陽) 고평(高平 : 현 산동성 금향 현〈金鄕縣〉) 사람이다. 중국 삼국시대 위(魏)나라의 철학자이며, 상서랑(尙書郎)을 지냈다. 왕필은 24세의 나이로 죽을 때 이미 도가경전 『도덕경(道德經)』과 유교경전 『주역(周易)』의 탁월한 주석가였다. 이러한 주석서들을 통해 중국 사상에 형이상학을 소개하는 데 기여했으며, 유가와 도가가 회통할 수 길을 열었다. 저서로는 『주역주(周易注)』, 『주역약례(周易略例)』, 『노자주(老子注)』·『노자지략(老子指略)』, 『논어역의(論語繹疑)』가 있다.

• **요로** 饒魯, 1193~1264

남송(南宋)시대 요주(饒州) 여간(餘幹 : 현 강서성 소속) 사람으로 자는 백여(伯輿), 사노(師魯), 중원(仲元)이고, 호는 쌍봉(雙峰)이다. 어려서부터 황간(黃榦, 주희의 문인 겸 사위)에게 배워서 '치지(致知)·역행(力行)'을 근본으로 하였다. 쌍봉 앞에 석동서원(石洞書院)을 지어 강학에 힘썼다. 평생 벼슬하지 않아 그가 죽은 뒤 문인들이 그에게 사시(私謚)를 문원(文元)이라 올렸다. 저서는 『오경강의(五經講義)』, 『논맹기문(論孟紀聞)』, 『태극삼도(太極三圖)』, 『근사록주(近思錄註)』 등이 있다.

• **요소팽** 姚小彭

송대 경학에 밝은 사람으로, 『주역외전(周易外傳)』을 지었다고 한다. 『송회요집고(宋會要輯稿)』에 의하면, 고종(高宗) 소흥(紹興) 11년(1141)에 복건로 안무대사사(福建路安抚大使司)로 파견되었다는 기록이 있다.

• **우번** 虞翻, 164~233

삼국시대 오나라 회계(會稽) 여요(餘姚) 사람으로, 자는 중상(仲翔)이다. 『역(易)』에 밝은 학자이다. 벼슬은 처음에 태수(太守) 왕랑(王郎)의 공조(功曹)가 되고, 나중에 손책(孫策)을 따라 부춘장(富春長)과 기도위(騎都尉) 등을 지냈다. 여몽(呂蒙)이 관우(關羽)를 공격하려고 할 때 자청하여 수행해 임무 수행에 도움을 주었다. 금문맹씨역(今文孟氏易)을 가전(家傳)했다. 『노자』, 『논어』, 『국어(國語)』의 훈주(訓注)와 『역주(易注)』를 지었지만 모두 없어졌다. 정현(鄭玄), 순상(荀爽)과 더불어 역학삼가(易學三家)

로 일컬어진다. 저서에 당나라 이정조(李鼎祚)의 『주역집해(周易集解)』에 채록된 것과 청나라 황석(黃奭)의 『한학당총서(漢學堂叢書)』 및 손당(孫堂)의 『한위이십일가역주(漢魏二十一家易注)』에 집록된 것이 있다.

• **웅량보** 熊良輔, 1310~1380

자는 임중(任重)이고, 호는 매변(梅邊)이다. 원(元)대 남창(南昌) 사람이다. 웅개(熊凱)에게 학문을 배웠는데, 특히 『역』에 정통했다. 저서에 주희(朱熹)의 학설을 주로 하고 자기의 논의를 가미한 『주역본의집성(周易本義集成)』과 『풍아유음(風雅遺音)』, 『소학입문(小學入門)』 등이 있다.

• **유염** 俞琰

자는 옥오(玉吾)이고, 호는 전양자(全陽子), 임옥산인(林屋山人), 석간도인(石澗道人) 등이다. 남송 말 원대 초기에 활동한 학자로 송대 오군(吳郡 : 현 강소성 소주〈蘇州〉) 사람이다. 어려서 가학을 익히고 젊어서는 기서(奇書)를 즐겨 연구하다가, 뒤늦게 과거 시험 준비를 했다. 남송이 멸망하고 원대 조정이 들어서자 과거 응시를 포기하고 은거하여 역학 연구에 전념하였다. 역학 관련 저술이 특히 많았는데, 대표적인 것으로 『주역집설(周易集說)』, 『독역거요(讀易擧要)』, 『역외별전(易外別傳)』 등이 있다.

• **유자휘** 劉子翬, 1101~1147

자는 언충(彦沖)이고, 호는 병산병옹(屛山病翁)이며, 시호는 문정

(文靖)이다. 남송(南宋) 건주 숭안(建州崇安 : 현 복건성 정주〈汀州〉) 사람으로, 유겹(劉韐)의 아들이다. 벼슬은 음보로 승무랑(承務郎)이 되고, 흥화군통판(興化軍通判)을 역임했다. 병으로 사직하고 병산(屛山)으로 내려가 강학에 전념하면서 호헌(胡憲), 유면지(劉勉之) 등과 도의(道義)로 교유했다. 주희(朱熹)가 그의 문하에서 배웠다. 젊어서는 불교를 좋아했는데, 나중에 유학으로 전향하여 역학(易學)에 잠심했다. 저서에 『병산집(屛山集)』이 있다.

• **유정지** 劉定之, 1409~1469

자는 주정(主靜)이고, 호는 태재(呆齋)며, 시호는 문안(文安)이다. 명(明)대 강서(江西) 영신(永新) 사람으로, 정통(正統) 원년(1436) 회시(會試)에 장원급제하여 한림원(翰林院) 편수(編修)에 임명되었다. 벼슬은 성화(成化) 2년(1466) 문연각(文淵閣)에 입직(入直)하여 공부우시랑(工部右侍郎) 겸 한림학사를 지냈고, 2년 뒤 예부좌시랑(禮部左侍郎)으로 옮겼다. 저서에 『역경도해(易經圖解)』와 『비태록(否泰錄)』, 『태재집(呆齋集)』 등이 있다.

• **육적** 陸績, 188~219

자는 공기(公紀)이다. 삼국 시대 오(吳)나라 오군 오현(吳郡 吳縣 : 현 강소성 소주〈蘇州〉) 사람으로 한말(漢末) 여강태수(廬江太守) 육강(陸康)의 아들이다. 어려서 '육적회귤(陸績懷橘)'이라는 고사성어의 주인공이 될 정도로 효심(孝心)으로 이름이 났고, 천문과 역산(曆算) 등 다방면으로 박학다식했다. 벼슬은 손권(孫權)이 강동(江東)을 장악했을 때 주조연(奏曹掾 : 상소를 의론하는 직책)이 되어 직언(直言)을 잘 했으며, 울림태수(鬱林太守), 편장군(偏將軍) 등을 역임하였다. 저서에는 『혼천도(渾天圖)』, 『주역주(周易注)』, 『태현경주(太玄經注)』 등이 있다.

• **육전** 陸銓

육전은 명나라 사람으로 자는 선지(選之)이다. 은현(鄞縣) 사람이다. 생졸연대는 분명하지 않다. 명나라 세종(世宗) 가정(嘉靖) 14년 전후 사람이다. 가정 2년(1523)에 진사가 되어 형부주사(刑部主事)에 제수받았다. 동생과 『과쟁대례(戈爭大禮)』를 편찬했다가 옥고를 치렀다. 후에 광서안찰사(廣西按察使)가 되었다.

• **육진기** 陸振奇

자는 용성(庸成)이고 명(明)대 전당(錢塘 : 현 절강성 항주〈杭州〉) 사람이다. 만력(萬曆) 34년(1606)에 거인(擧人)이 되었다. 저서에 『역개(易芥)』가 있다.

• **원굉** 袁閎

후한(後漢) 때 사람으로 나라에 당파가 일어남을 보고 세상과의 인연을 끊기 위해 머리를 풀어 헤쳐 산발하고는 깊은 산에 들어가 숨어 살았다.

• **원추** 袁樞, 1131~1205

자는 기중(機仲)이다. 송대 건안(建安 : 현 복건성 구현〈甌縣〉) 사람으로 1163년 예부(禮部)의 과거시험에서 사부(詞賦)에 장원급제하여 태부승(太府丞)·공부시랑(工部侍郎)·국자감제주(國子監

祭酒)등을 역임하였다. 사마광의 『자치통감』을 특히 좋아하였다. 저서는 『통감기사본말(通鑑紀事本末)』, 『역전해의·변이(易傳解義·辯異)』, 『동자문(童子問)』등이 있다.

• **위료옹** 魏了翁, 1178~1237

자는 화보(華父), 호는 학산(鶴山), 시호는 문정(文靖)이다. 사천성 공주(邛州 : 현 공래시〈邛崍市〉) 포강(蒲江) 사람이다. 장식(張栻)의 문인인 범자장(范子長), 범자해(范子該) 형제와 함께 학문을 익혔으며, 중원에 나아가 벼슬할 때에 주희의 문인인 보광(輔廣), 이번(李燔)과 교유하며 주자학을 접하고 추숭하게 되었다. 또 육구연(陸九淵)의 아들 육지지(陸持之)와 친분이 두터워 심학(心學)의 정수에도 상당히 밝았다. 1199년에 진사가 되어 성도(成都)에서 지가정부(知嘉定府) 절도판관(節度判官) 등을 지낸 뒤, 조정에 들어가 예부상서(禮部尙書), 단명전학사(端明殿學士) 등을 역임했다. 경전 가운데 특히 『예기』를 좋아하였는데, 『예기』의 요지를 천인(天人)의 도를 말한 것으로 보았다. 진덕수(眞德秀)와 함께 이학(理學)을 통치 이념으로 확립하는 데 큰 공헌을 하였다. 공래시(邛崍市) 서쪽 백학산(白鶴山) 밑에 집을 짓고 강학을 하였는데 배우는 사람들이 많았다. 저술에 『구경요의(九經要義)』, 『역거우(易擧隅)』, 『경외잡초(經外雜抄)』, 『사우아언(師友雅言)』, 『학산전집(鶴山全集)』 등이 있다.

• **위원숭** 衛元嵩

북주(北周)시대 익주(益州) 성도(成都) 사람으로 음양론과 역법(曆法)에 능통했다. 젊을 때 출가해서 망명법사(亡名法師)의 제자가 되었으나, 환속 뒤에는 도리어 배불론을 주창하기도 하고 황노(黃老)사상에 심취하기도 하였다. 만년에는 역학을 연구하여 『원포경(元包經)』을 저술하였다. 그 체제는 양웅의 『태현경』의 차례를 본떠서 곤(坤)괘를 시작으로 하는 귀장(歸藏)역에 근거하였고, 내용은 술수 중심으로 역을 해석하고 있다.

• **위징** 魏徵, 580~643

자는 현성(玄成)이고 시호 문정공(文貞公)이다. 당대 거록(巨鹿 : 현 하북성 형태시 거록현〈邢台市巨鹿縣〉) 사람이다. 수(隋) 말의 혼란기에 이밀(李密)의 군대에 참가했으나 곧 당 고조(唐高祖)에게 귀순하여 고조의 장자 이건성(李建成)의 유력한 측근이 되었다. 황태자 건성이 아우 세민(世民)과의 경쟁에서 패했으나 위징의 인격에 끌린 태종의 부름을 받아 간의대부(諫議大夫) 등의 요직을 역임한 뒤 재상으로 중용되었다. 특히 중국역사상 과감한 직간(直諫)으로 저명하며, 주(周)나라·수(隋)나라·오대(五代) 등의 역사편찬 사업과 『유례(類禮)』, 『군서치요(群書治要)』 등의 편찬에도 크게 공헌했다. 『수서(隋書)』의 서론과 『양서(梁書)』·『진서(陳書)』·『제서(齊書)』의 총론 등을 직접 지었다.

• **유목** 劉牧, 1011~1064

자는 선지(先之) 혹은 목지(牧之)이고 호는 장민(長民)이다. 원래는 항주(杭州) 임안(臨安) 사람이었는데, 조부의 공적으로 인해 서안(西安 : 현 절강성 구현〈衢縣〉) 사람이 되었다. 범중엄(範仲淹)을 스승으로 모시고, 손복(孫複)에게서 『춘추』를 배웠으며, 석개(石介)와도 친분이 두터웠다. 역학방면으로는 범악창(範諤昌)

의 역학을 이어받아 진단(陳摶)의 「하도」·「낙서」 상수학을 전승하였다. 벼슬은 범중엄과 부필(富弼) 등의 추천으로 연주(兗州) 관찰사를 거쳐 태상박사(太常博士)까지 역임하였다. 역학 방면의 저술에는 『괘덕통론(卦德通論)』, 『신주주역(新注周易)』, 『주역선유유론구사(周易先儒遺論九事)』, 『역수구은도(易數鉤隱圖)』 등이 있다.

- **유우석** 劉禹錫, 772~842

자는 몽득(夢得)이고, 당대 팽성(彭城 : 현 하북성 소재) 사람이다. 795년 박학굉사과(博學宏詞科)에 급제하여 회남절도사(淮南節度使) 두우(杜佑)의 막료가 되었다. 얼마 후 중앙의 감찰어사로 영전되어 왕숙문(王叔文)·유종원(柳宗元) 등과 함께 정치 개혁을 기도하였으나 805년 왕숙문은 실각되고, 우석은 낭주사마(朗州司馬)로 좌천되었다. 그 후 중앙과 지방의 관직을 역임하면서 태자빈객(太子賓客)을 최후로 생애를 마쳤다. 지방관으로 있으면서 농민의 생활 감정을 노래한 『죽지사(竹枝詞)』를 펴냈으며, 만년에는 백낙천(白樂天)과 교유하면서 시문(詩文)의 도에 정진하였다. 시문집으로 『유몽득문집(劉夢得文集)』, 『외집(外集)』이 있다.

- **유종원** 柳宗元, 773~819

자는 자후(子厚)이고, 세칭 유하동(柳河東)·유유주(柳柳州)라 한다. 당대 하동(河東 : 현 산서성 운성〈運城〉) 사람으로 793년에 진사에 급제하여 교서랑(校書郞), 감찰어사(監察御史), 유주자사(柳州刺史) 등을 역임하였다. 문장은 한유(韓愈)와 짝을 이루고 당송팔대가의 한사람이다. 저서는 『하동선생문집(河東先生文集)』,

『용성록(龍城錄)』 등이 있다.

• **유초** 游酢, 1053~1123

자는 정부(定夫)·자통(子通)이고, 호는 치산(廌山)·광평(廣平)이며, 시호는 문숙(文肅)이다. 건양(建陽 : 현 복건성 건영) 사람이다. 북송 때 경학가이다. 1083년에 진사가 되어 태학박사(太學博士), 감찰어사(監察御使) 등을 지냈다. 형 유순(游醇)과 함께 학문과 행실로 알려져서 당시 지부구현(知扶溝縣)으로 있던 정호(程顥)의 부름을 받아 학사(學事)를 맡게 되었고, 그때부터 정호 형제를 사사하였다. 사량좌(謝良佐), 양시(楊時), 여대림(呂大臨)과 함께 '정문사선생(程門四先生)'으로 일컬어졌다. 도를 천지 만물 속에 있는 보편적 존재로 인식하여 자연의 도가 바로 인륜의 이치라고 주장하였다. 또 『주역』을 중시하여 그 책 속에 우주 만물의 이치가 포함되어 있다고 보았다. 만년에 선(禪)에 몰입하여 유가가 불가를 배척할 것이 아니라 서로 보완적인 관계가 되어야 한다고 주장하여, 후대 학자인 호굉(胡宏)으로부터 '정자 문하의 죄인'이라고 혹평을 받기도 하였다. 저술로 『역설(易說)』, 『중용의(中庸義)』, 『논어맹자잡해(論語孟子雜解)』, 『시이남의(詩二南義)』 등이 있었지만 모두 잃어버렸고, 남은 글을 모아 후세 사람이 엮은 『유치산집(游廌山集)』이 남아 있다.

• **유향** 劉向, B.C.79?~B.C.8?

자는 자정(子政)이며, 서한(西漢)의 경학자·목록학자·문학자이다. 유흠(劉歆)의 부친이다. 한나라 고조(高祖)의 배다른 동생 유교(劉交, 楚元王)의 4세손이다. 젊었을 때부터 재능을 인정받아

선제(宣帝)에게 기용되어 간대부(諫大夫)가 되었으며, 수십 편의 부송(賦頌)을 지었다. 신선방술(神仙方術)에도 관심이 많았으며, 황금 주조를 진언하고 이를 추진하다가 실패하여 투옥되었으나, 부모형제의 도움으로 죽음을 면하였다. 재차 선제에게 기용되어 석거각(石渠閣, 궁중도서관)에서 오경(經)을 강의하였다. 다음 황제인 원제(元帝)·성제(成帝) 때에는 유씨(劉氏)의 족장으로서 외척과 환관(宦官)의 횡포를 막으려고 노력하였다. 성제 때에 이름을 향(向)으로 고쳤으며, 이 무렵 외척의 횡포를 견제하고 천자(天子)의 감계(鑑戒)가 되도록 하기 위하여 상고(上古)로부터 진(秦)·한(漢)에 이르는 부서재이(符瑞災異)의 기록을 집성하여 『홍범오행전론(洪範五行傳論)』11편을 저술하였다. 그 밖의 편저서에 『설원(說苑)』, 『신서(新序)』, 『열녀전(烈女傳)』, 『전국책(戰國策)』과 궁중도서를 정리할 때 지은 『별록(別錄)』이 있다. 그의 아들 흠(歆)은 이 책을 이용하여 『칠략(七略)』을 저술하였으며, 『한서(漢書)』「예문지(藝文志)」에 거의 그대로 수록되어 전한다.

• **유흠** 劉歆, B.C.53~B.C.25

자는 자준(子駿)이며, 나중에 이름을 수(秀), 자를 영숙(穎叔)으로 고쳤다. 중국 서한 말기의 학자로서 유향(劉向)이 그의 부친이다. 아버지 유향(劉向)과 궁정의 장서(藏書)를 정리하고 육예(六藝)의 군서(群書)를 7종으로 분류하여 『칠략(七略)』이라 하였다. 이것은 중국에서의 체계적인 서적목록(書籍目錄)의 최초의 것으로 현존하지는 않지만, 『한서(漢書)』「예문지(藝文志)」는 대체로 그에 의해서 엮어졌다. 『좌씨춘추(左氏春秋)』, 『모시(毛詩)』, 『일례(逸禮)』, 『고문상서(古文尚書)』를 특히 존숭하여 학관(學官)에 이에 대한 전문박사(專門博士)를 설치하기 위하여 당시의 학관 박사들과 일대 논쟁을 벌였으나 성사되지 못하고 하내태수(河內太守)로 전출되었다. 그 후 왕망(王莽)이 한 왕조(漢王朝)를 찬탈한 후 국사(國師)로 초빙되어 그의 국정에 협력하였다. 만년에는 왕망의 포역(暴逆)에 반대하여 모반을 기도하였으나 실패하여 자살하였다.

• **육구연** 陸九淵, 1139~1192

자는 자정(子靜)이고, 호는 존재(存齋)·상산옹(象山翁)이며, 상산선생(象山先生)이라고 부르기도 한다. 송대 금계(金溪 : 현 강서성 금계현) 사람으로 1172년에 진사에 급제하여 숭안현주부(崇安縣主簿), 지형문군(知荊門軍)을 역임하였다. 맹자(孟子)를 계승하여 정주(程朱)의 이학(理學)과 대비되는 육왕(陸王) 심학(心學)의 학파를 열었다. 주희가 정이천의 학통에 따라 도문학(道問學)을 더 존중한 데 반하여, 육구연은 정명도의 존덕성(尊德性)을 존중했다. 이 때문에 주희는 격물치지(格物致知)의 성즉리설(性卽理說)을 제창하고, 육구연은 치지(致知)를 주로 한 심즉리설(心卽理說)을 제창했다. 주희와 학문방법론 및 무극·태극론 등을 논쟁한 '아호지쟁(鵝湖之爭)'으로 유명하다. 그의 학문은 그의 제자 양자호(楊慈湖) 등에 의하여 강서(江西)와 절강(浙江) 각지에서 계승되었다. 저서로는 『상산선생전집(象山先生全集)』이 있다.

• **육덕명** 陸德明, 추정550~630

소주(蘇州) 오(吳) 사람으로 이름은 원랑(元朗)이고, 자는 덕명(德明)이다. 진(陳)나라, 수(隋)나라, 당(唐)나라 때의 관리이자 경학자(經學者), 훈고학자이다. 벼슬은 남조(南朝) 진나라에서 시흥국좌상시(始興國左常侍), 국자조교(國子助教)를 지냈고, 수나라에서 비서학사(秘書學士), 국자조교(國子助教)를 지냈다. 당나라에서 문학관학사(文學館學士), 태학박사(太學博士), 국자박사(國子博士) 등을 지내고, 오현남(吳縣男)으로 봉해졌다. 진왕부(秦王府) 18학사(學士) 중 한 사람이다. (당태종 이세민이 진왕부에 문학관을 설치하고 뛰어난 인재들을 그러모았는데, 그 중 18학사가 제일 유명했다. 방현령, 두여회 등 뛰어난 인물들이 많았다.) 저서로 『경전석문(經典釋文)』, 『노자소(老子疏)』, 『역소(易疏)』 등이 있다.

• **육지** 陸贄, 754~805

자는 경여(敬輿)이다. 오군 가흥(吳郡嘉興, 지금 절강 가흥) 사람이다. 당나라의 유명한 정치가이자 문학가이다. 시호는 호선(號宣)이다.

• **육희성** 陸希聲, ?

자는 홍경(鴻磬)이고, 호는 군양둔수(君陽遁叟) 혹은 단양도인(君陽道人)이며, 당나라 소주(蘇州) 오현(吳縣) 사람이다. 의흥(義興)에 은거했다가 천거되어 벼슬은 우습유(右拾遺), 합주자사(歙州刺史), 급사중(給事中), 호부시랑(戶部侍郎), 동중서문하평장사(同中書門下平章事) 등을 역임했다. 『역(易)』, 『춘추(春秋)』, 『도덕경(道德經)』에 정통했고, 문장을 잘 지었다. 저서에 『춘추통례(春秋通例)』, 『도덕경전(道德經傳)』이 있다.

• **윤돈** 尹焞, 1071~1142

자는 언명(彦明)·덕충(德充)이고, 호는 삼외재(三畏齋)와 황제가 하사한 호인 화정처사(和靖處士)가 있으며, 시호는 숙공(肅公)이다. 송대 낙양(洛陽 : 현 하남성 낙양) 사람으로 과거에 응시하지 않았으나, 천거에 의해 숭정전설서(崇政殿說書)겸 시강(侍講)을 역임하였다. 어려서부터 정이(程頤)에게 사사하여 스승의 학설을 가장 돈독하게 이어받았다고 한다. 저서는 『논어해(論語解)』, 『맹자해(孟子解)』, 『화정집(和靖集)』 등이 있다.

• **이개** 李開, 1135~1176

남송의 역학자로 자는 거비(去非) 호는 소주(小舟)이다. 『역해(易解)』 30권을 지었으나 전하지 않는다.

• **이과** 李過

송(宋)대 강소성 흥화(興化) 사람으로 자는 계변(季辨)이다. 20여 년의 노력을 쏟아 부어 『서계역설(西溪易說)』을 저술했다. 풍의(馮椅)는 『후재역학(厚齊易學)』에서 그의 의견이 새로운 경지를 개척한 점이 많다고 평가하였다. 영종(寧宗) 경원(慶元) 4년(1198)에 쓴 자서(自序)가 남아있다.

• **이덕유** 李德裕, 787~850

당나라 조군(趙郡) 사람으로 자는 문요(文饒)이다. 어릴 때부터 큰 뜻을 품어 열심히 공부했지만 과거 시험은 좋아하지 않았다. 무종(武宗) 회창(會昌) 연간에 권세를 누려 회남절도사(淮南節度

使)로 있다가 재상이 되고 번진(藩鎭)의 소요를 막으면서 더욱 권력이 막강해졌다. 이당(李黨)의 수령이 되어 우승유(牛僧孺)와 이종민(李宗閔)이 영수로 있던 우당(牛黨)과 심하게 대립하여 탄압했고, 폐불(廢佛)을 단행했다가 선종(宣宗)이 즉위하자 우당의 공격을 받아 애주사호(崖州司戶)로 쫓겨나 죽었다. 위국공(衛國公)에 추증되었다. 경학(經學)과 예법을 존중하고 귀족적 보수파로서 번진을 억압했으며, 회흘(回紇) 등 외족(外族)을 격퇴하는 데 힘써 중앙집권의 강화를 꾀했다.

• **이볼** 易祓, 1156~1240

자는 언장(彦章)이고 후에 언상(彦祥)으로 바꾸었다. 호는 산재(山齋)이다. 남송(南宋) 중후기 저명한 학자이다. 호남(湖南) 장사(長沙) 저향현(宁鄉縣) 사람이다. 효종(孝宗), 저종(宁宗), 이종(理宗) 삼조에 걸쳐 관직을 했다. 동군탕숙(同郡湯璹), 왕용(王容)과 더불이 장사삼준(長沙三俊)으로 칭해진다. 박학다식하고 시사(詩詞)에 뛰어나서 문인박사들이 흠모하였고 모두 포의거사(布衣居士)로 칭했다. 여러 관직을 거처 85세에 죽었다. 시호는 문창(文昌)이다. 『주례주역석의(周禮周易釋義)』, 『역학거우(易学擧隅)』, 『산재집(山齋集)』 등이 있다.

• **이성** 李晟, 727-793

당나라 조주(洮州) 임담(臨潭) 사람이다. 자는 양기(良器)이다. 처음에는 변진(邊鎮)의 비장(裨將)이었으나, 전쟁의 공로를 세워 우신책군도장(右神策軍都將)으로 승진했고, 또 주자(朱泚)의 반란을 진압하여 서평군왕(西平郡王)에 봉해졌다.

• 이순신 李舜臣

송(宋)대 선정(仙井) 사람으로 자는 자사(子思)이고 호는 융산(隆山)이다. 건도(乾道) 2년(1166)에 진사에 급제하여 벼슬은 성도부교수(成都府敎授)를 역임하였다. 『역』 연구에 전념하였는데, 특히 주자에게 수학한 적이 있는 풍의(馮椅)와 친밀히 교류하였다고 한다. 저술로는 『역본전(易本傳)』 32권이 있었다고 하는데 전해지지 않고, 풍의(馮椅)의 『후제역학(厚齊易學)』에 그의 글이 소개되고 있다.

• 이심전 李心傳, 1166~1243

자는 미지(微之) 또는 백미(伯微)고, 호는 수암(秀巖)이며, 이순신(李舜臣)의 아들이다. 남송 융주 정연(隆州井研 : 현 사천성 낙산〈樂山〉) 사람이다. 영종(寧宗) 경원(慶元) 초에 과거시험에 낙방한 뒤 연구와 저술에 힘썼다. 만년에 최여지(崔與之)·위료옹(魏了翁) 등의 천거로 사관교감(史館校勘)이 되어 『중흥사조제기(中興四朝帝紀)』와 『십삼조회요(十三朝會要)』를 편찬하고, 공부시랑(工部侍郞)에 발탁되었다. 사직한 뒤 조주(潮州)에서 살았다. 저서에 『병자학역편(丙子學易編)』, 『춘추고(春秋考)』, 『예변(禮辨)』, 『송시훈(誦詩訓)』, 『독사고(讀史考)』, 『건염이래계년요록(建炎以來系年要錄)』, 『건염이래조야잡기(建炎以來朝野雜記)』, 『구문정오(舊聞正誤)』, 『도명록(道命錄)』 등이 있다.

• 이정조 李鼎祚

이정조(李鼎祚)는 당(唐)나라 중후기 자주(资州) 반석(盤石) 사람이다. 그 생애는 자세하지 않다. 관직은 전중시어사(殿中侍御史)

를 지냈다. 재위 기간 동안 적극적으로 간책을 올렸다. 그는 안록산의 난 때에 「평호론(平胡論)」을 올려 안록산을 축출하는 계책을 올렸다. 경학(經學)에 밝았고, 상수학에 정통했다.

• **이형** 李衡, 1110~1178

자는 언평(彥平)이고 자호(自號)를 낙암(樂庵)이라고 하였다. 송대 강도(江都 : 현 강소성 양주〈揚州〉) 사람이다. 소흥(紹興) 연간에 진사가 되어 벼슬은 오강주부(吳江主簿), 시어사(侍御史), 비각수찬(秘閣修撰) 등을 지냈다. 퇴임 후에는 곤산(昆山 : 현 강소성 곤산시)에 거주하면서 수 만 권의 책을 모았다고 한다. 저술에는 『주역의해촬요(周易義海撮要)』, 『낙암어록(樂菴語錄)』이 있다.

• **일행** 一行, 683~727

본명은 장수(張遂)이다. 당대(唐代) 천문학자 승려로서 형주 거록(邢州巨鹿 : 현 하북성형태〈邢台〉) 사람이다. 그는 청년 시절에 이미 천문과 역법 및 수학에 정통하여 개원(開元) 5년(717)에는 당 현종(唐玄宗)의 고문이 되었다. 그 후 10년 동안 천문에 대한 연구와 역법(曆法)의 개혁에 매진하였고, 역사상 최초로 자오선(子午線)을 측량하였다. 이러한 과정에서 그는 대형의 천문관측 기구를 제작하여 천문학 연구의 기반을 마련하였고, 그 성과로 『개원대연력(開元大衍曆)』을 편찬하였다. 그 외의 저술로는 『칠정장력(七政長曆)』, 『역론(易論)』, 『심기산술(心機算術)』 등이 있다.

• **임률** 林栗

자는 황중(黃中)·관부(寬夫)이고, 시호는 간숙(簡肅)이다. 송대 복청(福淸 : 현 복건성 소속) 사람으로 1142년 진사에 급제했고 병부시랑(兵部侍郞)에 이르렀다. 1188년 6월 주희를 탐방하여 『역』과 「서명」을 토론하였는데 의견이 일치하지 않았다. 이를 계기로 주희는 학문이 천박한데도 고관대작을 탐내고 병부랑의 벼슬에 부임하지 않으려한다고 탄핵하였다. 태상박사(太上博士)인 섭적(葉適)이 그것을 바로 잡을 것을 상소하여 결국 도리어 임율이 처벌되었다. 임율의 저술로 『주역해전집해(周易解傳集解)』 등이 있다.

• **임희원** 林希元, 1481~1565

명(明)대 동안 신점(同安新店) 사람으로, 자는 무정(茂貞)이고 호는 차애(次崖)이다. 명(明) 정덕(正德)11년(1516)에 진사에 급제하여 남경대리사평사(南京大理寺評事), 광서사주판관(廣西泗州判官), 흠주지주(欽州知州) 등을 역임했다. 학문으로는 정주학과 채청(蔡淸)의 『역경몽인(易經蒙引)』을 중시했다. 특히 『주역』을 다른 경전에 비해 극히 높게 평가하여, 오경 가운데 『역경』을 뺀 나머지는 강물과 같고 『역경』은 바다와 같다고 했다. 저술로는 『역경존의(易經存疑)』, 『사서존의(四書存疑)』, 『임차애선생문집(林次崖先生文集)』 등이 있다.

• **장거정** 張居正, ?~1582

자는 숙대(叔大)이며, 호는 태악(太岳)이고, 시호는 문충(文忠)이다. 호북성 강릉현(江陵縣) 사람으로 명(明)나라의 정치가이다. 만력제(萬曆帝)의 신임을 얻어 황제가 즉위한 직후부터 10년간 수보(首輔)의 자리에 앉아 국정의 대부분을 독단적으로 처리하고, 내외적으로 쇠퇴의 조짐을 보이던 명나라의 세력을 만회하였다. 대외적으로는 호시(互市,육상무역)를 재개하여 몽골인의 남침을 막았고, 동북지방 건주위(建州衛)를 이성량(李成梁)으로 하여금 토벌하게 하였으며, 서남지방 광서(廣西)의 요족(搖族)·장족(壯族)을 평정하였다. 대내적으로는 대규모의 행정정비를 단행하고, 궁정의 낭비를 억제하였으며, 황하(黃河)의 대대적인 치수(治水) 공사를 완성시켰다. 다만, 그의 치정(治政)이 지나치게 가혹한 면이 없지 않아 반감을 품은 자도 많았다. 저서에 『서경직해(書經直解)』8권 등이 있다.

• **장식** 張栻, 1133~1180

자는 경부(敬夫) 또는 낙재(樂齋)이고 호는 남헌(南軒)이다. 남송(南宋) 한주 면죽(漢州綿竹 : 현 사천성 면죽〈綿竹〉) 사람이다. 주자, 여조겸(呂祖謙)과 함께 남송의 '동남 삼현(東南三賢)'이라고 불렸다. 아버지 장준(張浚)이 송의 승상을 지내고 위국공(魏國公)에 봉해졌기 때문에 그도 일찍이 출사하여 이부시랑(吏部侍郞) 겸 시강(侍講), 비각수찬(秘閣修撰), 우문전수찬(右文殿修撰) 등을 역임하였으나, 잦은 직언 때문에 퇴임했다. 어려서는 가학을 이어 받았고, 성장하여 호굉(胡宏)에게 배워 호상학파(湖湘學派)

의 학술을 정립시켰다. 저서에 『남헌집(南軒集)』, 『남헌역설(南軒易說)』, 『계사논어해(癸巳論語解)』 등이 있다.

• **장영** 張詠, 946~1051

자는 복지(復之)이고, 호는 괴애자(乖崖子)이다. 송대 견성(鄄城 : 현 산동성 소속)사람으로 980년 진사에 급제하여 대리평사(大理評事), 지숭양현(知崇陽縣), 추밀직학사(樞密直學士), 예부상서(禮部尙書) 등을 역임하였다. 성품이 강직하고 호방하여 관료시절 치적이 많아 충정(忠定)이라는 시호를 받았다. 저서는 『괴애집(乖崖集)』이 있다.

• **장재** 張載, 1020~1077

자는 자후(子厚)이고, 세칭 횡거선생(橫渠先生)이라고 한다. 송대 대양(大梁 : 현 하남성 개봉〈開封〉) 사람으로 거주지는 미현 횡거진(郿縣橫渠鎭 : 현 섬서성 미현〈眉縣〉)이었다. 1057년 진사에 급제했고 운암령(雲巖令)·숭정원교서(崇政院校書) 등을 역임하였다. 젊어서 병법을 좋아하여 범중엄에게 서신을 보냈다가 『중용』을 읽기를 권유받고, 얼마 뒤 『6경(六經)』에 전념하게 되었다. 특히 『역』과 『중용』을 중시하여 『정몽(正蒙)』, 『서명(西銘)』, 『역설(易說)』 등을 지었는데, 이로써 나중에 '관학(關學)'의 창시자가 되었다.

• **장제생** 蔣悌生 ?~?

명나라 복건(福建) 복녕(福寧) 사람으로 자는 인숙(仁叔)이다. 홍무(洪武) 연간에 명경(明經)으로 천거되어 복주훈도(福州訓導)를 지냈다. 저서에 『오경려측(五經蠡測)』이 있다.

- **장준** 張浚, 1094~1164

송나라 한주(漢州) 면죽(綿竹) 사람. 자는 덕원(德遠)이고, 세칭 자암선생(紫巖先生)으로 불리며, 시호는 충헌(忠獻)이다. 장함(張咸)의 아들이다. 장식(張栻)의 아버지고, 초정(譙定)의 문인이며, 정이(程頤)와 소식(蘇軾)의 재전제자(再傳弟子)이자, 당나라의 명재상 장구고(張九皐)의 후손이다. 당시 일류 학자인 정이천(程伊川)의 제자 천수(天授)에게 배워 이락(伊洛)의 학문을 남송에 전한 공이 있다. 저서에 『자암역전(紫巖易傳)』과 『주역해(周易解)』, 『상서해(尙書解)』, 『시경해(詩經解)』, 『예기해(禮記解)』, 『춘추해(春秋解)』, 『중용해(中庸解)』, 『중흥비람(中興備覽)』, 문집 등이 있다.

- **장창** 張蒼, B.C.256~B.C.152

서한(西漢)의 양무현(陽武縣 : 현 하남성 원양현〈原陽縣〉)사람으로 진(秦)나라에서는 어사(禦史)를 역임하였다. 한고조 유방이 흥기하자 그를 도와 한나라의 건립과 안정에 공을 세워 여러 벼슬을 두루 거치고 북평후(北平侯)에 봉해졌다. 한문제(文帝) 때에는 승상(丞相)을 역임하였다. 전국 말기 순자(荀子)의 문하에서 이사(李斯)·한비(韓非) 등과 동문수학했다. 그의 대표적인 문인으로는 가의(賈誼)가 있다. 그는 『구장산술(九章算術)』을 교정하고 역법(曆法)을 제정하였다.

• **전시** 錢時, 1175~1244

자는 자시(子是)이고, 호는 융당(融堂)이다. 송(宋)대 엄주 순안(嚴州淳安 : 현 안휘성 흡현〈歙縣〉) 사람이다. 과거에의 뜻을 끊고 이학(理學)에 전념했다. 양간(楊簡)의 수제자이고, 육구연(陸九淵)의 재전제자(再傳弟子)이다. 강동제형(江東提刑) 원보(袁甫)가 상산서원(象山書院)을 세우고 주강(主講)으로 초빙했다. 이종(理宗) 가희(嘉熙) 2년(1238) 비각교감(秘閣校勘)에 천거되고, 사관검열(史館檢閱)이 되었다가 강동수속(江東帥屬)이 되어 귀향했다. 순안서원(淳安書院)의 전신인 융당서원(融堂書院)을 건립하여 후학양성에 힘썼다. 저서에 『주역석전(周易釋傳)』, 『상서연의(尙書演義)』, 『학시관견(學詩管見)』, 『사서관견(四書管見)』, 『춘추대지(春秋大旨)』, 『양한필기(兩漢筆記)』 등이 있다.

• **전일본** 錢一本, 1546~1617

무진(武進) 사람이다. 자는 국서(國瑞)이고 호는 계신(启新)이다. 명나라 조정의 학자이다. 만력(萬曆) 11년 진사가 되어 복건수어사(福建道御史)를 제수받았다. 강서순안江西巡按) 축대주(祝大舟)를 탄핵했다. 「논상(論相)」, 「건저(建儲)」 두 상소를 올려 정치적 폐단을 지적하여 신종을 분노케 해서 파직되었다. 고향으로 내려가 경정당(經正堂)을 짓고 육경(六經)과 염락(濂洛)의 책들을 연구했고 특히 『역(易)』에 정통했다. 학자들은 그를 계신선생(启新先生)이라고 칭했다. 동림팔군자(東林八君子)의 하나로 불리기도 한다. 『상상관견(像象管見)』 9권, 『상초(像抄)』 6권, 『속상초(續像抄)』 2권, 『사성일심록(四聖一心錄)』 6권이 있다.

• **전징지** 錢澄之, 1612~1693

처음 이름은 병등(秉鐙)이고, 자는 음광(飮光) 또는 유광(幼光)이며, 만년에 전간노인(田間老人), 서완도인(西頑道人)으로 불렸다. 명말청초 때 안휘성 동성(桐城 : 현 종양현〈樅陽縣〉) 사람이다. 숭정(崇禎 : 1627~1644) 연간에 수재(秀才)가 되었고, 남경(南京)이 함락된 뒤 전병(錢棅)과 함께 군사를 일으켜 항청(抗淸) 운동을 전개했다. 남명(南明) 계왕(桂王) 때 한림원 서길사(翰林院庶吉士)를 담당했고 벼슬은 편수(編修)와 지제고(知制誥)에 이르렀다. 계림(桂林)이 청군(淸軍)에 의해 점령된 뒤에는 저술에 전념했다. 저서에 『전간집(田間集)』, 『전간시집(田間詩集)』, 『전간문집(田間文集)』, 『전간역학(田間易學)』, 『장산각집(藏山閣集)』 등이 있다.

• **전하** 田何, 생졸연대미상

자는 자장(子莊)·자장(子裝)이고, 호는 두전생(杜田生)이며, 서한 금문 역학(今文易學)의 창시자이다. 서한의 치천(淄川 : 현 산동성 수광〈壽光〉) 사람이다. 공자가 『역』을 전수한 5전(傳) 제자이다. 서한의 『금문역학(今文易學)』은 모두 전하에 의해서 전수되었다. 진시황의 분서 이후 『역』은 그의 구전(口傳)에 의해 비로소 후대에 전해질 수 있었다고 한다.

• **정강중** 鄭剛中, 1089~1154

송나라 무주(婺州) 금화(金華, 浙江) 사람으로 자는 형중(亨仲) 또는 한장(漢章)이고, 호는 북산(北山)이며, 시호는 충민(忠愍)이다. 고종(高宗) 소흥(紹興) 2년(1132) 진사(進士)가 되고, 감찰어사(監察御史)와 전중시어사(殿中侍御史)를 지냈다. 진회(秦檜)의 추천을 받아 화의(和議)의 잘못을 말하지 못했다. 나중에 섬서분획지계사(陝西分劃地界使)가 되어 금(金)나라가 계·성·민·봉·진·상(階成岷鳳秦商) 여섯 주(州)를 취하려고 할 때 이를 강력하게 반대했다. 예부시랑(禮部侍郎)을 거쳐 천섬선무부사(川陝宣撫副使)에 올랐는데, 장수를 가려 수비하게 하고 잡세(雜稅)를 없애는 등 바른 정치를 했다. 진회가 그가 멋대로 일을 한다고 하여 파직하고 계양군(桂陽軍)에 있도록 했다. 다시 문책하여 호주단련부사(濠州團練副使)로 좌천시키고 복주(復州)에 안치했다가 봉주(封州)로 옮겼다. 『주역』에 조예가 깊었고, 상수학(象數學)과 의리학(義理學)에도 정통했다. 저서에 『주역규여(周易窺餘)』와 『경사전음(經史專音)』, 『서정도리기(西征道里記)』, 『북산집(北山集)』 등이 있다.

- **정관** 丁寬

한 대 초기 사람으로 자는 자양(子襄)이며, 한 경제(景帝) 때 양효왕(梁孝王)의 장군을 지냈기 때문에 정장군(丁將軍)이라고 불렀다. 전하(田何)에게 역을 배우고 주왕손(周王孫)에게 고의(古義)를 배워 『역설(易說)』을 지었다.

- **정동경** 鄭東卿

자는 소매(少梅)이고 송대 복주(福州 : 현 복건성 복주시) 사람이다. 도설(圖說)을 중시하는 부사구(富沙邱)에게서 『역』을 배웠다고 한다. 저술은 『역괘의난도(易卦疑難圖)』 25권이 있는데, 「자서(自序)」에서 『역』의 이치는 획 가운데 모두 다 있다고 하였으며,

64괘에 대하여 도설을 쓰고, 육위(六位), 황극 (皇極), 선천(先天), 괘기(卦氣) 등에도 도설을 붙였다.

• **정백웅** 鄭伯熊, 1127~1181

송 영가(永嘉) 사람. 이름은 백웅(伯熊). 자는 경망(景望). 시호는 문숙(文肅). 일찍부터 덕행(德行)이 두드러졌고 경학(經學)에 정통하였다. 소흥(紹興) 때 진사. 관직은 종정소경(宗正少卿). 직용도각(直龍圖閣), 영국부지(寧國府知)가 되었다가 죽었다. 설계선(薛季宣)과 함께 학행(學行)으로 소문이 났고, 특히 옛 사람의 경제치법(經制治法)에 정밀하였다. 아우 백영(伯英), 백해(伯海)와 함께 이락(伊洛)의 학문을 부흥시켰다. 저서에 『정경망집(鄭景望集)』, 『정부문서설(鄭敷文書說)』이 있다.

• **정여계** 程汝繼

자는 지초(志初) 또는 경승(敬承)이다. 명(明)대 휘주부(徽州府) 무원(婺源 : 현 강서성 무원현) 사람이다. 만력(萬曆) 29년(1601)에 진사에 급제하여 벼슬은 원주부(袁州府) 지부(知府)를 역임했다. 『역』 연구에 뛰어났는데, 주희(朱熹)의 『주역본의(周易本義)』를 종주로 하면서도 주희와 다른 견해를 피력했다. 저서에 『주역종의(周易宗義)』가 있다.

• **정여해** 鄭汝諧, 1126~1205

자가 순거(舜擧)이호 호는 동곡거사(東谷居士)이다. 청전현성(青田縣城) 사람이다. 송나라 소흥(紹興) 27년(1157)에 진사가 되어 건도(乾道) 4년(1168) 양절(兩浙) 전운판관(轉運判官)에 임명되었다. 여러 관직을 거쳐 고향으로 돌아가 석개서원(介石書院)을 세웠다. 개희(開禧) 원년(1205)에 죽었다. 『동곡역익전(東谷易翼傳)』, 『논어의원(論語意源)』, 『동곡집(東谷集)』 등이 있다.

• **정이** 程頤, 1033~1107

자는 정숙(正叔)이고, 호는 이천(伊川)이다. 송대 낙양(洛陽 : 현 하남성 낙양) 사람으로서 형 정호(程顥)와 함께 이정(二程)이라 불린다. 15세 무렵에 형과 함께 주돈이에게 배운 적이 있으며, 18세에는 태학에 유학하면서 「안자호학론(顏子好學論)」을 지었는데 호원(胡瑗 : 호는 안정〈安定〉)이 그것을 경이롭게 여겼다고 한다. 벼슬은 비서성교서랑(秘書省校書郎)·숭정전설서(崇政殿說書) 등을 역임하였으나, 거의 30년을 강학에 힘 쏟아 북송 신유학의 기반을 정초하였다. 이정의 학문은 '낙학(洛學)'이라고 하며, 특히 정이의 학문은 주희에게 결정적으로 영향을 끼쳐 세칭 '정주학(程朱學)'이라고 하면 정이와 주희의 학문을 지칭한다. 저서는 『역전(易傳)』, 『경설(經說)』, 『문집(文集)』 등이 있다.

• **정중** 鄭衆, ?~83

자는 중사(仲師)·자사(子師)이고, 관직이 대사농(大司農)이었기 때문에 정사농(鄭司農)이라고도 불렀다. 또 선정(先鄭)이라고 하여 후한의 정현(鄭玄)과 구별하여 부르기도 한다. 하남성 개봉(開封) 사람으로 12세부터 부친에게 『좌씨춘추(左氏春秋)』를 배워서 『춘추난기조례(春秋難記條例)』를 저술한 것으로 유명하다. 『역』과 『시』에도 정통하였다고 한다. 저술은 『춘추산(春秋刪)』 19편이 있다.

• **정초** 鄭樵, 1104~1162

자는 어중(漁仲)이고 세칭 협제선생(夾漈先生)이라고 한다. 남송 흥화군(興化軍 : 현 복건성) 보전(莆田) 사람이다. 송대 사학자, 목록학자로서 저술이 80여종이나 되었는데 현존하는 것은 『협제유고(夾漈遺稿)』, 『이아주(爾雅注)』, 『시변망(詩辨妄)』, 『6경오론(六經奧論)』, 『통지(通志)』 등이다. 특히 『통지』는 그의 대표작이다. 이 책은 그의 평생 저술의 핵심인 「이십략(二十略)」을 수록하고 있는데, 그 가운데 「곤충초목략(昆蟲草木略)」은 중국의 동식물에 관한 전문저술로 중요한 가치가 있다고 한다.

• **정현** 鄭玄, 127~200

자는 강성(康成)이며, 북해(北海 : 현 산동성 고밀〈高密〉) 사람이다. 중국 후한(後漢) 말기의 대표적 유학자로서, 시종 재야(在野)의 학자로 지냈으며, 제자들에게는 물론 일반인들에게서도 훈고학(訓詁學)·경학의 시조로 깊은 존경을 받았다. 젊었을 때부터 학문에 뜻을 두었고, 경학의 금문(今文)과 고문(古文) 외에 천문(天文)·역수(曆數)에 이르기까지 광범한 지식을 갖추었다. 처음에 향색부(鄕嗇夫)라는 지방의 말단관리가 되었으나 그만두고, 낙양(洛陽)에 올라가 태학(太學)에 입학하여, 마융(馬融) 등에게 배웠다. 그가 낙양을 떠날 때, 마융이 "나의 학문이 정현과 함께 동쪽으로 떠나는구나!"하고 탄식하였을 만큼 학문에 힘을 쏟았다. 그는 고문·금문에 모두 정통하였으며, 가장 옳다고 믿는 설을 취하여 『주역(周易)』·『상서(尙書)』·『모시(毛詩)』·『주례(周禮)』·『의례(儀禮)』·『예기(禮記)』·『논어(論語)』·『효경(孝經)』 등 경서에 주석을 하였고, 『의례』·『논어』 교과서의 정본(定本)을 만들었다. 그의 저서 가운데 완전하게 현존하는 것은 『모시』의 전(箋)과 『주례』·『의례』·『예기』의 주해뿐이고, 그 밖의 것은 단편적으로 남아 있다.

• **정형** 程迥

남송 응천부(應天府) 영릉(寧陵) 사람으로 자는 가구(可久)이고, 호는 사수(沙隨)이다. 효종(孝宗) 융흥(隆興) 원년(1163)에 진사(進士)에 급제하여, 진현(進賢)과 상요(上饒)의 지현(知縣), 양주(揚州) 태흥위(泰興尉), 요주덕흥지현(饒州德興知縣) 등을 역임하였다. 일찍이 왕보(王葆)와 가흥(嘉興)의 학자 무덕(茂德), 엄릉(嚴陵), 유저(喩樗)에게 경전을 배웠고, 주희는 그의 박학다식함과 실천정신을 칭찬했다. 경서는 물론 불교와 도가, 음운에 이르기까지 두루 연구했다. 저서에 『고역고(古易考)』, 『고역장구(古易章句)』, 『역전외편(易傳外編)』, 『춘추전현미예목(春秋傳顯微例目)』, 『논어전(論語傳)』, 『맹자장구(孟子章句)』, 『경사설제논변(經史說諸論辨)』, 『사성운(四聲韻)』, 『고운통식(古韻通式)』, 『의경정본서(醫經正本書)』, 『삼기도의(三器圖義)』, 『남재소집(南齋小集)』 등이 있는데, 세상에 전해진 것으로는 『주역고점법(周易古占法)』과 『주역장구외편(周易章句外編)』 등이 있다.

• **정호** 程顥, 1032~1085

자는 백순(伯淳)이고, 호는 명도(明道)이다. 송대 낙양(洛陽 : 현 하남성 낙양) 사람으로 아우 정이(程頤)와 함께 '이정(二程)'이라 불리운다. 태자중윤(太子中允)·감찰어사리행(監察御史理行) 등을 역임하였다. '천리체인(天理體認)'과 '식인(識仁)' 등의 사상은 육구연·왕양명 등의 '심학(心學)'체계에 영향을 끼쳤다. 저서는 『식인편(識仁篇)』, 『정성서(定性書)』, 『문집』 등이 있다. 현행 『이정집(二程集)』에는 부분적으로 이정의 글이 뒤섞여있는 곳이 있다.

- **제갈량** 諸葛亮, 181~234

자는 공명(孔明)이고, 시호는 충무후(忠武侯)이며, 낭야군(瑯琊郡) 양도현(陽都縣 : 현 산동성 기남현〈沂南縣〉) 사람이다. 호족(豪族) 출신이었으나 어릴 때 아버지와 사별하여 형주(荊州)에서 숙부 제갈현(諸葛玄)의 손에서 자랐다. 후한 말의 전란을 피하여 벼슬하지 않았으나 촉한(蜀漢)의 정치가 겸 전략가로 명성이 높아 와룡선생(臥龍先生)이라 불렸다. 207년 위(魏)의 조조(曹操)에게 쫓겨 형주에 와 있던 유비(劉備)가 '삼고초려(三顧草廬)'의 예로 초빙하여 '천하삼분지계(天下三分之計)'를 진언하고, 군신 관계를 맺었다. 유비(劉備)를 도와 오(吳)나라의 손권(孫權)과 연합하여 남하하는 조조(曹操)의 대군을 적벽(赤壁)의 싸움에서 대파하고, 형주(荊州)와 익주(益州)를 점령하였다. 221년 한나라의 멸망을 계기로 유비가 제위에 오르자 승상이 되었다. 유비가 죽은 뒤에는 어린 후주(後主) 유선(劉禪)을 보필하여 오(吳)와 연합해 위(魏)와 항쟁하며, 생산을 장려하여 민치(民治)를 꾀하고, 운남(雲南)으로 진출하여 개발을 도모하는 등 촉(蜀)의 경영에 힘썼다. 그러다가 위의 장군 사마의(司馬懿)와 오장원(丈原)에서 대진하다가 병으로 죽었다.

- **조비** 曹丕, 187~226

자는 자환(子桓). 시호는 문제(文帝). 조조(曹操)의 둘째 아들. 한

(漢)의 헌제를 옹립하고 화북을 평정한 조조는 제위에 오르지 않았으나 조비는 헌제에게서 양위 받는 형식으로 황제가 되어 도읍을 낙양(洛陽)에 두고, 국호를 위(魏)라고 했다. 즉위한 뒤 한의 제도를 개혁하고 구품관인법(九品官人法)을 시행하여 위의 세력을 증강시켜 오(吳)와 촉한(蜀漢)과 대항했다. 동생 조식(曹植)과 함께 그 시대의 유수한 문인(文人)으로 명성이 높았다. 저서에 『전론(典論)』, 『시부(詩賦)』 등 100여 편이 있다.

- **조언숙** 趙彦肅

조언숙(趙彦肅)의 자는 자흠(子欽)이고 호는 부재(復齋)이다. 태조의 후예이고 일찍이 진사(進士)로 천거되었다. 저작으로는 『광잡학변(廣雜學辨)』, 『사관례혼례궤식도(士冠禮婚禮饋食圖)』 등이 있는데 주희가 높이 평가했다. 오직 『역』을 논하는데 주희와 합치하지 않아서 『주자어류』에서는 그 학설이 정미하다고 말하여 의미를 취한 것이 많다. 조언숙이 말하는 『역』은 상수(象數)에서 의리(義理)를 구하는 것이라서 6획을 중시한다. 『부재역설(復齋易說)』이 있다.

- **조열지** 晁說之, 1059~1129

자는 이도(以道)이고, 자호는 사마광을 존경하여 경우생(景迂生)이라고 하였다. 오경(五經)에 해박했는데 특히 역학에 능통하였다. 당시 소동파가 그의 학문을 자득한 것이라고 높게 평가하였다고 한다. 『유언(儒言)』, 『경우생집(景迂生集)』 등을 저술하였는데, 『경우생집』에 「역원성기보(易元星紀譜)」와 「역규(易規)」가 전한다.

- **조여등** 趙汝騰, ?~1261

송대의 유학자로 복건사람이며, 자는 무실(茂實)이며, 호는 용재(庸齋)이다. 1226년에 진사가 되고 예부상서겸급사중(礼部尚书兼给事中)을 거쳐 한림학사에 제수되었다. 만년에 자하옹(紫霞翁)이라 하였다. 저서로는 『용재집(庸齋集)』 6권이 있다.

- **조여매** 趙汝楳

조여매(趙汝楳)는 남송(南宋) 시대 학자로서 상왕원분(商王元份) 7세손이고 자정전대학사(資政殿大學士) 선상(善湘)의 아들이다. 이종(理宗) 대에는 호부시랑(戶部侍郎)까지 올랐다. 『주역집문(周易輯聞)』 6권이 있다. 『송사(宋史)』「조선상전(趙善湘傳)」에 따르면 조선상이 『역』에 대해 말한 책에는 『약설(約說)』 8권, 『혹문(或問)』 4권, 『지요(指要)』 4권, 『속문(續問)』 8권 등이 있는데 이 『역』을 연구한 것이 가장 오래되었다고 하니, 조여매는 가학(家學)을 이어서 이 『주역집문』을 지었을 것이다.

- **조치도** 趙致道

송대 사람. 이름은 사하(師夏). 사옹(師雍)의 동생. 자는 치도(致道). 호는 원암(遠菴). 소희(紹熙) 때 진사가 되었다. 벼슬은 조봉대부(朝奉大夫). 주자에게 배우고, 끝까지 궁구하여 깊은 뜻을 얻었다.

- **주돈이** 周惇頤, 1017~1073

자는 무숙(茂叔)이고, 호는 염계(濂溪)이며, 원래 이름은 돈실(惇

實)이었는데, 북송 제5대 황제인 영종(英宗 : 1063~1067)의 옛 이름(조종실〈趙宗實〉)을 피하여 돈이(惇頤)로 이름을 고쳤다. 송대 도주 영도(道州營道 : 현 호남성 도현〈道縣〉) 사람으로 송대 신유학의 개조이다. 분녕주부(分寧主簿), 지남창(知南昌), 지침주(知郴州), 지남강군(知南康軍) 등을 역임하였다. 이정(二程)의 스승이며, 주희의 형이상학체계에 큰 영향을 끼쳤다. 저서는 『태극도설(太極圖說)』, 『통서(通書)』, 「애련설(愛蓮說)」 등이 있다.

• **주진** 朱震, 1072~1138

자는 자발(子發)이고, 세칭 한상선생(漢上先生)이라 불리었다. 송대 형문군(荊門軍 : 현 호북성 소속) 사람으로 1115년에 진사에 급제하여 벼슬은 예부원외랑(禮部員外郞), 비서소감 겸임시경연(秘書少監兼任侍經筵), 중서사인(中書舍人), 한림학사(翰林學士) 등을 역임하였다. 『역』과 『춘추』에 해박하였고 저서에는 『한상역전(漢上易傳)』이 있다.

• **주창** 周昌, ?~B.C.192

서한의 대신(大臣)으로서 한고조 유방과 동향인 패군 풍읍(沛郡豐邑 : 현 강소성 풍현〈豐縣〉) 사람이다. 진나라 말기 농민전쟁이 일어났을 때 유방을 도와 진나라를 격파하고 벼슬이 어사대부(禦史大夫)에 이르렀고 분음후(汾陰侯)로 봉해졌다. 성격이 강직하여 말더듬이인데도 직언을 잘하기로 유명하다. 한고조가 태자를 폐하려하자 그것이 불가함을 간언하다가 말을 더듬어서 '기(期)'를 '기기(期期)'라고 말한 고사가 전해진다.

• **주행기** 周行己, 1067~1129

송 영가(永嘉) 출신. 이름은 행기(行己). 자는 공숙(恭叔). 호는 부지선생(浮沚先生). 정이(程)의 문인. 원우(元祐) 때 진사가 되었다. 관직은 본주교수(本州教授). 이낙(伊洛)의 학을 근본으로 하여 그 뜻을 서술했다. 저서에 『주박사집(周博士集)』이 있다.

• **주희** 朱熹, 1130~1200

자는 원회(元晦)·중회(仲晦)이고, 호는 회암(晦庵)·회옹(晦翁)·고정(考亭)·자양(紫陽)·둔옹(遯翁) 등이다. 송대 무원(婺源 : 현 강서성 무원현) 사람으로 건양(建陽 : 현 복건성 건양현)에서 살았다. 1148년에 진사에 급제하여 동안주부(同安主簿)·비서랑(秘書郎)·지남강군(知南康軍)·강서제형(江西提刑)·보문각대제(寶文閣待制)·시강(侍講) 등을 역임하였다. 스승 이동(李侗)을 통해 이정(二程)의 신유학을 전수받고, 북송 유학자들의 철학사상을 집대성하여 신유학의 체계를 정립하였다. 1179~1181년 강서성(江西省) 남강(南康)의 지사(知事)로 근무하면서 9세기에 건립되어 10세기에 번성했다가 폐허가 된 백록동서원(白鹿洞書院)을 재건했다. 만년에 이르러 정적(政敵)인 한탁주(韓侂胄)의 모함을 받아 죽을 때까지 정치활동이 금지되고 그의 학문이 거짓 학문으로 폄훼를 받다가 그가 죽은 뒤에 곧 회복되었다. 저서로는 『정씨유서(程氏遺書)』, 『정씨외서(程氏外書)』, 『이락연원록(伊洛淵源錄)』, 『고금가제례(古今家祭禮)』, 『근사록(近思錄)』 등의 편찬과 『사서집주(四書集注)』, 『서명해(西銘解)』, 『태극도설해(太極圖說解)』, 『통서해(通書解)』, 『사서혹문(四書或問)』, 『시집전(詩集傳)』, 『주역본의(周易本義)』, 『역학계몽(易學啓蒙)』, 『효경간오(孝經刊誤)』,

『소학서(小學書)』, 『초사집주(楚辭集注)』, 『자치통감강목(資治通鑑綱目)』, 『팔조명신언행록(八朝名臣言行錄)』 등이 있다. 막내아들 주재(朱在)가 편찬한 『주문공문집(朱文公文集)』(100권, 속집 11권, 별집 10권)과 여정덕(黎靖德)이 편찬한 『주자어류(朱子語類)』(140권)가 있다.

• **중유** 仲由, B.C.542~B.C.480

노(魯)나라 사람으로 자는 자로(子路), 계로(季路)이다. 춘추(春秋) 말기 공자(孔子)의 제자이자 효자, 정치가이다. 위(衛)나라 포읍(蒲邑)의 대부(大夫)이고, 계씨(季氏)와 공리(孔悝)의 가신을 지냈다. 공문십철(孔門十哲)과 공문칠십이현(孔門七十二賢) 중 한 사람이다. 『논어(論語)』「안연(顔淵)」에 "한마디 말로 옥송을 결단할 수 있는 사람은 아마도 중유(仲由)일 것이다.[片言可以折獄者 其由也與]"라는 말이 나온다.

• **증자** 曾子, B.C.505?~B.C.435

자는 자여(子輿)이고 이름은 삼(參)이다. 춘추말 노나라 남무성(南武城 : 현 산동성 비현〈費縣〉) 사람으로 증점(曾點)의 아들이다. 공자(孔子)의 고제(高弟)로서 효심이 두텁고 내성궁행(內省躬行)에 힘썼으며, 노(魯)나라 지방에서 제자들의 교육에 주력하였다. 공자 사상의 정수를 전해 받았다고 하여 맹자의 추숭을 받았다. 『대대예기(大戴禮記)』에 그의 언행에 관한 기록이 실려 있다. 저서에 『효경(孝經)』, 『대학(大學)』이 있다.

- **직불의** 直不疑, ?~B.C.138

전한 남양(南陽) 사람으로, 문제(文帝) 때 낭관(郎官), 중대부(中大夫)를 지냈고, 경제(景帝) 때 어사대부(御史大夫)가 되었다. 시호는 신(信)이다. 문제 때 낭관으로 있을 때 함께 근무하는 사람이 휴가를 가면서 동료의 금(金)을 자기 것으로 잘못 알고 가져갔다. 금을 잃은 사람이 직불의가 가져간 것으로 오해하자 그는 변명하지 않고 보상해 주었는데, 휴가 갔던 사람이 돌아와서 금을 돌려주자 직불의를 의심했던 사람은 사과하며 매우 부끄러워했다고 한다. 근거 없는 비방을 받는 것을 비유할 때 직불의(直不疑)의 고사가 흔히 인용된다.

- **진관** 陳瓘, 1057~1124

자는 형중(瑩中)이고 자호는 요옹(了翁)이다. 송대 남검주(南劍州 : 복건성 사현〈沙縣〉) 사람이다. 북송 휘종(徽宗) 때 좌사간(左司諫)으로 있으면서 직언을 한 것으로 유명하다. 젊어서는 불교를 연구하였고, 특히 화엄경을 좋아하여 자호를 화엄거사(華嚴居士)라고 하기도 하였다. 나중에는 『역』을 깊이 연구하여 『요옹역설(了翁易說)』 1권을 찬술하였다. 그 밖에 『요재집(了齋集)』42권과 『약론(約論)』 17권 등의 저술이 있었으나, 대부분 산실되었다.

- **진단** 陳摶, ?~989

자는 도남(圖南)이고, 자호는 부요자(扶搖子)이다. 황제가 하사한 호는 희이선생(希夷先生)이고, 세칭 백운선생(白雲先生)이라 하였다. 송대 호주진원(亳州眞源 : 현 하남성녹읍〈鹿邑〉) 사람으로 무당산(武當山)·거화산(居華山)에 은거하여 수도하였다. 『역』에 대한 연구에 몰두하였으며, 「무극도(無極圖)」와 「선천도(先天圖)」를 그린 것이 소옹과 주렴계 등에게 전수되었다. 저서는 『지현편(指玄篇)』, 『삼봉우언(三峰寓言)』, 『고양편(高陽篇)』, 『조담집(釣潭集)』등이 있다.

- **진덕수** 眞德秀, 1178~1235

자는 희원(希元)·경원(景元)·경희(景希)이고, 호는 서산(西山)이며, 시호는 문충(文忠)이다. 송대 포성(浦城, 복건성 포성〈蒲城〉) 사람으로 1199년에 진사에 급제하여, 예부시랑(禮部侍郎), 호부상서(戶部尙書), 한림학사(翰林學士), 참지정사(參知政事) 등을 역임하였다. 어려서는 주희의 문인인 첨체인(詹體仁)에게 배우고, 스스로 '주희를 사숙하여 얻은 것이 있다.'라고 하였다. 특히 『대학』을 중시하여 '궁리·지경(窮理·持敬)을 강조하였다. 경원당금(慶元黨禁) 이후 정주(程朱)의 이학(理學)이 다시 성행하는 데 크게 공헌하였다. 저서는 『대학연의(大學衍義)』, 『사서집편(四書集編)』, 『독서기(讀書記)』, 『문장정종(文章正宗)』, 『당서고의(唐書考疑)』, 『서산문집(西山文集)』 등이 있다.

- **진량** 陳亮, 1143~1194

자는 동보(同甫)·동보(同父)이고, 호는 용천(龍川)이다. 송대 무주 영강(婺州永康 : 현 절강성 소속) 사람으로 말년에 첨서건강부판관(簽書建康府判官)이 되었으나 1년도 채우지 못하고 죽었다. 여조겸과 벗이었고 여조겸 사후에 비로소 주희와 만났으며, 이후 '왕패논쟁(王霸論爭)'을 비롯하여 상호간에 빈번하게 논변 성격의 편지를 주고받았다. 주희는 진량이 사공(事功)을 중시한다고 생각하여 그를 '의리쌍행(義理雙行) · 왕패병용(王覇竝用)'이라는 말로 경계하였다. 저서는 『용천문집(龍川文集)』, 『용천사(龍川詞)』, 『삼국기연(三國紀年)』 등이 있다.

- **진순** 陳淳, 1159~1223

자는 안경(安卿)이고, 호는 북계(北溪)이다. 송대 용계(龍溪 : 현 복건성 장주〈漳州〉) 사람으로 주희가 장주 지사일 때 제자가 되어, 주희에게 "남쪽에 와서 나의 도가 진순한 사람을 얻었다."라는 칭찬을 받았다. 평생 육구연(陸九淵)의 심학을 배척하고 주자학을 선양하는 데 힘썼으며, 영가학파(永嘉學派)의 대표 학자인 진량(陳亮)의 공리학(功利學)도 배척했다. 시호는 문안(文安)이다. 저서는 『북계자의(北溪字義)』, 『엄릉강의(嚴陵講義)』, 『논맹학용구의(論孟學庸口義)』, 『북계문집(北溪文集)』 등이 있다.

- **진식** 陳埴

자는 기지(器之)이고, 호는 목종(木鐘)이며, 세칭 잠실선생(潛室先生)이라 하였다. 송대 영가(永嘉 : 현 절강성 온주〈溫州〉) 사람으로 통직랑(通直郎)을 역임하였다. 어려서는 섭적(葉適)에게 배우고 나중에는 주희에게서 배웠다. 저서는 『목종집(木鐘集)』, 『우공변(禹貢辨)』, 『홍범해(洪範解)』 등이 있다.

- **진정** 秦政, B.C.59~B.C.210

이름이 영정(嬴政)이고, 별호는 진왕정(秦王政), 시황제(始皇帝), 조룡(祖龍) 등이다. 진시황을 가리키며, 조국(趙国)의 수도(首都)인 감단(邯鄲)에서 태어났다. 장양왕(莊襄王)의 아들로 13세에 왕위에 오르고, 진(秦)나라의 강성함을 이용해 육국을 통일하고 39세에 황제라 칭하였다.

• **진침** 陳琛, 1477~1545

명(明)대 복건(福建) 진강(晉江) 사람으로 자는 사헌(思獻)이고, 호는 자봉선생(紫峰先生)이다. 채청(蔡淸)에게 배웠고, 왕선(王宣), 역시충(易時冲), 임동(林同), 조록(趙逯), 채열(蔡烈) 등과 함께 유명했는데, 그가 가장 저명했다. 정덕(正德) 12년(1517)에 진사(進士)에 급제하여 형부산서사주사(刑部山西司主事), 남경호부운남사주사(南京戶部雲南司主事), 남경이부고공랑중(南京吏部考功郎中) 등을 역임하였다. 하지만 관직에 흥미가 없어 5년 만에 사직하고 귀향하여 강학에 힘쓰며, 복건주자학을 발전시켰다. 저서에 『사서천설(四書淺說)』, 『역학통전(易學通典)』, 『정학편(正學編)』, 『자봉집(紫峰集)』 등이 있다.

• **진헌장** 陳獻章, 1428~1500

호는 백사(白沙)·석재(石齋)이고, 자는 공보(公甫)이다. 광둥성[廣東省] 백사(白沙) 출생으로 오강재(吳康齋)에게 사사하고, 송대(宋代) 육상산(陸象山)의 학풍을 계승하였으며, 정좌(靜坐)에 의해 마음을 깨끗이 하고, 천리(天理)를 체인(體認)할 것을 주장하였다. 유교경전의 자질구레한 해석에 몰두하는 명대(明代)의 주자학에 반발하고 실천성을 강조하였기 때문에 왕양명(王陽明)의 선구적 사상가로 보인다. 천리(天理)와 일체(一體)의 심경(心境)을 그의 많은 시작(詩作)에서 음미(吟味)할 수 있는 시인적 유학자로 높이 평가된다. 저서는 후세에 편찬한 『백사자전집(白沙子全集)』이 있다.

• **채묵** 蔡墨

춘추시대 진(晉)나라 사관(史官)으로서, 사채(史蔡)라고도 불리며, 오행사상을 『주역』에 끌어들인 학자라고 한다. 그는 고대의 용을 기르는 전설에 대하여, 오행지관(五行之官)에서 수관(水官)이 폐기되어 수(水)에 속하는 용이 상징으로만 남게 되었다고 하였다. 『주역』 연구를 통하여 당시 여러 제후국들의 미래를 점치기도 하였다고 한다.

• **채연** 蔡淵, 1156~1236

자는 백정(伯靜)이고, 호는 절재(節齋)이다. 송대 건양(建陽 : 현 복건성 건양) 사람으로 채원정의 맏아들이다. 부친의 뜻을 이어 주경야독하여, 특히 『역』에 조예가 깊었고 그에 관한 저술이 많다. 저서는 『주역훈해(周易訓解)』, 『역상의언(易象意言)』, 『괘효사지(卦爻辭旨)』 등이 있다.

• **채옹** 蔡邕, 132~192

자는 백개(伯喈)이고, 진류 어현(陳留圉縣 : 현 하남성 기현〈杞縣〉) 사람이다. 한나라 헌제(獻帝) 때에 좌중랑장(左中郎將)을 제수받아서 후세사람들이 채중랑(蔡中郎)이라고 불렀다. 경사(經史), 천문, 음율에 정통했는데, 특히 서예에 조예가 깊어서 비백체(飛白體)를 창시했고, 음율에 대해서도 연구가 깊어 거문고의 제료와 제작 및 조율 등에 독창적인 견해거 있었다. 초미금(焦尾琴)의 고사도 유명하다. 저서는 『채중랑집(蔡中郎集)』이 있다.

• **채원정** 蔡元定, 1135~1198

자는 계통(季通)이고, 세칭 서산선생(西山先生)이라 하였다. 송대 건양(建陽 : 현 복건성 건양) 사람으로 주희를 경모하여 스승으로 받들었으나, 주희가 도리어 제자가 아닌 친구로 대우하였다. 그의 학문은 신유학뿐 아니라 천문·지리·악율(樂律)·역수(歷數)·병진(兵陣) 등에 뛰어났다. 특히 상수학(象數學)에 조예가 깊어 주희의 『역학계몽(易學啓蒙)』 저술에 참여한 것으로 알려진다. 말년에 주희와 함께 경원당금(慶元黨禁)의 표적이 되어 귀양을 가서 생을 마쳤다. 저서는 『율려신서(律呂新書)』, 『팔진도설(八陣圖說)』, 『홍범해(洪範解)』 등이 있다.

• **채청** 蔡清, 1453~1508

명(明)대 진강(晉江) 사람으로, 자는 개부(介夫)이고 별호는 허재(虛齋)이다. 31세에 진사에 급제하여 벼슬은 남경문선랑중(南京文選郎中)·강서제학부사(江西提學副使) 등을 역임하였다. 명대의 저명한 이학가(理學家)로서 주로 이정(二程)과 주희(朱熹)의 저술 연구를 통해 그들의 사상을 계승하였다. 특히 천주(泉州) 개원사(開元寺)에서 역학연구단체를 결성하여 90여 책을 출간하면서 청원학파(清源學派)를 이루었다. 이정기(李廷機)·장악(張嶽)·임희원(林希元)·진침(陳琛) 등의 학자들이 그 학파의 주요 구성원이었다. 저술로는 『사서몽인(四書蒙引)』·『역경몽인(易經蒙引)』·『허재문집(虛齋文集)』 등이 있다.

• **채침** 蔡沈, 1176~1230

자는 중묵(仲黙)이고, 호는 구봉(九峰)이다. 송대 건양(建陽 : 현 복건성 건양) 사람으로 채원정의 셋째 아들이다. 어려서부터 가학을 이으면서 주희에게 배웠다. 경원당금(慶元黨禁)으로 부친과 스승이 화를 당하자 구봉에 은거하여, 스승과 부친의 유지를 받들어 『서경집전(書經集傳)』과 『홍범황극(洪範皇極)』을 저술하였다.

• **초연수** 焦延壽

자는 공(贛)이고 서한(西漢)의 양(梁 : 현 하남성 상구현〈商丘縣〉) 사람이다. 집안이 가난했지만 배우기를 좋아해서 양 경왕(梁敬王)의 후원을 받았다. 특히 역학(易學)을 깊이 연구하여 재이(災異)를 64괘로 설명하는 데에 뛰어났다. 『한서(漢書)』「유림전(儒林傳)」에서, "경방(京房)은 양(梁)나라 사람 초연수(焦延壽)에게서 『역』을 전수받았고, 초연수는 맹희(孟喜)에게서 『역』을 배웠다."고 하였다. 저술에는 『역림(易林)』이 있는데, 일명 『초씨역림(焦氏易林)』이라고 한다.

• **초횡** 焦竑, 1540~1620

자가 약후(弱侯)이고 호는 의완(漪园)이다. 강령(江寧)에서 태어났다. 조상은 산동 일조(日照)인데 남경(南京)으로 옮겨왔다. 신종 만력(萬曆) 17년(1589)에 북경에서 장원으로 급제하여 한림원수찬(翰林院修撰)과 남경사업(南京司業)에 부임한다. 명나라 때 유명한 학자이다. 『담원집(澹园集)』, 『초씨필승(焦氏笔乘)』, 『초씨유림(焦氏類林)』, 『노자익(老子翼)』, 『장자익(庄子翼)』 등이 있다.

• **최경** 崔憬

당(唐)대 역학가로서 그 생졸연대는 공영달의 뒤 이정조(李鼎祚)

의 앞이다. 그의 역학은 역상(易象)과 역수(易數)를 중시하여, 왕필(王弼)의 『주역주(周易注)』를 묵수하지 않고 의리와 상수를 함께 다루었다. 순상(荀爽)·우번(虞翻)·마융(馬融)·정현(鄭玄)의 역학에도 조예가 깊었다. 공영달의 『주역정의(周易正義)』가 관학으로서 학계를 지배할 때 그의 역학은 독창적으로 새로운 의의가 있다고 칭송되었으며, 특히 이정조(李鼎祚)에게 추앙받았다. 이로써 그의 역학은 한(漢)대 역학에서 송(宋)대 역학으로 옮겨가는 선구가 되었다고 평가받는다. 저작으로는 『주역탐현(周易探玄)』이 있었다고 하는데 전해지지 않고, 이정조(李鼎祚)의 『주역집해(周易集解)』에 그의 주장이 많이 보인다.

• **추호** 秋胡

노나라 추호가 부인을 맞아들인 지 5일 만에 진(陳)나라로 벼슬하러 갔다. 그 후에 돌아오다가 집에 미처 당도하기 전에 길옆에서 아름다운 부인이 뽕을 따는 것을 보았다. 추호가 색욕(色慾)이 동하여 수레에서 내려 그 부인에게 뽕나무 그늘 아래로 가자고 꼬드겼으나 부인이 뽕만 따고 돌아보지 않았다. 추호가 말하기를 "고생해서 농사를 짓는 것이 좋은 때를 만나는 것만 못하고, 고생해서 뽕을 따는 것이 사내를 잘 만나는 것만 못하다. 지금 내게 돈이 있는데 부인에게 주고 싶다." 하였는데, 부인이 받지 않았다. 추호가 집으로 돌아오자 모친이 며느리를 불러왔는데 바로 뽕을 따던 그 부인이었다. 부인이 추호의 죄를 꾸짖고는 하수(河水)에 몸을 던져 죽었다.

• **탁무** 卓茂, B.C.53~28

후한 초기 남양(南陽) 완(宛) 사람으로 자는 자강(子康)이다. 전한 원제(元帝) 때 장안(長安)에서 박사 강생(江生)을 사사하여 『시경』과 『예기』 및 역산(曆算) 등을 배웠다. 통유(通儒)로 불렸다. 벼슬은 승상부사(丞相府吏), 시랑(侍郎), 급사황문(給事黃門), 밀현영(密縣令), 경도승(京都丞), 시중좨주(侍中祭酒) 등을 역임했다. 광무제(光武帝)가 즉위하자 태부(太傅)가 되고, 포덕후(褒德侯)에 봉해졌다.

• **탕왕** 湯王

이름은 이(履) 또는 천을(天乙), 태을(太乙). 탕은 자이며 성탕(成湯)이라고도 한다. 『사기(史記)』에 의하면 시조 설(契)의 14세에 해당한다. 당시 하(夏) 왕조의 걸왕(桀王)이 학정을 하여서 제후들의 대부분이 유덕(有德)한 성탕에게 복종했다. 걸왕은 성탕을 하대(夏臺)에 유폐하여 죽이려 했지만 재화와 교환하여 용서했다. 탕왕은 현상(賢相) 이윤(伊尹) 등의 도움을 받아 곧 걸왕을 명조(鳴條)에서 격파하여 패사시켰다. 그리고 박(亳)에 도읍하여 국호를 상(商)이라 정하고, 제도와 전례를 정비하고 13년 동안 재위했다. 그가 걸왕을 멸한 행위는 유교에서 주(周)나라 무왕(武王)이 은나라 주왕(紂王)을 토벌한 일과 함께 올바른 '혁명'의 군사행동이라 불린다. 『서경(書經)』의 「탕서(湯誓)」편 그때의 군령(軍令)이라고 한다.

• **태갑** 太甲

상(商)나라의 제2대 왕인 태종(太宗). 은왕 중임(仲壬)이 죽자 이윤(伊尹)이 성탕(成湯)의 적장손인 태정(太丁)의 아들 태갑을 세웠다. 태갑이 즉위하고 3년이 지나 욕망을 억제하지 못하고 포학해지며 탕의 법을 존중하지 않고 덕을 어지럽혔기 때문에 이윤은 그를 동궁(桐宮)에 가두었다. 그곳에서 3년 뒤 태갑이 잘못을 뉘우치고 스스로 선해지고자 노력했다. 이에 이윤은 태갑을 맞이하여 정사를 맡겼고, 태갑은 덕을 닦았다. 그러니 제후가 모두 그에게 돌아오고, 백성이 안녕하여 은나라가 흥했다. 이윤이 이를 기뻐하며 『태갑(太甲)』 3편을 지었다고 한다. 재위기간은 33년. 일설에는 13년이라고 한다. 태종이라고도 부른다.

• **태공** 太公

여상(呂尙). 본명은 강상(姜尙). 그의 선조가 여(呂)나라에 봉해져 여상(呂尙)이라고도 부른다. 속칭 강태공으로 알려져 있다. 주나라 문왕(文王)의 초빙으로 그의 스승이 되고, 무왕(武王)을 도와 은(殷)나라 주왕(紂王)을 멸망시켜 천하를 평정하여 그 공으로 제(齊)나라에 봉해져 그 시조가 되었다. 동해(東海)에 사는 가난한 사람이었으나 위수(渭水)에서 낚시질하다가 문왕을 만났다는 전설적인 전기가 전한다. 병서(兵書) 『육도(六韜)』를 그가 지었다고 한다.

## ㅍ

• **팽월** 彭越

팽월은 항우(項羽)를 섬기다 한(漢) 나라에 귀순하여 기공(奇功)

을 세우고 양왕(梁王)에 봉해졌는데, 한신의 죽음을 보고 두려워한 나머지 병력을 동원하여 자신을 보호하다가 고조(高祖)의 노여움을 받아 마침내 효수(梟首)되었다.

• **풍당가** 馮當可, 1100~1163

풍시행(馮時行,)의 자는 당가(當可)이고 호는 진운(縉雲)이다. 송나라 휘종(徽宗) 선화(宣和) 6년 장원급제하여 봉절위(奉節尉), 강원현승(江原縣丞), 좌조봉의랑(左朝奉議郎) 등을 지냈다. 후에 항금(抗金)을 주장했다가 폐직되었다가 다시 기용되어 성도부노제형(成都府路提刑)까지 지냈다. 사천(四川) 아안(雅安)에서 서거했다. 『진운문집(縉雲文集)』과 『역륜(易倫)』이 있다.

• **풍의** 馮椅, ?~?

송나라 남강(南康) 도창(都昌) 사람. 자는 기지(奇之) 또는 의지(儀之)고, 호는 후재(厚齋)다. 광종(光宗) 소희(紹熙) 4년(1193) 진사(進士)가 되고, 강서운사간판공사(江西運司幹辦公事)와 상고현령(上高縣令) 등을 지냈다. 이후 사직하고 강학(講學)과 연구에 전념했다. 주희(朱熹)에게 수학했고, 역학(易學)에 정밀했다. 저서에 『후재역학(厚齋易學)』과 『주역집설명해(周易輯說明解)』, 『경설(經說)』, 『서명집설(西銘輯說)』, 『효경장구(孝經章句)』, 『상례소학(喪禮小學)』, 『공자제자전(孔子弟子傳)』, 『속사기(續史記)』, 『시문지록(詩文志錄)』 등이 있다.

• **필중화** 畢中和

일행(一行)의 역학 사상을 계승하여 유우석(劉禹錫)에게 전해준 사람으로 알려진다.

ㅎ

• **하해** 何楷

자는 현자(玄子)이고 호는 황여(黃如)이다. 명말청초 때 장주 진해위(漳州鎭海衛 : 현 복건성 용해시〈龍海市〉) 사람이다. 천계(天啓) 5년(1625)에 진사에 급제하여 벼슬은 호부주사(戶部主事), 공과급사중(工科給事中), 호부상서(戶部尙書) 등을 역임했다. 직언과 직간으로 유명했는데, 말년에 정성공(鄭成功)의 부친인 정지룡(鄭芝龍)과 뜻이 어긋나서 사직하고 귀향했다. 저서에는 『고주역정고(古周易訂詁)』, 『시경세본고의(詩經世本古義)』 등이 있다.

• **한백** 韓伯

자는 강백(康伯)이고, 영천장사(潁川長社 : 현 하남성 장갈〈長葛〉) 사람이다. 동진(東晉) 간문제(簡文帝) 때 중서랑(中書郞), 예장태수(豫章太守), 시중(侍中), 이부상서(吏部尙書) 등 관직을 역임했다. 당대 저명한 현학가(玄學家), 훈고학자로서 왕필의 『주역』 상·하경 주석에, 「계사전」·「설괘전」·「서괘전」·「잡괘전」 등에 대한 주석을 덧붙였다.

• **한유** 韓愈, 768~824

자는 퇴지(退之)이고, 세칭 한창려(韓昌黎)·한이부(韓吏部)라고 한다. 당대 등주 남양(鄧州南陽 : 현 하남성 맹현〈孟縣〉) 사람으로 792년에 진사에 급제하여 사문박사(四門博士)·감찰어사(監察御史)·국자제주(國子祭酒)·이부시랑(吏部侍郎) 등을 역임하였다. 고문운동을 창도하여 송명리학의 선구자가 되었으며, 「논불골표(論佛骨表)」를 지어 불교배척운동에도 앞장섰다. 그의 성삼품론(性三品論)은 후대의 심성론에 영향을 끼쳤다. 문장은 당송팔대가의 으뜸으로 꼽는다. 저서는 『창려선생집(昌黎先生集)』이 있다.

- **항안세** 項安世, ?~1208

송나라 강릉(江陵) 사람. 자는 평부(平父)고, 호는 평암(平庵)이다. 효종(孝宗) 순희(淳熙) 2년(1175) 진사(進士)가 되고, 교서랑(校書郎)과 지주통판(池州通判) 등을 지냈다. 영종(寧宗)이 즉위하자 양병(養兵)과 궁액(宮掖)에 드는 비용을 줄여야 한다고 건의했다. 경원(慶元) 연간에 글을 올려 주희(朱熹)를 유임하라고 했다가 탄핵을 받고 위당(僞黨)으로 몰려 파직되었다. 나중에 복지되어 여러 벼슬을 거쳤다. 저서에 『주역완사(周易玩辭)』와 『항씨가설(項氏家說)』, 『평암회고(平庵悔稿)』 등이 있다.

- **향수** 向秀, 220~420

위진시대의 현학자. 자는 자기(子期). 죽림7현(竹林七賢)의 한 사람으로, 『진서(晉書)』「향수전(向秀傳)」에 의하면 그가 『장자주(莊子注)』를 지었다고 한다. 이 문헌은 유실되었지만 육덕명(陸德明)의 『경전석문(經典釋文)』중에 그 인용문이 전한다. 또한 『주역주(周易注)』도 있었다고 하나 전하지 않는다.

• 허형 許衡, 1209~1281

자는 중평(仲平)이고 호는 노재(魯齋)이며, 시호는 문정(文正)이다. 원대 회주 하내(懷州河內 : 현 하남성 초작시 심양〈焦作市沁陽〉) 사람이다. 경학(經學), 역사, 예악명물(禮樂名物), 성력(星曆), 병형(兵刑), 식화(食貨), 수리(水利)에 널리 통달했다. 특히 원대 정주학(程朱學)을 발전시킨 공로가 커서, 유인(劉因)과 함께 원대 두 대가(大家)라고 불렸다. 세조(世祖) 때 벼슬에 나아가 국자좨주(國子祭酒), 중서좌승(中書左丞)을 지냈다. 저서에 『독역사언(讀易私言)』, 『노재심법(魯齋心法)』, 『노재유서(魯齋遺書)』 등이 있다.

• 혜동 惠棟, 1697~1758

자는 정우(定宇)이고, 호(號)는 송애(松崖)이며, 강소성 오현(吳縣) 사람이다. 청대의 경학자로서 오파(吳派)의 대표적 인물이다. 청나라의 경학은 학파상으로 오파(吳派)와 완파(晥派)로 크게 나뉘는데, 그는 오파의 제1인자이며, 제자인 왕창(王昶)·강성(江聲)·여소객(餘蕭客)·왕명성(王鳴盛)·전대흔(錢大昕) 등도 저마다 특색 있는 학문을 발전시켰다. 혜동은 조부 혜주척(惠周惕)으로부터 아버지 혜사기(惠士奇)로 전래된 가학(家學)을 이어받아, 『주역』, 『상서(尙書)』 등의 경서를 실증적으로 연구하여 한나라 때 경학(經學)의 복원에 힘을 기울였다. 주요 저술로는 『주역술(周易述)』, 『역한학(易漢學)』, 『역례(易例)』, 『명당대도록(明堂大道錄)』, 『고문상서고(古文尙書考)』, 『구경고의(九經古義)』, 『후한서보주(後漢書補注)』 『송문초(松文鈔)』 등이 있으며, 그 중에서도 『주역술』은 미완이기는 하나 30년의 노력을 기울인 저작으로서, 종래 애매하던 한대 역학의 실태를 정확하게 표출한 저술이라는 점에서 평판이 높다.

- **호계수** 胡季隨

송대 사람. 굉(宏)의 아들. 이름은 대시(大時). 자는 계수(季隨). 장식(張)에게 배웠다. 호상(湖湘) 제일의 학자라고 부른다. 장식이 죽은 뒤 다시 진부량(陳傅良)에게서 수업했다.

- **호굉** 胡宏, 1105~1155

자는 인중(仁仲)이고, 호는 오봉(五峰)이다. 송대 건녕 숭안(建寧崇安 : 현 복건성 소속) 사람으로 호안국(胡安國)의 아들이다. 어려서 양시(楊時)·후중량(侯仲良)에게 배우고 마침내 부친의 학문을 닦아 장식(張栻)에게 전수하여 호상학파(湖湘學派)의 창시자가 되었다. 양시(楊時) 이후 남송에 낙학을 전파한 관건적인 인물이다. 저서는 『지언(知言)』, 『오봉집(五峰集)』 등이 있다.

- **호방평** 胡方平

자는 사노(師魯)이고 호는 옥재(玉齋)이다. 송대 무원(婺源 : 현 강서성 무원현) 사람이다. 동몽정(董夢程)에게서 배웠는데, 동몽정은 주희의 고족제자이자 사위인 황간(黃幹)의 제자이다. 따라서 그는 아들 호일계(胡一桂)와 함께 주희의 학설을 독실하게 신봉하였다. 저술은 필생의 역작인 『역학계몽통석(易學啟蒙通釋)』이 있다.

• **호병문** 胡炳文, 1250~1333

원나라 휘주(徽州) 무원(婺源) 사람. 자는 중호(仲虎)고, 호는 운봉(雲峰)이다. 주희(朱熹)의 종손(宗孫)에게 『주역』과 『서경』을 배워 주자학에 잠심했으며, 특히 『주역』에 뛰어났다. 신주(信州) 도일서원(道一書院) 산장(山長)을 지내고, 난계주학정(蘭溪州學正)이 되었는데, 나가지 않았다. 저서에 『주역본의통석(周易本義通釋)』, 『서집해(書集解)』, 『춘추집해(春秋集解)』, 『예서찬술(禮書纂述)』, 『사서통(四書通)』, 『대학지장도(大學指掌圖)』, 『오경회의(五經會義)』, 『이아운어(爾雅韻語)』 등이 있다.

• **호원** 胡瑗, 993~1059

자는 익지(翼之)이고 시호는 문소(文昭)로서, 북송시대 태주 해릉(泰州海陵 : 현 강소성 태주시) 사람이다. 13살에 오경(五經)을 통독하고, 20세에 손복(孫復)과 석개(石介)를 산동성 태산(泰山) 서진관(棲眞觀)에서 배알하고 10년 동안 사사하였다. 30세에 귀향하여 7번 과거에 응시했으나 낙방하여, 안정서원(安定書院)을 짓고 후학배양에 힘썼다. 이에 세칭 안정선생으로 불렸다. 42세에 범중엄(范仲淹)의 천거로 교서랑(校書郎)이 되고, 태자중사(太子中舍), 광록시승(光祿寺丞), 천장각시강(天章閣侍講), 태상박사(太常博士) 등을 역임하였다. 특히 관직 생활 중에도 강학에 힘을 쏟아 손복(孫復)·석개(石介)와 함께 송초삼선생(宋初三先生)으로 추숭되어 송대 리학의 선구가 되었다. 저서에 『주역구의(周易口義)』, 『홍범구의(洪範口義)』, 『춘추구의(春秋口義)』, 『논어설(論語說)』 등이 있다.

• **호인** 胡寅, 1098~1156

자는 명중(明仲)이고 호는 치당(致堂)이다. 송 건주 숭안(建州崇安 : 현 복건성 무이산시) 사람이다. 호안국(胡安國)의 동생 호순(胡淳)의 아들로서 호안국의 학술에 크게 영향을 받았다. 1121년에 진사 갑과에 급제하여 비서성교서랑(秘書省校書郎), 예부시랑겸 시강(禮部侍郎兼侍講), 휘유각직학사(徽猷閣直學士) 등의 관직을 역임하였다. 저서로는 『논어상설(論語詳說)』, 『독사관견(讀史管見)』 등이 있다.

• **호일계** 胡一桂, 1247~?

자는 정방(庭芳)이고 호는 쌍호(雙湖)이다. 원대 휘주무원(徽州婺源 : 현 강서성 무원〈婺源〉) 사람이다. 가학으로 부친인 호방평(胡方平)에게 경학과 역사에 널리 통하고, 특히 역에 뛰어났다. 주희의 역학을 전승했다. 저술은 『역본의부록찬소(易本義附錄纂疏)』, 『역학계몽익진(易學啓蒙翼傳)』, 『주자시전부록(朱子詩傳附錄纂疏)』, 『십칠사찬고금통요(十七史纂古今通要)』 등이 있다.

• **황간** 黃幹, 1152~1221

자는 직경(直卿)이고, 호는 면재(勉齋)이다. 송대 복주 민현(福州閩縣 : 현 복건성 복주〈福州〉) 사람으로 주희의 고족제자인 동시에 사위이다. 주희의 음보(蔭補)로 한양군(漢陽軍), 안경부(安慶府) 등을 역임하고, 뒤에 직학사(直學士)를 지냈다. 주자가 편찬한 『의례경전통해(儀禮經傳通解)』 가운데 「상(喪)」과 「제(祭)」 2편을 집필하고, 나중에 이를 바탕으로 『의례경전통해속편(儀禮經傳通解續編)』을 편찬했다. 저서는 『서설(書說)』, 『육경강의(六經

講義)』, 『오경통의(五經通義)』, 『사서기문(四書記聞)』, 『계사전해(繫辭傳解)』, 『면재집(勉齋集)』 등이 있고, 『주자행장(朱子行狀)』을 집필했다.

- **황서절** 黃瑞節

자는 관락(觀樂)이다. 송·원대 안복(安福) 사람으로 송대에 태화주학(泰和州學)을 역임했으나, 원대에서는 은거하여 학문에 힘썼다. 주희가 편찬한 『태극해의』, 『통서해』, 『정몽해』, 『역학계몽(易學啓蒙)』, 『가례(家禮)』, 『율려신서(律呂新書)』, 『황극경세(皇極經世)』에 주석을 가하여 『주자성서(朱子成書)』라는 책을 지었다.

- **황순요** 黃淳耀, 1605~1645

명나라 말기 소주부(蘇州府) 가정(嘉定) 곧 지금의 상해시(上海市) 사람으로 자는 온생(蘊生)이고, 호는 도암(陶庵)이다. 복사(復社)의 구성원이다. 숭정(崇禎) 16년(1643) 진사가 되었지만, 관직은 받지 않았다. 귀향해 더욱 열심히 경적(經籍)을 연구했다. 홍광(弘光) 원년(1645) 가정의 민중들이 청나라에 항거하는 봉기를 일으키자 후동증(侯峒曾)과 함께 지도자로 추대되었다. 그런데 성이 파괴되자 동생 황연요(黃淵耀)와 함께 암자에 들어가 목을 매어 자살했다. 문인들이 정문(貞文)이라 사시(私諡)했다. 시문에 능했다. 저서에 『도암집(陶庵集)』 22권과 『산좌필담(山左筆談)』 등이 있다.

- **후과** 侯果

당대(唐代) 상곡(上穀) 사람으로 후행과(侯行果)라고도 한다. 벼습은 국자사업(國子司業)·대황태자독(待皇太子讀)을 지냈다. 저서는 모두 전해지지 않지만, 이정조(李鼎祚)의 『주역집해(周易集解)』에서 그의 주요사상을 엿볼 수 있다. 황석(黃奭)의 『황씨일서고(黃氏逸書考)』 가운데 『후과역주(侯果易注)』 한 책이 실려 있다.

• **후중량** 侯仲良

자는 사성(師聖)이고, 송대 화음(華陰 : 현 섬서성 화음시)사람이다. 이정(二程)의 외사촌동생으로서 어려서부터 이정과 가까이 지내면서 함께 독서했고, 학문적으로는 특히 정이(程頤)의 영향을 많이 받았다. 평생 강학에만 힘써서 문하에 호굉(胡宏)을 두었다. 말년에는 전란을 피해 복건(福建)성으로 내려와 나중소(羅仲素) 등과 교류하기도 했다. 저서는 『논어설(論語說)』와 『아언(雅言)』이 있는데, 그 가운데 『아언』은 이정(二程)의 사적(事跡)과 학설을 이해할 수 있는 중요한 저작이다. 양시(楊時)와 유초(遊酢)의 「정문입설(程門立雪)」 고사도 이 책에 기재되어 있다.

• **후예** 后羿

『춘추좌전』「양공」 4년조에 따르면, 예는 하나라가 쇠약해자 하우상을 죽이고 왕위를 찬탈했다. 그가 자신의 활 솜씨만 믿고 정사를 보지 않자 한착이 그 나라를 장악한 후 예를 삶아 죽였다.

# 제0권

강령綱領
의례義例

## 강령 1. 이 편은 역을 짓고 역을 전한 원류를 논한다.
## 綱領一. 此篇論作易傳易源流.

● 『周禮』: "大卜掌三易之法, 一曰連山, 二曰歸藏, 三曰周易. 其經卦皆八, 其別皆六十有四."[1]

『주례』에서 "태복이 세 가지 역(易)의 법도를 관장하니, 하나는 연산이고 다른 하나는 귀장이며 마지막 하나는 주역이다. 그 근본 괘는 모두 8개이고 중첩된 개수[2]는 모두 64개이다."라고 하였다.

● 陸氏德明曰: "宓犧氏之王天下, 仰則觀於天文, 俯則察於地理, 觀鳥獸之文, 與地之宜, 近取諸身, 遠取諸物, 始畫八卦. 因而重之, 爲六十四. 文王拘於羑里, 作卦辭, 周公作爻辭. 孔子作彖辭·象辭·文言·繫辭·說卦·序卦·雜卦十翼. 班固曰, '孔子晩而好易, 讀之韋編三絕, 而爲之傳, 傳卽十翼也.'

육덕명(陸德明)[3]이 말했다. "복희씨가 천하를 다스림에 우러러 천

1) 『주례(周禮)』「춘관종백(春官宗伯)」 제3.
2) 중첩된 개수: 『주례주소(周禮註疏)』 권24에서 정현(鄭玄)은 "별(別)은 중첩된 수이다.[別者, 重之數.]"라고 하였다.
3) 육덕명(陸德明, 추정550~630): 소주(蘇州) 오(吳) 사람으로 이름은 원랑(元朗)이고, 자는 덕명(德明)이다. 진(陳)나라, 수(隋)나라, 당(唐)나라 때의 관리이자 경학자(經學者), 훈고학자이다. 벼슬은 남조(南朝) 진나

문(天文)을 보고 굽어 지리(地理)를 살피며, 새와 짐승의 문양과 땅이 베풀어 놓은 마땅함을 살피고, 가까이는 몸에서 취하고 멀리는 여러 사물에서 취하여 비로소 8괘를 그렸다.[4] 8괘를 중첩하여 64괘가 되었다. 문왕이 유리(羑里)에 갇혀 괘사(卦辭)를 지었고 주공이 효사(爻辭)를 지었다. 공자는 단사(彖辭)·상사(象辭)·문언(文言)·계사(繫辭)·설괘(說卦)·서괘(序卦)·잡괘(雜卦) 등 십익(十翼)을 지었다. 반고(班固)[5]는 '공자가 만년에 역을 좋아하여 가죽 끈이 세

라에서 시흥국좌상시(始興國左常侍), 국자조교(國子助教)를 지냈고, 수나라에서 비서학사(秘書學士), 국자조교(國子助教)를 지냈다. 당나라에서 문학관학사(文學館學士), 태학박사(太學博士), 국자박사(國子博士) 등을 지내고, 오현남(吳縣男)으로 봉해졌다. 진왕부(秦王府) 18학사(學士) 중 한 사람이다. (당태종 이세민이 진왕부에 문학관을 설치하고 뛰어난 인재들을 초빙했는데, 그 중 18학사가 제일 유명했다. 방현령, 두여회 등 뛰어난 인물들이 많았다.) 저서로 『경전석문(經典釋文)』, 『노자소(老子疏)』, 『역소(易疏)』 등이 있다.

4) 복희씨가 천하를 다스림에 … 비로소 8괘를 그렸다 : 『주역』「계사상」에서 "옛날 포희씨(包犧氏)가 천하에 왕노릇할 때에 우러러 하늘의 상(象)을 관찰하고 굽어 땅의 법(法)을 관찰하며, 새와 짐승의 문(文)과 천지의 마땅함을 관찰하며, 가까이는 자신에게서 취하고 멀리는 물건에게서 취하여, 이에 비로소 8괘를 만들어 신명(神明)의 덕을 통하고 만물의 실정을 분류하였다.[古者包犧氏之王天下也, 仰則觀象於天, 俯則觀法於地, 觀鳥獸之文, 與天地之宜, 近取諸身, 遠取諸物, 於是始作八卦, 以通神明之德, 以類萬物之情.]"라고 하였다.

5) 반고(班固, 32~92) : 자는 맹견(孟堅)이며, 산서성 함양(咸陽) 사람이다. 중국 후한 초기의 역사가이며 문학가이다. 아버지 표(彪)의 유지를 받들어 고향에서 기전체 역사서인 『한서(漢書)』의 편집에 종사하였으나, 62년경 국사를 개작(改作)한다는 중상모략으로 투옥되었다. 그의 형인 초(超)의 노력으로 명제(明帝)의 용서를 받아, 20여 년 걸려 『한서』를 완성

번 끊어질 정도로 읽고 전(傳)을 지었는데, 전(傳)은 십익이다'[6]라고 하였다.

自魯商瞿子木受易於孔子, 以授魯橋庇子庸, 子庸授江東馯臂子弓, 子弓授燕周醜子家, 子家授東武孫虞子乘, 子乘授齊田何子莊, 及秦燔書, 『易』爲卜筮之書獨不禁, 故傳授者不絕.『隋書』云, '秦焚書, 『周易』獨以卜筮得存. 惟失說卦三篇, 後河內女子得之.'

노나라 상구(商瞿) 자목(子木)이 공자에게 역을 배워 노나라 교비(橋庇) 자용(子庸)에게 전해주었고, 자용은 강동(江東) 사람 간비(馯臂) 자궁(子弓)에게 전해주었으며, 자궁은 연(燕)나라 주추(周醜) 자가(子家)에게 전해주었고, 자가는 동무(東武)사람 손우(孫虞) 자승(子乘)에게 전해주었으며, 자승은 제(齊)나라 전하(田何)[7]

하였다. 79년 여러 학자들이 백호관(白虎觀)에서 오경(五經)의 이동(異同)을 토론할 때, 황제의 명을 받아 『백호통의(白虎通義)』를 편집하였다. 화제(和帝) 때 두헌(竇憲)의 중호군(中護軍)이 되어 흉노 원정에 수행하고, 92년 두헌의 반란사건에 연좌되어 옥사하였다. 저서로는 『한서』, 『백호통의』, 『양도부(兩都賦)』 등이 있다.

6) 공자가 만년에 … 십익(十翼)이다 : 『한서』「유림전(儒林傳)」.

7) 전하(田何, 생몰연대미상) : 자는 자장(子莊)·자장(子裝)이고, 호는 두전생(杜田生)이며, 서한 금문역학(今文易學)의 창시자이다. 서한의 치천(淄川 : 현 산동성 수광〈壽光〉) 사람이다. 공자가 『역』을 전수한 5전(傳) 제자이다. 서한의 『금문역학』은 모두 전하에 의해 전수되었다. 진시황의 분서 이후 『역』은 그의 구전(口傳)에 의해 비로소 후대에 전해질 수 있었다고 한다.

자장(子莊)에게 전해주었으니,[8] 진나라 때 분서갱유 사건으로 책이 불태워졌지만 『역』은 복서의 책이라 유독 금지되지 않았으므로 전수하는 자가 끊이지 않았다. 『수서(隋書)』에서는 '진나라 때 책을 불태웠지만 『주역』은 홀로 복서의 책이라 보존되었다. 오직 「설괘」 세 편만 유실되었으나 뒤에 하내(河內)의 여자가 찾았다.'라고 하였다.

漢興, 田何以齊田徙杜陵, 號杜田生, 授東武王同子中, 及洛陽周王孫, 梁人丁寬, 齊服生, 皆著易傳. 漢初言易者本之田生. 同授緇川楊何, 寬授同郡碭田王孫, 王孫授施讎及孟喜·梁邱賀, 由是有施·孟·梁邱之學焉. 施讎傳易, 授張禹及琅琊魯伯, 禹授淮陽彭宣及沛戴崇, 伯授太山屯莫如及琅邪邴丹.

한(漢)나라가 일어나자 전하는 제나라의 공족이었기 때문에 두릉

8) 노나라 상구(商瞿) 자목(子木)이 … 자장(子莊)에게 전해주었으니 : 『사기』「중니제자열전」에는, "상구는 노나라 사람으로 자를 자목이라 하고 공자보다 29세 어리다. 공자는 『주역』을 상구에게 전했고, 상구는 초나라 사람 간비 자홍에게 전했으며, 자홍은 강동 사람 교자 용자에게 전했고, 용자는 연나라 사람 주자 가수에게 전했으며, 가수는 순우 사람 광자 승우에게 전했고, 승우는 제나라 사람 전자 장하에게 전했으며, 장하는 동무 사람 왕자 중동에게 전했고, 중동은 치천 사람 양하에게 전했으며, 양하는 원삭 연간에 주역의 전문가라는 이유로 한나라의 중대부가 되었다.[商瞿, 魯人, 字子木, 少孔子二十九歲. 孔子傳易於瞿, 瞿傳楚人馯臂子弘, 弘傳江東人矯子庸疵, 疵傳燕人周子家豎, 豎傳淳于人光子乘羽, 羽傳齊人田子莊何, 何傳東武人王子中同, 同傳菑川人楊何. 何元朔中以治易爲漢中大夫.]"라고 하였다.

(杜陵)으로 이주하여 호를 두전생(杜田生)으로 하고, 동무(東武) 왕동(王同) 자중(子中)과 낙양(洛陽) 주왕손(周王孫)과 양(梁)나라 사람 정관(丁寬)[9]과 제나라의 복생(服生)에게 역을 전해주었으니, 모두 역전(易傳)을 지었다. 한나라 초기에 역을 말하는 사람은 두전생에게 근원한다.

왕동은 치천(緇川) 양하(楊何)[10]에게 전해주었고, 정관은 동군탕(同郡碭)의 전왕손(田王孫)에게 전해주었으며, 왕손은 시수(施讎) 및 맹희(孟喜)와 양구하(梁邱賀)에게 전해주었으니, 이로써 시수·맹희·양구하의 학문이 있게 되었다.

시수는 역을 장우(張禹)와 낭아(琅琊) 노백(魯伯)에게 전해주었고, 장우는 회양(淮陽)의 팽의(彭宣)와 패(沛) 땅의 대숭(戴崇)에게 전해주었으며, 노백은 태산(太山)의 둔막여(屯莫如)와 낭아(琅邪)의 병단(邴丹)에게 전해주었다.

後漢劉昆受施氏易於沛人戴賓, 其子軼. 孟喜父孟卿善爲禮·春秋. 孟卿以禮經多, 春秋繁雜, 乃使喜從田王孫受易. 喜爲易章句, 授同郡白光及沛翟牧, 後漢窪丹·鮭陽鴻·任安皆傳孟氏易.

---

9) 정관(丁寬) : 한 대 초기 사람으로 자는 자양(子襄)이며, 한 경제(景帝) 때 양효왕(梁孝王)의 장군을 지냈기 때문에 정장군(丁將軍)이라고 불렀다. 전하(田何)에게 역을 배우고 주왕손(周王孫)에게 고의(古義)를 배워 『역설(易說)』을 지었다.

10) 양하(楊何, 생몰연대미상) : 자는 숙원(叔元)이며, 서한의 치천(淄川) 사람이다. 일찍이 전하(田何)에게 『역』을 배웠으며, 사마담에게 『역』을 전수해 주었다고 한다. 한(漢) 무제(武帝)때에 중대부(中大夫)에 임명되었다. 저서로는 『역전양씨(易傳楊氏)』 2편이 있었지만, 이미 망실되었다.

梁邱賀本從太中大夫京房受易, 後更事田王孫, 傳子臨, 臨傳五鹿充宗及琅邪王駿, 充宗授平陵士孫張及沛鄧彭祖·齊衡咸.

후한시대 유곤(劉昆)이 패(沛) 땅 사람인 대빈(戴賓)에게 시씨역(施氏易)을 배웠으나 그 자식대에 흩어져 없어지고 말았다. 맹희의 아버지 맹경은 예(禮)와 춘추(春秋)를 잘했다. 맹경은 예경(禮經)이 많고 춘추는 번잡하다고 여겨, 맹희가 전왕손에게 역을 배우도록 하였다.
맹희는 역을 장구(章句)로 편집하여 동군(同郡)의 백광(白光)과 패 땅의 적목(翟牧)에게 전해주었고, 후한 시대 와단(窪丹)·혜양홍(鮭陽鴻)·임안(任安)은 모두 맹씨역(孟氏易)을 전했다. 양구하는 본래 태중대부(太中大夫) 경방(京房)에게 역을 배웠으나 나중에 다시 전왕손(田王孫)을 섬기고 자임(子臨)에게 전했으며, 자임은 오록(五鹿)의 충종(充宗)과 낭아(琅邪)의 왕준(王駿)에게 전했고, 충종(充宗)은 평릉(平陵)의 사손장(士孫張)과 패 땅의 등팽조(鄧彭祖)와 세(齊)의 형함(衡咸)에게 진해주었다.

後漢苑升傳梁邱易, 以授京兆楊政. 又穎川張興傳梁邱易, 弟子著錄且萬人. 子魴傳其業. 京房受易梁人焦延壽, 延壽云'嘗從孟喜問易', 房以延壽易卽孟氏學. 翟牧·白生不肯, 曰非也. 房爲易章句, 說長於災異. 以授東海段嘉及河東姚平·河南乘弘, 皆爲郎·博士, 由是前漢多京氏學. 後漢戴馮·孫期·魏滿並傳之. 費直傳易, 授琅邪王璜, 爲費氏學. 本以古字, 號古文易, 無章句, 徒以彖·象·繫辭·文言解說上·下經.

후한(後漢)의 원승(苑升)은 양구(梁邱)의 역(易)을 전했는데 경조

(京兆)의 양정(楊政)에게 전해주었다. 또 영천(潁川) 장흥(張興)도 양구(梁邱)의 역을 전했는데 제자가 만 명이라고 기재되어 있다. 그의 아들 장방(張魴)은 그 가업을 전했다.

경방(京房)은 양나라 사람인 초연수(焦延壽)[11]에게 역을 배웠는데, 초연수가 '일찍이 맹희에게 역을 배웠다.'라고 말했기 때문에 경방은 초연수의 역이 곧 맹희의 학문이라고 여겼다. 적목(翟牧)과 백생(白生)은 동의하지 않고 아니라고 하였다. 경방은 역을 장구(章句)로 편집했는데 그 말이 재이(災異)에 뛰어났다. 동해(東海)의 단가(段嘉)와 하동(河東)의 도평(姚平)과 하남(河南)의 승홍(乘弘)에게 전해주었는데, 모두 랑(郎)과 박사(博士)가 되었기 때문에 전한 시대에는 경방의 역학이 많았다. 후한 시대에 대풍(戴馮)·손기(孫期)·위만(魏滿)이 모두 그것을 전했다.

비직(費直)이 역을 전했는데, 낭아(琅邪) 왕황(王璜)에게 전해주어 비씨(費氏)의 역학이 되었다. 본래 옛글자여서 고문역(古文易)이라 하고, 장구(章句)가 없이 다만 단(彖)·상(象)·계사(繫辭)·문언(文言)으로 상·하경을 해설했다.

漢成帝時, 劉向典校書, 考易說, 以爲諸易家說皆祖田何·楊叔

11) 초연수(焦延壽) : 자는 공(贛)이고 서한(西漢)의 양(梁 : 현 하남성 상구현〈商丘縣〉) 사람이다. 집안이 가난했지만 배우기를 좋아해서 양 경왕(梁敬王)의 후원을 받았다. 특히 역학(易學)을 깊이 연구하여 재이(災異)를 64괘로 설명하는 데에 뛰어났다. 『한서』「유림전」에서, "경방은 양(梁)나라 사람 초연수에게서 『역』을 전수받았고, 초연수는 맹희에게서 『역』을 배웠다."고 하였다. 저술에는 『역림(易林)』이 있는데, 일명 『초씨역림(焦氏易林)』이라고 한다.

元·丁將軍, 大義略同, 唯京氏爲異. 向又以中古文易經校施·孟·梁邱三家之易經, 或脫去'無咎'·'悔亡', 唯費氏經與古文同. 范氏後漢書云 : 京兆陳元, 扶風馬融, 河南鄭衆, 北海鄭康成, 潁川荀爽, 並傳費氏易. 沛人高相治易, 與費直同時, 其易亦無章句, 專說陰陽災異, 自言出丁將軍. 傳至相, 相授子康及蘭陵毋將永, 爲高氏學.

한나라 성제(成帝) 때 유향(劉向)의 전교서(典校書)는 역의 학설들을 고찰하여, 여러 역학자의 말이 모두 전하(田何)·양숙원(楊叔元)·정장군(丁將軍)을 조종으로 삼아 큰 의미가 대략 같다고 보았는데, 경방의 역학만이 다르다고 여겼다. 유향은 또 중고문(中古文)의 역경(易經)으로 시수(施讎)·맹희(孟喜)·양구하(梁邱賀) 세 사람의 역경을 교정했는데, 어떤 것은 '허물어 없다'·'후회가 사라진다'는 글이 탈락되었고 비직의 경만이 고문과 동일하다고 생각했다.

범씨의 『후한서』에 이르기를, 경조(京兆)의 진원(陳元)·부풍(扶風)의 마융(馬融)[12]·하남(河南)의 정중(鄭衆)[13]·북해(北海)의 정

12) 마융(馬融, 79~166) : 자는 계장(季長)이고, 섬서성 흥평(興平) 사람이다. 중국 동한(東漢)의 유학자이며, 저명한 경학가로서 고문경학(古文經學)에 밝았다. 안제(安帝)와 환제(桓帝) 때에 벼슬하여 교서랑(校書郎), 무도(武都)와 남군(南郡)의 태수를 지냈다. 수많은 경전에 통달하여 노식(盧植), 정현(鄭玄) 등을 가르쳤다. 『춘추삼전이동설(春秋三傳異同說)』을 짓고, 『효경』, 『논어』, 『시경』, 『주역』, 『삼례』, 『상서』, 『열녀전』, 『노자』, 『회남자』, 『이소(離騷)』 등을 주석했다. 문집 21편이 있었으나 지금은 그 단편(斷片)만이 남아 있다.

13) 정중(鄭衆, ?~83) : 자는 중사(仲師)·자사(子師)이고, 관직이 대사농(大司農)이었기 때문에 정사농(鄭司農)이라고도 불렸다. 또 선정(先鄭)이

강성(鄭康成)[14]·영천(潁川)의 순상(荀爽)[15]은 모두 비씨역(費氏

---

라고 하여 후한의 정현(鄭玄)과 구별하여 부르기도 한다. 하남성 개봉(開封) 사람으로 12세부터 부친에게 『좌씨춘추(左氏春秋)』를 배워 『춘추난기조례(春秋難記條例)』를 저술한 것으로 유명하다. 『역』과 『시』에도 정통하였다고 한다. 저술은 『춘추산(春秋刪)』 19편이 있다.

14) 정현(鄭玄, 127~200) : 자는 강성(康成)이며, 북해(北海 : 현 산동성 고밀〈高密〉) 사람이다. 중국 후한(後漢) 말기의 대표적 유학자로서, 시종 재야(在野)의 학자로 지냈으며, 제자들에게는 물론 일반인들에게서도 훈고학(訓詁學)·경학의 시조로 깊은 존경을 받았다. 젊었을 때부터 학문에 뜻을 두었고, 경학의 금문(今文)과 고문(古文) 외에 천문(天文)·역수(曆數)에 이르기까지 광범한 지식을 갖추었다. 처음에 향색부(鄕嗇夫)라는 지방의 말단관리가 되었으나 그만두고, 낙양(洛陽)에 올라가 태학(太學)에 입학하여, 마융(馬融) 등에게 배웠다. 그가 낙양을 떠날 때, 마융이 "나의 학문이 정현과 함께 동쪽으로 떠나는구나!"하고 탄식하였을 만큼 학문에 힘을 쏟았다. 그는 고문·금문에 모두 정통하였으며, 가장 옳다고 믿는 설을 취하여 『주역(周易)』·『상서(尙書)』·『모시(毛詩)』·『주례(周禮)』·『의례(儀禮)』·『예기(禮記)』·『논어(論語)』·『효경(孝經)』 등 경서에 주석을 하였고, 『의례』·『논어』 교과서의 정본(定本)을 만들었다. 그의 저서 가운데 완전하게 현존하는 것은 『모시』의 전(箋)과 『주례』·『의례』·『예기』의 주해뿐이고, 그 밖의 것은 단편적으로 남아 있다.

15) 순상(荀爽,128~190) : 후한의 역학자로 영천(潁川) 영음(潁陰 : 하남성 허창〈許昌〉) 사람이며, 자는 자명(慈明)이고, 이름은 서(諝)이며, 순숙(荀淑)의 여섯째 아들이다. 12살 때 『춘추』와 『논어』에 통하여 경서를 깊이 연구하고 관직에 나오라는 부름을 받았으나, 응하지 않았다. 환제(桓帝) 166년에 지극한 효성으로 천거되어 낭중(郎中)에 임명되어 대책을 올려 시폐(時弊)에 대해 통렬하게 지적했지만, 곧 벼슬을 버리고 떠났다. 당고(黨錮)의 화(禍)가 일어나자 바닷가에 숨어 10여 년을 지냈다. 헌제(獻帝) 때 다시 등용되어 사공(司空)을 지냈으며, 사도(司徒) 왕윤(王允)과 동탁(董卓)을 제거하려 하다가 뜻을 이루지 못하고 죽었다. 저서로는 『역전(易傳)』과 『시전(詩傳)』, 『예전(禮傳)』, 『상서정경(尙書

易)을 전했다.
패(沛) 사람 고상(高相)이 역을 연구한 것은 비직(費直)과 같은 시대로서 그의 역 또한 장구(章句)가 없고 오로지 음양(陰陽)·재이(災異)만을 말했는데, 스스로 자신의 역학이 정장군(丁將軍)으로부터 나왔다고 말했다. 전한 것이 고상에 이르러, 고상은 자강(子康)과 난릉(蘭陵)의 모장영(毋將永)에게 전해주어 고씨의 역학이 되었다.

漢初立易楊氏博士, 宣帝複立施·孟, 梁邱之易, 元帝又立京氏易, 費·高二家不得立, 民間傳之. 後漢費氏興而高氏遂微. 永嘉之亂, 施氏·梁邱之易亡, 孟·京·費之易, 人無傳者, 唯鄭康成·王輔嗣所注行於世, 而王氏爲世所重. 其繫辭已下王不注, 相承以韓康伯注續之."[16]

한나라 초기에 양씨(楊氏)의 역으로 박사를 세웠고, 선제(宣帝)는 다시 시수(施讎)·맹희(孟喜)·양구하(梁邱賀)의 역을 세웠으며, 원제(元帝)는 경씨(京氏)의 역을 세웠는데, 비직과 고상 두 사람의 역은 세워지지 않아 민간에 전해졌다.
후한 시대 비씨의 역이 일어나고 고씨의 역은 사라졌다. 영가(永

---

正經)』, 『춘추조례(春秋條例)』, 『공양문(公羊問)』 등이 있었지만 모두 없어졌고, 비직(費直)의 고문역학(古文易學)을 연구한 『주역순씨주(周易荀氏注)』의 일부가 『옥함산방집일서』 및 『한위이십일가역주(漢魏二十一家易注)』에 전할 뿐이다.

16) 육덕명(陸德明), 『경전석문(經典釋文)』 권1. 「서록(序錄)·주해전술인(注解傳述人)」.

嘉)의 난(亂) 때 시씨(施氏)·양구(梁邱)의 역이 사라지고, 맹희·경방·비직의 역학은 전하는 사람들이 없었으며, 오직 정현과 왕필이 주해한 것이 세상에 성행했는데, 왕필의 역을 세상 사람들이 중시했다. 왕필은 「계사전」 이하에 대해 주해하지 않았고, 한강백(韓康伯)[17]의 주해로 그것을 이었다."

● 孔氏穎達曰: "「繫辭」云, '河出圖, 洛出書, 聖人則之.' 故孔安國·馬融·王肅·姚信等並云, '伏犧得河圖而作易.' 是則伏犧雖得河圖, 復須仰觀俯察, 以相參正, 然後畫卦. 伏犧初畫八卦, 萬物之象, 皆在其中. 故「繫辭」曰, '八卦成列, 象在其中矣', 是也. 雖有萬物之象, 其萬物變通之理, 猶自未備, 故因其八卦而更重之, 卦有六爻, 遂重爲六十四卦也. 「繫辭」曰, '因而重之, 爻在其中矣', 是也.

공영달(孔穎達)[18]이 말했다. "「계사전」에서 '하수(河水)에서 도(圖)

17) 한백(韓伯, 332~380) : 자는 강백(康伯)이고, 영천(潁川) 장사(長社 : 현 하남성 장갈〈長葛〉) 사람이다. 동진(東晉) 간문제(簡文帝) 때 중서랑(中書郎), 예장태수(豫章太守), 시중(侍中), 이부상서(吏部尙書) 등을 역임했다. 당대 저명한 현학가(玄學家), 훈고학자로서 왕필의 『주역』 상·하경 주석에, 「계사전」·「설괘전」·「서괘전」·「잡괘전」 등에 대한 주석을 덧붙였다.

18) 공영달(孔穎達, 574~648) : 자는 중달(仲達)이고 시호는 헌공(憲公)이며, 기주 형수(冀州衡水 : 현 하북성 형수〈衡水〉) 사람이다. 동란의 와중에서 학문을 닦았으며 남북 2학파의 유학은 물론 산학(産學)과 역법(曆法)에도 정통했다. 당 태종(唐太宗)에게 중용되어, 벼슬은 국자박사(國子博士)를 거쳐 국자감의 좨주(祭酒)·동궁시강(東宮侍講) 등을 역임하였다. 특히 문장·천문·수학에 능통하였으며, 위징(魏徵)과 함께 『수서

가 나오고 낙수(洛水)에서 서(書)가 나오자 성인이 본받았다'[19]라고 하였다. 그러므로 공안국(孔安國)·마융(馬融)·왕숙(王肅)·도신(姚信) 등은 모두 '복희가 하도를 얻어 역을 지었다.'라고 말하였다. 이렇다면 복희가 비록 하도를 얻었더라도 다시 우러러 관찰하고 굽어 살펴 서로 참조 교정한 뒤에 괘를 그렸을 것이다. 복희가 처음 8괘를 그리니 만물의 상이 모두 그 가운데 있었다. 그러므로 「계사전」에서 '8괘가 열을 이루니 상(象)이 그 가운데 있다.'[20]라고 한 말이 이것이다. 비록 만물의 형상은 있지만 만물이 변통하는 이치는 아직 갖추지 못했기 때문에 8괘를 따라 다시 중첩했는데, 괘에 육효가 있으니 마침내 거듭하여 64괘가 되었다. 「계사전」에서 '따라서 중첩하니 효(爻)가 그 가운데 있다.'라고 한 말이 이것이다.

---

(隋書)』를 편찬하였다. 당 태종의 명에 따라 고증학자 안사고(顔師古) 등과 더불어 오경(五經) 해석의 통일을 시도하여 『오경정의(五經正義)』 170권을 편찬하였다. 이는 위진 남북조 이래 경학의 집대성이라고 할 수 있다.

19) 하수(河水)에서 도(圖)가 나오고 낙수(洛水)에서 서(書)가 나오자 성인이 본받았다 : 『주역』「계사하」에서, "그러므로 하늘이 신묘한 물건을 내자 성인이 본받으며, 천지가 변화하자 성인이 본받으며, 하늘이 상(象)을 드리워 길흉을 나타내자 성인이 형상하며, 하수(河水)에서 도(圖)가 나오고 낙수(洛水)에서 서(書)가 나오자 성인이 본받았다.[是故天生神物, 聖人則之, 天地變化, 聖人效之, 天垂象, 見吉凶, 聖人象之, 河出圖, 洛出書, 聖人則之.]"라고 하였다.

20) 8괘가 열을 이루니 상(象)이 그 가운데 있다 : 『주역』「계사하」에서, "팔괘가 열을 이루니 상(象)이 그 가운데 있고, 인하여 거듭하니 효(爻)가 그 가운데 있다.[八卦成列, 象在其中矣, 因而重之, 爻在其中矣.]"라고 하였다.

然重卦之人, 諸儒不同, 凡有四說 : 王輔嗣等以爲伏犧重卦, 鄭康成之徒以爲神農重卦, 孫盛以爲夏禹重卦, 史遷等以爲文王重卦. 其言夏禹及文王重卦者, 案「繫辭」, 神農之時, 已有蓋取益與噬嗑. 以此論之, 不攻自破. 其言神農重卦, 亦未爲得. 今依輔嗣以伏犧旣畫八卦, 卽自重爲六十四卦, 爲得其實. 其重卦之意, 備在說卦, 此不具敘. 伏犧之時, 道尙質素, 畫卦重爻, 足以垂法. 後代澆訛, 德不如古, 爻象不足以爲教, 故作「繫辭」以明之."[21]

그러나 괘를 중첩한 사람에 대해 여러 학자들마다 견해가 다른데, 대체로 4가지 학설이 있다. 왕필 등은 복희가 괘를 중첩했다고 여겼고, 정현의 무리는 신농(神農)이 괘를 중첩했다고 여겼으며, 손성(孫盛)은 하우(夏禹)가 괘를 중첩했다고 여겼고, 사마천 등은 문왕이 괘를 중첩했다고 여겼다. 하우와 문왕이 괘를 중첩했다고 말하는 것은, 「계사전」에 따르면 신농 때에 이미 익(益)괘와 서합(噬嗑)괘를 취했다고 한다. 이것으로 논하면 공격하지 않아도 저절로 논파된다. 신농씨가 괘를 중첩했다고 말하는 것 또한 옳지 못하다. 지금 왕필에 따르면 복희가 8괘를 그렸을 때 저절로 64괘가 중첩되었다고 하니 그 실제를 얻었다. 괘를 중첩한 뜻은 「설괘전」에 갖추어 있으니 여기서 모두 갖추어 서술하지 않는다. 복희 때에 도가 아직 질박하여 괘를 그리고 효를 중첩한 것으로 충분히 법도를 베풀 수 있었다. 후대에 거짓이 일어나고 덕이 옛날과 같지 않아 효(爻)와 상(象)이 가르침이 되기에는 부족하였기 때문에 「계사전」을 지어서 밝혔다."

21) 공영달(孔穎達), 『주역정의(周易正義)』「권수(卷首) · 제이논중괘지인(第二論重卦之人)」.

● 按 : 『周禮』「大卜」, 三易 : 一曰『連山』, 二曰『歸藏』, 三曰『周易』. 杜子春云, '『連山』伏犧, 『歸藏』黃帝.' 鄭康成『易贊』及『易論』云, '夏曰『連山』, 殷曰『歸藏』, 周曰『周易』.' 鄭康成又釋云, '『連山』者, 象山之出雲, 連連不絕; 『歸藏』者, 萬物莫不歸藏於其中; 『周易』者, 言易道周普, 無所不備.' 康成雖有此釋, 更無所據之文, 先儒因此遂爲文質之義, 皆繁而無用, 今所不取. 按『世譜』等群書, 神農一曰連山氏, 亦曰列山氏, 黃帝一曰歸藏氏. 旣『連山』·『歸藏』並是代號, 則『周易』稱周, 取岐陽地名, 毛詩云'周原膴膴'是也. 又文王作易之時, 正在羑裏, 周德未興, 猶是殷世也, 故題周別於殷. 以此文王所演, 故謂之『周易』, 猶『周書』·『周禮』題周以別餘代也.

생각건대, 『주례』「태복」에 3개의 역이 있으니 하나는 『연산(連山)』이고 다른 하나는 『귀장(歸藏)』이고 마지막 하나는 『주역(周易)』이다. 두자춘(杜子春)은 '『연산』은 복희이고 『귀장』은 황제이다.'라고 했다. 성현은 『역찬(易贊)』과 『역론(易論)』에서 '하나라는 『연산』이고 은나라는 『귀장』이며 주나라는 『주역』이다.'라고 했다. 정강성은 또 '『연산』은 산에서 구름이 나오는 것이 면면히 끊이지 않는 것을 상징했고, 『귀장』은 만물이 그 속으로 돌아가지 않음이 없는 것이고, 『주역』은 역의 도리가 두루 미쳐 갖추지 않음이 없는 것이다.'라고 풀이했다. 정현에게 이러한 해석이 있지만 그것을 넘어서는 근거가 되는 문헌이 없는데, 선대 학자들이 이것을 따라 마침내 문질(文質 : 문식과 질박함)의 뜻으로 여겼으니, 모두 번잡하여 쓸모가 없어 지금 취하지 않았다.
『세보(世譜)』 등의 여러 책에 근거하면, 신농은 한편으로 연산씨라고 하고 또 열산씨(列山氏)라고 하며, 황제는 한편으로 귀장씨라고 하였다. 이미 『연산』과 『귀장』이 모두 별칭이라면 『주역』은 주(周)나라를 지칭하여 기양(岐陽 : 섬서성 기산 남쪽지방)이라는 지명을 취하였으니 『모시(毛詩)』에서 '주나라 들판이 비옥하니'[22]라는 말이 이것이다.

또 문왕이 역을 지을 때 바로 유리에 있었고 주나라 덕이 일어나지 않았으니 아직 은나라 세상이므로 주(周)라고 제목을 붙여 은나라와 구별했다. 이것은 문왕이 연역했기 때문에 『주역』이라고 했으니, 『주서(周書)』·『주례(周禮)』가 주(周)라고 제목을 붙여 다른 시대와 구별한 것과 같다.

● 其『周易』繫辭, 凡有二說, 一說卦辭爻辭, 並是文王所作. 知者按繫辭云, '易之興也, 其於中古乎, 作易者, 其有憂患乎?' 又曰, '易之興也, 其當殷之末世, 周之盛德邪? 當文王與紂之事邪?' 故史遷云文王囚而演易, 即是'作易者其有憂患乎?' 鄭學之徒, 並依此說. 二以爲驗爻辭多是文王後事. 按升卦六四'王用亨於岐山.' 武王克殷之後, 始追號文王爲王, 若爻辭是文王所制, 不應云'王用亨於岐山.' 又明夷六五'箕子之明夷.' 武王觀兵之後, 箕子始被囚奴, 文王不宜豫言'箕子之明夷.' 又『左傳』韓宣子適魯, 見『易象』云, '吾乃知周公之德.' 周公被流言之謗, 亦得爲憂患也. 驗此諸說, 以爲卦辭文王, 爻辭周公. 馬融·陸績等並同此

22) 주나라 들판이 비옥하니 : 『시(詩)』「대아(大雅)·문왕지십(文王之什)·면(緜)」에서, "주나라 들판이 비옥하니 쓴 나물도 엿 같이 달도다. 이에 시작하고 도모하시며, 이에 내 거북을 점쳐서 여기에 멈추어 집을 지으라하시니라.[周原膴膴, 堇荼如飴. 爰始爰謀, 爰契我龜, 曰止曰時, 築室于玆.]"라고 하였다.

說, 今依而用之. 所以只言三聖, 不數周公者, 以父統子業故也. 然則易之爻辭, 蓋亦是文王本意, 故但言文王也.

『주역』에 설명을 붙인 것에 대해 두 가지 학설이 있는데, 하나는 괘사(卦辭)와 효사(爻辭)가 모두 문왕이 지었다는 것이다. 식견이 있는 사람은 생각건대, 「계사전」에서 '역(易)이 일어남은 중고(中古)일 것이다. 역을 지은 자는 우환이 있었을 것이다.'23)라고 했고, 또 '역(易)이 일어남은 은(殷)나라 말기와 주(周)나라의 덕(德)이 성할 때일 것이다. 문왕(文王)과 주(紂)의 일에 해당할 것이다.'24)라고 했다. 때문에 사마천이 문왕이 포로가 되어 역을 연역했다고 했으니, 이것이 '역을 지은 자는 우환이 있었을 것이다.'라는 말이다. 정현 역학의 무리들은 모두 이에 의거하여 말했다. 둘은 효사를 보면 대부분 문왕 이후의 일이다.
생각건대 승(升)괘 육사효에서 '왕이 기산(岐山)에서 형통하다.'25)라고 했는데, 무왕이 은나라를 이긴 뒤에 비로소 문왕을 추호(追號)하여 왕이라 하였으니, 만약 효사가 문왕이 지은 것이라면 '왕이 기산에서 형통하다.'라고 말해서는 안 된다. 또 명이(明夷)괘 육오효에서 '기자가 밝은 빛을 감춘 것이다.'26)라고 했는데, 무왕이 병력을

23) 역(易)이 일어남은 중고(中古)일 것이다. 역을 지은 자는 우환이 있었을 것이다 : 『주역』「계사하」.

24) 역(易)이 일어남은 은(殷)나라 말기와 … 주(紂)의 일에 해당할 것이다 : 『주역』「계사하」.

25) 왕이 기산(岐山)에서 형통하다 : 『주역』 승(升)괘 육사효에서, "육사효는 왕(王)이 기산(岐山)에서 형통하듯이 하면, 길하고 허물이 없을 것이다. [六四, 王用亨于岐山, 吉, 无咎.]"라고 하였다.

26) 기자가 밝은 빛을 감춘 것이다 : 『주역』 명이(明夷)괘 육오효에서, "육오효는 기자(箕子)가 밝은 빛을 감춘 것이니, 올바름을 지키는 것이 이롭

전시한 뒤에 기자가 비로소 구금되어 노예가 되었으니, 문왕은 '기자가 밝은 빛을 감춘다.'라고 예언해서는 안 된다. 또 『좌전』에서 한선자(韓宣子)가 노나라를 방문하여 『역상(易象)』을 보고 '나는 비로소 주공(周公)의 덕망을 알게 되었다.'[27]라고 했는데, 이 때 주공은 유언비어로 비방을 받아 또한 우환이 있을 때였다.

이러한 여러 학설을 증험하면 괘사는 문왕이 효사는 주공이 지었다고 할 수 있다. 마융(馬融)·육적(陸績)[28] 등이 모두 이 학설과 같으니, 이제 그것에 의거하여 사용한다. 세 성인만을 말하고 주공을 포함시키지 않는 까닭은 아버지의 학통을 자식이 이어 받았기 때문이다. 역의 효사는 또한 문왕의 본래 뜻이기 때문에 단지 문왕만을 말했다.

● 其「彖」·「象」等十翼之辭, 以爲孔子所作, 先儒更無異論. 但數十翼亦有多家. 旣文王易經本分爲上下二篇, 則區域各別, 「彖」·「象」釋卦, 亦當隨經而分. 故一家數十翼云, 「上彖」一,

다.[六五, 箕子之明夷, 利貞.]"라고 하였다.

27) 『좌전(左傳)』 소공(昭公) 2년.

28) 육적(陸績, 188~219) : 자는 공기(公紀)이다. 삼국 시대 오(吳)나라 오군 오현(吳郡吳縣 : 현 강소성 소주〈蘇州〉) 사람으로 한말(漢末) 여강태수(廬江太守) 육강(陸康)의 아들이다. 어려서 '육적회귤(陸績懷橘)'이라는 고사성어의 주인공이 될 정도로 효심(孝心)으로 이름이 났고, 천문과 역산(曆算) 등 다방면으로 박학다식했다. 벼슬은 손권(孫權)이 강동(江東)을 장악했을 때 주조연(奏曹掾 : 상소를 의론하는 직책)이 되어 직언(直言)을 잘 했으며, 울림태수(鬱林太守), 편장군(偏將軍) 등을 역임하였다. 저서에는 『혼천도(渾天圖)』, 『주역주(周易注)』, 『태현경주(太玄經注)』 등이 있다.

「下彖」二, 「上象」三, 「下象」四, 「上繫」五, 「下繫」六, 「文言」七, 「說卦」八, 「序卦」九, 「雜卦」十. 鄭學之徒, 並同此說, 今亦依之.

「단전」·「상전」 등 십익의 말은 공자의 저작이라고 하여 선대 학자들에게 이론(異論)이 없었다. 그러나 십익을 세는 데는 또한 여러 학파들이 있다. 문왕의 역경이 본래 상하 두 편으로 구분된 후, 구역을 각각 분별하여 「단전」·「상전」으로 괘를 해석하는 것 또한 경에 따라 구분되었다. 그러므로 한 학파에서 십익의 수를 세면서 「단전상」 하나, 「단전하」 둘, 「상전상」 셋, 「상전하」 넷, 「계사전상」 다섯, 「계사전하」 여섯, 「문언전」 일곱, 「설괘전」 여덟, 「서괘전」 아홉, 「잡괘전」 열이라고 하였다. 정현 역학의 무리들도 모두 이 학설과 같으니, 여기서도 또한 이에 의거한다.

● 晁氏說之曰 : "『漢』「藝文志」易經十二篇, 施·孟·梁邱三家. 顔師古曰, '上·下經及十翼, 故十二篇.' 是則「彖」·「象」·「文言」·「繫辭」, 始附卦爻而傳於漢與! 先儒謂費直專以「彖」·「象」·「文言」參解易爻, 以「彖」·「象」·「文言」雜入卦中者, 自費氏始. 其初費氏不列學官, 惟行民間, 至漢末陳元·鄭康成之徒學費氏, 古十二篇之易遂亡. 孔穎達又謂輔嗣之意, 「象」本釋經, 宜相附近, 分爻之「象」辭, 各附當爻. 則費氏初變亂古制時, 猶若今乾卦「彖」·「象」繫卦之末與! 古經始變於費氏, 而卒大亂於王弼, 惜哉! 奈何後之儒生, 尤而效之!

조열지(晁說之)[29]가 말하였다. "『한서』「예문지」에서, '역경(易經)

29) 조열지(晁說之, 1059~1129) : 자는 이도(以道)이고, 자호는 사마광을 존

12편에는 시수(施讎)·맹희(孟喜)·양구하(梁邱賀) 세 학파가 있다.'고 했다. 안사고(顔師古)[30]는 '상경·하경과 십익이므로 12편이다.'라고 주석을 달았다. 이렇다면 「단전」·「상전」·「문언전」·「계사전」은 처음부터 괘효에 덧붙여져 한대에 전해졌다는 것이다!
선대 학자들은 비직(費直)이 오로지 「단전」·「상전」·「문언전」으로 역의 효(爻)를 해석했으니, 「단전」·「상전」·「문언전」이 괘 속에 섞여 들어간 것은 비직으로부터 시작되었다고 말했다. 애초에 비직은 학관(學官)에 배열되지 않았고 오직 민간에서 유행했는데, 한나라 말 진원(陳元)과 정현의 무리들이 비직을 배워 고본(古本) 12편의 역은 마침내 없어졌다. 공영달도 왕필의 뜻은 「상전」이 본래 경을

---

경하여 경우생(景迂生)이라고 하였다. 오경(五經)에 해박했는데 특히 역학에 능통하였다. 당시 소동파가 그의 학문을 자득한 것이라고 높게 평가하였다고 한다. 『유언(儒言)』, 『경우생집(景迂生集)』 등을 저술하였는데, 『경우생집』에 「역원성기보(易元星紀譜)」와 「역규(易規)」가 전한다.

30) 안사고(顔師古, 581~645) : 자는 사고(師古)이고, 이름 주(籒)이며, 섬서성 만년현(萬年縣) 사람이다. 중국 당나라 초기의 유학자·경학자·언어문자학자·역사학자이며, 특히 『한서(漢書)』의 전문가이다. 『안씨가훈(顔氏家訓)』의 저자인 안지추(顔之推)가 그의 조부이다. 학자 집안에 태어나 고전(古典)의 학습에 힘썼고 특히 문장에 뛰어났다. 당나라 고조(高祖)·태종(太宗)의 2대를 섬겨, 중서사인(中書舍人)·중서시랑(中書侍郞)·비서감(秘書監)을 역임하였고, 정치에도 능통하여 조령(詔令)의 기초를 맡았다. 그 동안 유교의 경전인 『오경(五經)』의 교정에 종사하여 정본(定本)을 만들었으며, 『대당의례(大唐儀禮)』의 수찬에 참여하였다. 오경의 주석(註釋)인 『오경정의(五經正義)』의 편찬에도 참여하였고, 『한서』에 주석을 가함으로써 전대(前代)의 여러 주석을 집대성하였다. 『한서』의 주석은 그의 문자학(文字學)·역사학의 온축(蘊蓄)으로, 오늘날도 『한서』 해석의 중요한 근거가 되었다.

해석한 것이니 마땅히 서로 가까이 붙어있어야 하므로, 효의 「상전」의 말을 나누어 각각 해당 효에 붙인다고 하였다. 그렇다면 비직이 처음 고본(古本)을 번잡스럽게 바꾸었을 때 지금 건(乾)괘 「단전」·「상전」을 괘의 끝에 붙인 것이리라!
고경(古經)이 비직에서 변하기 시작하여 결국 왕필에서 크게 혼란스럽게 되었으니 애석하다! 어찌 후대 유생들이 고의로 그것을 따라 했겠는가?

杜預分『左氏傳』於經, 宋衷·范望輩散『太玄』「贊」與「測」於八十一首之下, 是其明比也. 揆觀其初, 乃如『古文尚書』司馬遷·班固「序」·「傳」, 揚雄『法言』「序篇」云爾. 今民間『法言』列「序篇」於其篇首, 與學官書不同, 槪可見也. 唐李鼎祚又取「序卦」冠之卦首, 則又效小王之過也. 劉牧云, '「小象」獨乾不係於爻辭, 尊君也.' 石守道亦曰, '孔子作「彖」·「象」於六爻之前, 「小象」係逐爻之下, 惟乾悉屬之於後者, 讓也. 嗚呼! 他人尙何責哉?"

두예(杜預)[31]는 경에 『춘추좌전』을 나누어 붙였고, 송충(宋衷)·범

31) 두예(杜預, 222~284) : 자는 원개(元凱)이며, 경조두릉(京兆杜陵 : 현 섬서성 장안현〈長安縣〉) 사람이다. 중국 진대(晉代)의 학자·정치가이며, 진주자사(秦州刺史)·진남대장군(鎭南大將軍) 등을 역임하였다. 유일하게 삼국시대의 명맥을 유지하고 있던 오(吳)나라를 공격하여 평정(280년)하였으며 뛰어난 군사전략가로서 실력을 발휘하였다. 만년에는 학문과 저술에 힘을 기울였다. 저서에 『춘추좌씨경전집해(春秋左氏經傳集解)』, 『춘추석례(春秋釋例)』 등이 있는데, 특히 『춘추좌씨경전집해』는 종래 별개의 책으로 되었던 『춘추(春秋)』의 경문(經文)과 『좌씨전(左氏傳)』을 한 권의 책으로 정리하여, 경문에 대응하도록 『좌씨전』의 문장을

망(范望)의 무리들은 『태현경』의 「찬(贊)」과 「측(測)」을 81수 아래에 흩어 넣었으니, 이것이 그 분명한 사례이다. 그 처음을 헤아려 살펴보면 『고문상서(古文尙書)』 사마천·반고의 「서(序)」·「전(傳)」과 양웅의 『법언』「서편(序篇)」 같은 것을 말할 수 있다. 지금 민간의 『법언』에는 「서편」을 그 편 머리말에 배열했으니 학관의 책과 같지 않은 것을 알 수 있다.

당나라 이정조(李鼎祚)도 「서괘전」을 괘의 머리에 두었으니, 또한 소왕(小王 : 왕필)[32]이 잘못한 것을 따르고 있다. 유목(劉牧)[33]이 '「소상전」에서 건(乾)괘에만 효사를 붙이지 않은 것은 군주를 존중하는 것이다.'라고 했다. 석수도(石守道)도 '공자가 「단전」과 「상전」을 육효 이전에 지었고 「소상전」을 매 효 아래에 붙였는데, 건

분류하여 춘추의례설(春秋義例說)을 확립하고, 춘추학으로서의 좌씨학을 집대성하였다. 또한, 훈고에서도 선유(先儒)의 학설의 좋은 점을 모아 『좌씨전』을 춘추학의 정통적 지위로 올려놓았다. 이 저서는 현재에도 가장 기본적인 주석(註釋)으로 꼽힌다.

32) 소왕(小王 : 왕필) : 왕필에 앞서 왕숙(王肅)의 주(註)가 있기 때문에 '소(小)'라고 구별하였다.

33) 유목(劉牧, 1011~1064) : 자는 선지(先之) 혹은 목지(牧之)이고 호는 장민(長民)이다. 원래는 항주(杭州) 임안(臨安) 사람이었는데, 조부의 공적으로 인해 서안(西安 : 현 절강성 구현〈衢縣〉) 사람이 되었다. 범중엄(範仲淹)을 스승으로 모시고, 손복(孫復)에게서 『춘추』를 배웠으며, 석개(石介)와도 친분이 두터웠다. 역학방면으로는 범악창(範諤昌)의 역학을 이어받아 진단(陳摶)의 「하도」·「낙서」 상수학을 전승하였다. 벼슬은 범중엄과 부필(富弼) 등의 추천으로 연주(兗州) 관찰사를 거쳐 태상박사(太常博士)까지 역임하였다. 역학 방면의 저술에는 『괘덕통론(卦德通論)』, 『신주주역(新注周易)』, 『주역선유유론구사(周易先儒遺論九事)』, 『역수구은도(易數鉤隱圖)』 등이 있다.

(乾)괘에서만 모두 뒤에 붙인 것은 겸양한 것이다. 아! 다른 사람을 어찌 책망하겠는가?'라고 했다."

● 朱子門人問:"伏犧始畫八卦, 其六十四者, 是文王後來重之邪? 抑伏犧已自畫邪? 看「先天圖」, 則有八卦便有六十四, 疑伏犧已有畫矣."
曰:"『周禮』言'三易經卦皆八, 其別皆六十有四', 便見不是文王漸畫."
又問:"然則六十四卦名, 是伏犧元有, 抑文王所立?"
曰:"此不可考."

주자의 문인이 물었다. "복희가 처음 8괘를 그렸는데, 64괘는 문왕이 뒤에 8괘를 중첩한 것입니까? 아니면 복희 자신이 이미 그린 것입니까? 「선천도」를 보면, 8괘가 있으면 곧 64괘가 있다 했으니 아마도 복희가 이미 그린 것 같습니다."
(주자가) 대답했다. "『주례』에 '세 가지 역경의 괘는 모두 8개이고, 중첩된 개수는 64개이다.'라고 했으니, 문왕이 점차적으로 그린 것이 아님을 알 수 있다."
또 물었다. "그러면 64괘의 이름은 복희 때부터 원래 있었습니까? 아니면 문왕 때 만든 것입니까?"
(주자가) 대답했다. "이것은 상고할 수 없다."

子善問:"據十三卦所言, 恐伏犧時已有."
曰:"十三卦所謂蓋取諸離, 蓋取諸益者, 言結繩而爲網罟, 有離之象, 非觀離而始有此也."[34]

자선(子善 : 주자 문인)이 물었다. "13괘에서 말한 것에 근거하면 아마도 복희 때 이미 있었던 것 같습니다."
(주자가) 대답했다. "13괘의 이른바 '리(離)괘에서 취하고, 익(益)괘에서 취한다.'[35]라고 하였으니 노끈을 맺어 그물을 만드는 것은 리괘의 상이 있음을 말한 것이지 리괘를 보고 비로소 이것이 있다는 말이 아니다."

● "『古文周易』經傳十二篇, 東萊呂祖謙伯恭父之所定, 而「音訓」一篇, 則其門人金華王莘叟所筆受也. 某嘗以爲易經本爲卜筮而作, 皆因吉凶以示訓戒, 故其言雖約, 而所包甚廣. 夫子作傳, 亦略擧其一端以見凡例而已. 然自諸儒分經合傳之後, 學者便文取義, 往往未及玩心全經, 而遽執傳之一端以力定說. 於是一卦一爻, 僅爲一事, 而易之爲用, 反有所局, 而無以通乎天下之故. 若是者, 某蓋病之, 是以三復伯恭父之書而有發焉, 非特爲其章句之近古而已也."[36]

(주자가 말했다.) "『고문주역』 경전 12편은 동래(東萊) 여조겸(呂祖

34) 주희, 『주자어류』 권65, 85조목.
35) 리(離)괘에서 취하고, 익(益)괘에서 취한다 : 『주역』「계사전상」에서, "노끈을 맺어 그물을 만들어서 사냥하고 고기 잡으니 이(離)괘에서 취하였고, 포희씨(包犧氏)가 별세하자 신농씨(神農氏)가 나와 나무를 깎아 쟁기를 만들고 나무를 휘어 쟁기자루를 만들어서 쟁기와 호미의 이로움으로 천하를 가르쳤으니, 익(益)괘에서 취하였다.[作結繩而爲網罟, 以佃以漁, 蓋取諸離, 包犧氏沒, 神農氏作, 斲木爲耜, 揉木爲耒, 耒耨之利, 以敎天下, 蓋取諸益.]"라고 하였다.
36) 주희, 『주문공문집(朱文公文集)』 권82. 「발(跋)」.

謙) 백공보(伯恭父)가 정했고 「음훈(音訓)」 한 편은 그 문인 김화왕(金華王) 신수(莘叟)가 적어 받았다. 나는 역경은 본래 복서를 위해 지어져 모두 길흉으로 훈계를 보여 그 말이 간략하지만 포괄하는 바가 매우 넓다고 생각했다. 공자가 전(傳)을 지은 것 또한 그 한 측면을 간략하게 제기하여 범례(凡例)를 보였을 뿐이다.
그러나 여러 학자들이 경을 나누고 전을 합한 뒤로 배우는 사람들이 단장취의 하여 종종 전체 경전에 전심전력하지 못하고 성급하게 전(傳)의 한 측면을 집착해서 억지로 학설을 정하려고 했다. 이에 한 괘 한 효가 단지 한 가지 일이 되고, 역의 쓰임이 오히려 국한되어 세상일에 통하지 못하게 되었다. 이와 같은 것을 나는 병통으로 여겼기 때문에 여조겸의 책을 반복해서 통독하여 깨달음이 있었으니, 그 장구(章句)가 고본에 근접하기 때문만은 아니었다."

● 呂氏祖謙曰 : "漢興, 言易者六家, 獨費氏傳古文易, 而不立於學官. 劉向以中古文易經校施·孟·梁邱經, 或脫去'無咎'·'悔亡', 惟費氏經與古文同, 然則眞孔氏遺書也. 東京馬融·鄭康成皆爲費氏學, 其書始盛行. 今學官所列王弼易, 雖宗莊老, 其書固鄭氏書也. 費氏易在漢諸家中最近古, 最見排擯, 千載之後, 巋然獨存, 豈非天哉! 自康成·輔嗣合「彖」·「象」·「文言」於經, 學者遂不見古本. 近世嵩山晁氏編古周易, 將以復於其舊. 而其刊補離合之際, 覽者或以爲未安. 祖謙謹因晁氏書參考傳記, 復定爲十二篇. 篇目卷帙, 一以古爲斷."[37]

37) 여조겸(呂祖謙), 『동래집(東萊集)』 권7. 「제발(題跋)·서소정고주역십이편후(書所定古周易十二篇後)」.

여조겸(呂祖謙)[38]이 말했다. "한나라가 일어나고 역을 말한 자들이 여섯 학파인데, 유독 비직이 고문역(古文易)을 전했지만 학관(學官)에 세워지지 않았다. 유향이 중고문(中古文) 역경으로 시수(施讎)·맹희(孟喜)·양구하(梁邱賀)의 경을 교감함에, 어떤 것은 '허물이 없다'·'후회가 없어진다'는 말이 탈락되었는데, 오직 비직의 경전이 고문과 동일했으니 참으로 공자가 남긴 책이다. 동경(東京)의 마융과 정현이 모두 비직의 역학을 연구하여, 비로소 그 책이 성행했다. 지금 학관에 배열된 왕필의 역은 비록 노장(老壯)을 종지로 삼았으나, 그 책은 본디 정현의 책이다. 비직의 역은 한나라 여러 학파 가운데 고본에 가장 가까웠지만 가장 배척되고 버려져 천 년 뒤에 우뚝 홀로 보존되었으니, 어찌 하늘의 뜻이 아니겠는가! 정현과 왕필이 「단전」·「상전」·「문언전」을 경에 합친 뒤로 배우는 사람들은 마침내 고본을 보지 못하게 되었다. 근세에 숭산(嵩山)의 조열지가 고주역(古周易)을 편찬하여 그 옛것을 회복하였다. 그러나 그 수정 보충한 것이 타당한지에 대해, 살펴본 사람들이 간혹 온당치 못하다고 여겼다. 여조겸은 단지 조열지의 책에 따라 전기(傳記)를 참조하여 다시 12편을 정했다. 편목과 편장은 한결같이 고본

38) 여조겸(呂祖謙, 1137~1181) : 자는 백공(伯恭)이고, 세칭 동래선생(東萊先生)이라 한다. 송대 금화(金華 : 현 절강성 소속) 사람으로 주희·장식(張拭)과 함께 '동남3현(東南三賢)'으로 불리었다. 직비각저작랑(直秘閣著作郎), 국사원편수(國史院編修), 실록원검토(實錄院檢討)를 역임하였다. 『시(詩)』, 『서(書)』, 『춘추(春秋)』에 대하여 많은 고의(古義)를 궁구했다. 1175년 주희와 『근사록(近思錄)』을 편찬하였고, 신주(信州 : 현 강서성 상요〈上饒〉) 아호사(鵝湖寺)에 주희와 육구연을 초청하여 두 사람의 논쟁을 중재하려 하였다. 저서는 『고주역(古周易)』, 『동래좌씨박의(東萊左氏博儀)』, 『동래집(東萊集)』 등이 있다.

으로 판단을 내렸다.”

● “文王卦下之辭謂之彖, 孔子序述其彖之意而已, 故名其篇曰「彖」. 使文王卦下之辭不謂之彖, 孔子何爲言‘知者觀其彖辭, 則思過半矣.’ 爻下辭謂之象, 爻辭多文王後事, 故諸說皆以爲爻辭出於周公. 「大象」, 卦畫是也. 天·地·水·火·雷·風·山·澤, 觀卦畫則見其象也. 「大象」之辭, 如‘天行健, 君子以自強不息’之類, 「小象」, 釋周公之辭, 如‘潛龍勿用, 陽在下也’之類, 皆象之傳也.

(여조겸이 말했다.) “문왕의 괘 아래의 말을 단(彖)이라 하고 공자가 그 단의 뜻을 서술했을 뿐이므로 그 편을 이름하여 「단전」이라 했다. 가령 문왕의 괘 아래의 말을 단이라 말하지 않았다면, 공자가 어째서 ‘지혜로운 자가 단사(彖辭)를 보면 깨닫는 것이 이미 반을 넘을 것이다.’[39]라고 했겠는가. 효 아래의 말을 상(象)이라고 하는데, 효사(爻辭)에는 문왕 뒤의 일이 많으므로 여러 학설은 모두 효사가 주공(周公)에서 나왔다고 여겼다.
「대상전(大象傳)」은 괘의 획이 이것이다. 천(天)·지(地)·수(水)·화(火)·뢰(雷)·풍(風)·산(山)·택(澤)은 괘의 획을 보면 그 상(象)을 알 수 있다. 「대상전」의 말은 ‘하늘의 운행은 강건하니 군자가

39) 지혜로운 자가 단사(彖辭)를 보면 깨닫는 것이 이미 반을 넘을 것이다 : 『주역』「계사하」에서, “아! 또한 존망(存亡)과 길흉(吉凶)을 살피고자 하면 쉽게 알 수 있으나 지혜로운 자가 단사(彖辭)를 보면 깨닫는 것이 이미 반을 넘을 것이다.[噫, 亦要存亡吉凶, 則居可知矣, 知者觀其彖辭, 則思過半矣.]”라고 하였다.

그것을 본받아 스스로 힘쓰고 쉬지 않는다.'와 같은 종류이고, 「소상전(小象傳)」은 주공의 말을 해석한 것으로 '잠긴 용은 쓰지 않으니 양이 아래에 있기 때문이다.'와 같은 종류로 모두 상(象)의 전(傳)이다.

經, 文王周公所作也, 傳, 孔子所作也. 司馬談「論六經要指」引'天下同歸而殊塗, 一致而百慮', 謂之『易』「大傳」. 班固謂'孔子晩而學易, 讀之韋編三絶, 而爲之傳, 傳卽十翼也.' 前漢六經與傳皆別行, 至後漢諸儒作註, 始合經·傳爲一耳. 魏高貴鄕公問博士淳于俊曰, '今彖·象不連經文, 而注連之, 何也?' 俊對曰, '鄭康成合彖·象於易者, 欲使學者尋省易了.' 孔子恐其與文王相亂, 是以不合, 則鄭未注六經之前, 彖·象不連經文矣. 自鄭康成合彖·象於經, 故加'「彖」曰'·'「象」曰'以別之, 諸卦皆然."[40]

경(經)은 문왕과 주공의 저작이고 전(傳)은 공자의 저작이다. 사마담(司馬談)은 「논육가요지(論六經要指)」에서 '세상이 돌아감은 같으나 길은 다르며, 이치는 하나이나 생각은 백 가지이다.'[41]라고 했으니, 『역』의 「대전」을 말한다. 반고는 '공자가 만년에 역을 배우기

40) 여조겸, 『고주역(古周易)』 상경(上經) 「동래여씨고역(東萊呂氏古易)」.

41) 세상이 돌아감은 같으나 … 생각은 백 가지이다 : 『주역』「계사하」에서, "'역(易)에 '자주 왕래하면 벗만이 네 생각을 따를 것이다'라고 하니 공자가 말했다. '천하가 무엇을 생각하며 무엇을 생각하겠는가? 천하가 돌아감은 같으나 길은 다르며, 이치는 하나이나 생각은 백 가지이니, 천하가 무엇을 생각하고 무엇을 생각하겠는가?'[易曰, '憧憧往來, 朋從爾思.' 子曰, '天下何思何慮? 天下同歸而殊塗, 一致而百慮, 天下何思何慮?']"라고 하였다.

를 좋아하여 가죽 끈이 세 번 끊어질 정도로 읽고 전(傳)을 지었으니 전(傳)은 십익(十翼)이다.'[42]라고 했다.
전한(前漢) 시대 육경(六經)과 전(傳)은 모두 별개로 성행했는데, 후한(後漢)의 여러 학자들이 주를 달아 비로소 경과 전이 합쳐 하나가 되었을 뿐이다. 위(魏)나라 고귀경공(高貴鄕公)이 박사 순우준(淳于俊)에게 '지금 단(彖)과 상(象)은 경문에 이어 붙지 않았는데 주(注)가 이어 붙어 있는 것은 왜입니까?'라고 물었다. 순우준은 '정현이 역(易)에서 단과 상을 합치한 것은 배우는 사람들이 쉽게 살펴보게 한 것이다.'라고 대답했다.[43] 공자가 문왕과 서로 혼란스럽게 될까봐 근심하여 합치지 않았으니, 정현이 아직 육경에 주를 붙이기 전에는 단과 상이 경문과 이어 붙어 있지 않았다. 정현에서부터 단과 상을 경문에 합쳤기 때문에 '「단전」에서 말했다'·'「상전」에서 말했다'라는 말을 덧붙여 구별했으니, 다른 괘들도 모두 그러하다."

● 稅氏與權曰 : "按 : 呂汲公元豐壬戌昉刻『周易古經』十二篇於成都學官. 景迂晁生建中靖國辛巳, 並爲八篇, 號『古周易』, 繕寫而藏於家. 巽岩李文簡公紹興辛未謂'北學各有師授, 經名從呂, 篇第從晁,' 而重刻之. 逮淳熙壬寅, 新安朱文公表出東萊呂成公『古文周易經傳音訓』, 乃謂'編古易自晁生始, 豈二公或不見汲公蜀本與? 然成公則議晁生並上下經爲非.' 而文公易本義,

42) 공자가 만년에 역을 배우기를 좋아하여 … 전(傳)은 십익(十翼)이다 : 『한서(漢書)』「유림전(儒林傳)」.
43) 위(魏)나라 고귀경공(高貴鄕公)이 … 라고 대답했다 : 『삼국지문류(三國志文類)』 권33 「대문(對問)·위(魏)·고귀경공문제유경의(高貴鄕公問諸儒經義)」.

則篇第與汲公吻合."[44]

세여권(稅與權)[45]이 말했다. "생각건대, 여급공(呂汲公 : 呂大防)이 원풍(元豐) 임술(壬戌 : 1082년)에 성도학관(成都學官)에서 『주역고경(周易古經)』 12편을 처음 판각했다. 경우생(景迂生) 조열지는 건중정국(建中靖國) 신사(辛巳 : 1101년)에 8편으로 합쳐 『고주역(古周易)』이라 하고, 잘 베껴서 집에 보관했다. 손암(巽岩) 이문간공(李文簡公)은 소흥(紹興) 신미(辛未 : 1151년)에 '북학(北學)에 각각 스승으로부터 전수받은 것이 있었는데, 경의 이름은 여급공을 따랐고 편제는 조열지를 따랐다.'라 하고, 재차 판각했다.
순희(淳熙) 임인(壬寅 : 1182년)에 이르러 신안(新安) 주문공(朱文公 : 朱熹)이 동래(東萊) 여성공(呂成公 : 呂祖謙)의 『고문주역경전음훈(古文周易經傳音訓)』을 표창하면서, '고역(古易) 편찬은 조열지로부터 시작했는데, 어찌 두 공이 여급공의 촉본(蜀本)을 보지 못했겠는가? 그러나 여조겸은 조열지가 상경·하경을 합친 것을 논의하여 잘못 되었다.'고 했다. 그리하여 문공의 『주역본의』는 편제가 여급공과 일치한다."

● 王氏應麟曰 : "「說卦」『釋文』引『荀爽九家集解』, 得八卦逸象三十有一. 『隋·唐志』十卷, 唯『釋文』「序錄」列九家名氏云, '不

44) 세여권(稅與權), 『역학계몽소전(易學啟蒙小傳)』「역학고경발제(周易古經發題)」.

45) 세여권(稅與權, ?~?) : 송 이종(理宗) 때에 위료옹(魏了翁)의 문인으로 20여년을 배웠다고 한다. 저서에는 『교정주역고경(校正周易古经)』 12권이 있었는데 실전되었고, 현존하는 것은 『역학계몽소전(易學啟蒙小傳)』 1권과 『고경전(古經傳)』 부록 1권이 있다.

知何人所集, 稱荀爽者, 以爲主故也. 其序有荀爽·京房·馬融·鄭康成·宋衷·虞翻·陸績·姚信·翟子玄爲易義, 注內又有張氏, 朱氏, 並不詳何人.' 荀悅『漢紀』云, '馬融著『易解』, 頗生異說. 爽著『易傳』, 據爻象承應陰陽變化之義, 以十篇之文解說經意. 由是兗·豫言易者, 咸傳荀氏學.' 今其說見於李鼎祚『集解』."[46]

왕응린(王應麟)[47]이 말했다. "「설괘전」에 대한 (육덕명의) 『경전석문(經傳釋文)』에서 『순상구가집해(荀爽九家集解)』는 8괘의 잃어버린 상 31개를 얻었다는 말을 인용했다. 『수·당서(隨唐書)』「경적지(經籍志)」 10권에서는 오직 『경전석문』「서록(序錄)」에서 구가(九家)의 이름을 배열하고, '어떤 사람이 모았는지 알지 못하지만 순상이라고 칭한 것은 주된 사람으로 여겼기 때문이다. 그 서(序)에 순상(荀爽)·경방(京房)·마융(馬融)·정강성(鄭康成)·송충(宋衷)·우번(虞翻)[48]·육적(陸績)·도신(姚信)·적자현(翟子玄)을 역의(易

46) 왕응린(王應麟), 『곤학기문(困學紀聞)』 권1.

47) 왕응린(王應麟, 1223~1296) : 자는 백후(伯厚)이고, 호는 심녕거사(沈寧居士)이다. 남송(南宋) 때의 학자로서 박학하고 경사백가(經史百家)·천문지리 등에 조예가 깊었다. 장고제도(掌故制度)에 익숙하고 고증에 능했다. 저서로는 『곤학기문(困學紀聞)』, 『옥해(玉海)』, 『시고(詩考)』, 『시지리고(詩地理考)』, 『한예문지고증(漢藝文志考證)』, 『옥당류고(玉堂類稿)』, 『심녕집(深寧集)』·『삼자경(三字經)』 등이 있다. 그중에서 『옥해』 200권은 남송에서 가장 완비된 『유서(類書)』 곧 백과사전이다.

48) 우번(虞翻, 164~233) : 삼국시대 오나라 회계(會稽) 여요(餘姚) 사람으로, 자는 중상(仲翔)이다. 『역(易)』에 밝은 학자이다. 벼슬은 처음에 태수(太守) 왕랑(王郎)의 공조(功曹)가 되고, 나중에 손책(孫策)을 따라 부춘장(富春長)과 기도위(騎都尉) 등을 지냈다. 여몽(呂蒙)이 관우(關羽)를 공격하려고 할 때 자청하여 수행해 임무 수행에 도움을 주었다. 금문맹씨역(今文孟氏易)을 가전(家傳)했다. 『노자』, 『논어』, 『국어(國語)』의

義)로 여겼지만, 주(注)안에 또 장씨(張氏)와 주씨(朱氏)가 있는데 어떤 사람인지 상세하지 않다.'라고 했다.
순열(荀悅)[49]의 『한기(漢紀)』에서 '마융은 『역해(易解)』를 지었으나 이설(異說)을 내었다. 순상은 『역전(易傳)』을 지었는데, 효상(爻象)에 의거하여 음양변화의 의미를 이어서 호응시켰고, 10편의 글로 경의 뜻을 해설했다. 이 때문에 연주(兗州 : 산동성)와 예주(豫州 : 하남성)의 역을 말하는 자들은 모두 순상의 학문을 전했다.'라고 했다. 지금 그 학설이 이정조(李鼎祚)[50]의 『주역집해(周易集解)』에 나타난다."

---

훈주(訓注)와 『역주(易注)』를 지었지만 모두 없어졌다. 정현(鄭玄), 순상(荀爽)과 더불어 역학삼가(易學三家)로 일컬어진다. 저서에 당나라 이정조(李鼎祚)의 『주역집해(周易集解)』에 채록된 것과 청나라 황석(黃奭)의 한학당총서(漢學堂叢書) 및 손당(孫堂)의 한위이십일가역주(漢魏二十一家易注)에 집록된 것이 있다.

49) 순열(荀悅, 148~209) : 자는 중예(仲豫)이며, 영천영음(潁川潁陰 : 현 하남성 허창〈許昌〉) 사람이다. 후한 말엽의 사상가이다. 12세 때 『춘추(春秋)』에 통달하였으나, 성장해서는 병약하여 세상에 나가기를 싫어하였다. 후에 조조(曹操)의 부름을 받고 황문시랑(黃門侍郎)이 되어 헌제(獻帝)에게 강의를 하였고, 비서감시중(秘書監侍中)에 올랐다. 때마침 조조가 실권을 잡고 후한 왕조가 쇠퇴하였으므로, 인의(仁義)를 바탕으로 하여 시폐(時弊)를 구제하려는 정책을 논한 『신감(申鑒)』 5편을 저술하였고, 『한서(漢書)』를 간편한 편년체(編年體)로 고친 『한기(漢紀)』 30권을 편찬하였다.

50) 이정조(李鼎祚) : 당(唐)나라 중후기 자주(资州) 반석(盤石) 사람이다. 그 생애는 자세하지 않다. 관직은 전중시어사(殿中侍御史)를 지냈다. 재위 기간 동안 적극적으로 간책을 올렸다. 그는 안록산의 난 때에 「평호론(平胡論)」을 올려 안록산을 축출하는 계책을 올렸다. 경학(經學)에 밝았고, 상수학에 정통했다.

## 강령 2. 이 편은 역도의 정수와 경전의 의례를 논한다.
## 綱領二. 此篇論易道精媼·經傳義例.

● 司馬氏遷曰 : "『易』本隱以之顯, 『春秋』推見至隱."[1]

사마천[2]이 말했다. "『역』은 감추어진 것에 근본하여 드러난 것으로

1) 사마천, 『사기(史記)』 권117, 「사마상여열전(司馬相如列傳第)」.

2) 사마천(司馬遷, B.C.145?~B.C.86?) : 자는 자장(子長)이고, 용문(龍門 : 현 한성현〈韓城縣〉) 사람이다. 서한의 역사가로서 『사기(史記)』의 저자이다. 사마담(司馬談)의 아들로서 7세 때 아버지가 천문 역법과 도서를 관장하는 태사령(太史令)이 된 이후 무릉(武陵)에 거주하며 고문을 독서하던 중, 20세경 낭중(郎中, 황제의 시종)이 되어 무제를 수행하여 강남(江南)·산동(山東)·하남(河南) 등의 지방을 여행하였다. B.C.110년에는 아버지를 이어 무제의 태사령이 되었고 태산 봉선(封禪, 흙을 쌓아 제단을 만들고 제사를 지내는 의식) 의식에 수행하여 장성 일대와 하북·요서 지방을 여행하였다. 이 여행에서 크게 견문을 넓혔고, 『사기』를 저술하는 데 필요한 귀중한 자료를 수집하였다. 기원 전 110년 아버지 사마담이 죽으면서 자신이 시작한 『사기』의 완성을 부탁하였고, 그 유지를 받들어 B.C.108년 태사령이 되면서 황실 도서에서 자료 수집을 시작하였다. 그러나 그는 흉노의 포위 속에서 부득이하게 투항하지 않을 수 없었던 이릉(李陵) 장군을 변호하다 황제인 무제의 노여움을 사서, B.C.99년 나이 48세 되던 해 남자로서 가장 치욕스러운 궁형(宮刑, 생식기를 제거하는 형벌)을 받았다. 사마천은 옥중에서도 저술을 계속하였으며 B.C.95년 황제의 신임을 회복하여 환관의 최고직인 중서령(中書令)이 되었다. 중서령은 황제의 곁에서 문서를 다루는 직책이었다. 하지만

나아가고, 『춘추』는 드러난 것을 미루어 감추어진 것에 이른다."

● 班氏固曰 : "六藝之文, 『樂』以和神, 『詩』以正言, 『禮』以明體, 『書』以廣聽, 『春秋』以斷事. 五者蓋五常之道, 相須而備, 而『易』爲之原, 故曰, '『易』不可見, 則乾坤或幾乎息矣.' 言與天地爲終始也."[3]

반고(班固)가 말했다. "육예(六藝)의 문장은 『악(樂)』으로 신(神 : 정신)을 조화롭게 하고, 『시(詩)』로 말을 바르게 하며, 『예(禮)』로 체(體 : 몸가짐)를 밝히고, 『서(書)』로 널리 들으며, 『춘추(春秋)』로 일을 결단한다. 이 다섯 가지는 오상(五常)의 도가 서로 의지하여 갖추지만, 『역(易)』은 그 근원이 되기 때문에, '『역』을 볼 수 없으면 건곤이 거의 사라진다.'[4]라고 했으니, 『역』은 천지(天地)와 더불어

그는 환관(宦官)신분으로 일부 사대부들의 멸시를 받았으며 운신의 폭도 자유롭지 못했다. 이러한 어려움 속에서도 사마천은 마침내 『사기』를 완성하였다. 사기 완성의 정확한 연대를 확인하기는 어렵지만 기원 전 91년 사마천이 친구인 임안이 옥에 갇혔다는 소식을 듣고 보낸 서한을 통해 추정해 볼 수 있다. 『사기』의 규모는 본기(本紀) 12권, 연표(年表) 10권, 서(書) 8권, 세가(世家) 30권, 열전(列傳) 70권 모두 130권 52만 6천 5백자에 이른다.

3) 반고(班固), 『전한서(前漢書)』 권30, 「예문지(藝文志)」.

4) 『역』을 볼 수 없으면 건곤이 혹 거의 사라진다 : 『주역』「계사상」에서, "건(乾)과 곤(坤)은 그 역(易)의 온축이다. 건(乾)과 곤(坤)이 열을 이루어 역이 그 가운데 성립되니, 건곤이 무너지면 역을 볼 수 없고, 역을 볼 수 없으면 건곤이 혹 거의 사라진다.[乾坤, 其易之緼耶. 乾坤成列, 而易立乎其中矣, 乾坤毁, 則无以見易, 易不可見, 則乾坤, 或幾乎息矣.]"라고 하였다.

시작과 끝이 된다는 말이다."

● 王氏弼曰 : "夫「彖」者何也? 統論一卦之體, 明其所由之主者也. 故六爻相錯, 可擧一以明也; 剛柔相乘, 可立主以定也. 自統而尋之, 物雖衆, 則知可以執一禦也. 由本以觀之, 義雖博, 則知可以一名擧也. 故擧卦之名, 義有主矣. '觀其彖辭, 則思過半矣.' 一卦五陽而一陰, 則一陰爲之主; 五陰而一陽, 則一陽爲之主. 夫陰之所求者陽也, 陽之所求者陰也. 陽苟一焉, 五陰何得不同而歸之? 陰苟隻焉, 五陽何得不同而從之? 故陰爻雖賤, 而爲一卦之主者, 處其至少之地也. 或有遺爻而擧二體者, 卦體不由乎爻也. 繁而不憂亂, 變而不憂惑, 約以存博, 簡以濟衆, 其唯「彖」乎!"[5]

왕필(王弼)[6]이 말했다. "「단(彖)」이란 무엇인가? 한 괘의 체(體)를 통괄해서 논하여 그것이 유래하는 주효를 밝힌 것이다. 그러므로 육효가 서로 섞여도 하나를 들어 밝힐 수 있고, 강(剛)·유(柔)가 서로 올라타도 주효를 세워 정할 수 있다. 큰 줄기로부터 찾아가면, 사물

5) 왕필(王弼), 『주역주』「주역약례(周易略例)·명단(明彖)」.

6) 왕필(王弼, 226~249) : 자는 보사(輔嗣)이고, 산양(山陽) 고평(高平 : 현 산동성 금향 현〈金鄕縣〉) 사람이다. 중국 삼국시대 위(魏)나라의 철학자이며, 상서랑(尙書郞)을 지냈다. 왕필은 24세의 나이로 죽을 때 이미 도가경전 『도덕경(道德經)』과 유교경전 『주역(周易)』의 탁월한 주석가였다. 이러한 주석서들을 통해 중국 사상에 형이상학을 소개하는 데 기여했으며, 유가와 도가가 회통할 수 있는 길을 열었다. 저서로는 『주역주(周易注)』, 『주역약례(周易略例)』, 『노자주(老子注)』, 『노자지략(老子指略)』, 『논어역의(論語釋疑)』가 있다.

이 많더라도 하나를 잡아 제어할 수 있음을 알 수 있다. 근본으로부터 살펴보면, 의미가 넓더라도 하나의 이름으로 거론할 수 있음을 알 수 있다. 그러므로 괘의 이름을 들면 의미에 주된 것이 있다. '단사(彖辭)를 보면 깨닫는 것이 이미 반을 넘는다.'[7]라고 했다. 한 괘가 다섯 개의 양과 하나의 음이라면 하나의 음이 주효가 되고, 다섯 개의 음과 하나의 양이라면 하나의 양이 주효가 된다. 음이 구하는 것은 양이고, 양이 구하는 것은 음이다. 양이 하나라면 다섯 개의 음이 어찌 함께 하여 그것에 돌아가지 않을 수 있겠는가? 음이 하나라면 다섯 개의 양이 어찌 함께 하여 그것을 좇지 않을 수 있겠는가?

그러므로 음효가 비록 천하지만 한 괘의 주효가 되는 것은 지극히 적은 곳에 처했기 때문이다. 어떤 경우에 효를 버리고 두 체(體)를 거론하는 것은 괘의 체가 효에 말미암지 않기 때문이다. 번잡하지만 혼란을 근심하지 않고 변화하지만 미혹됨을 걱정하지 않으며, 집약함으로써 폭넓음을 보존하고 간단함으로써 다양함을 구제하는 것은 오직 「단(彖)」일 것이다!"

● "夫爻者何也? 言乎變者也. 變者何也? 情僞之所爲也. 是故'情僞相感', 遠近相追; '愛惡相攻', 屈伸相推. '非天下之至變, 其孰能與於此哉!' 是故卦以存時, 爻以示變."[8]

---

7) 단사(彖辭)를 보면 깨닫는 것이 이미 반을 넘을 것이다 : 『주역』「계사하」에서, "아! 또한 존망(存亡)과 길흉(吉凶)을 살피고자 하면 쉽게 알 수 있으나 지혜로운 자가 단사(彖辭)를 보면 생각이 반을 넘으리라.[噫, 亦要存亡吉凶, 則居可知矣, 知者觀其彖辭, 則思過半矣.]"라고 하였다.

8) 왕필(王弼), 『주역주』「주역약례(周易略例) · 명효통변(明爻通變)」.

(왕필이 말했다.) "효(爻)란 무엇인가? 변화를 말하는 것이다. 변화란 무엇인가? 진정과 거짓이 하는 것이다. 그래서 '진정과 거짓이 서로 감응한다.'[9]라고 했으니 먼 것과 가까운 것이 서로 쫓고, '사랑과 증오가 서로 공격한다'라고 했으니 굽힘과 펼쳐짐이 서로 미룬다. '세상의 지극히 변화하는 자가 아니라면 누가 이것과 함께 할 수 있겠는가!'[10]라고 했다. 그래서 괘는 때를 보존하고 효는 변화를 보여준다."

● "夫卦者時也, 爻者適時之變者也. 時有否泰, 故用有行藏. 卦有小大, 故辭有險易. 一時之制, 可反而用也; 一時之吉, 可反而凶也, 故卦以反對, 而爻亦皆變. 尋名以觀其吉凶, 擧時以觀其動靜, 則一體之變, 由斯見矣. 夫應者同志之象也, 位者爻所處

9) 진정과 거짓이 서로 감응한다 : 『주역』「계사하」에서, "변동(變動)은 이로운으로써 말하고, 길흉(吉凶)은 정(情)으로써 옮겨간다. 이 때문에 사랑함과 미워함이 서로 공격하여 길흉이 생기며, 멀고 가까움이 서로 취하여 회린(悔吝)이 생기며, 진정과 거짓이 서로 감응하여 이해(利害)가 생기니, 무릇 역(易)의 실정은 가까우면서도 서로 맞지 못하면 흉하거나 혹은 해로우며, 뉘우치고 또 부끄럽다.[變動, 以利言, 吉凶, 以情遷. 是故愛惡相攻而吉凶生, 遠近相取而悔吝生, 情僞相感而利害生, 凡易之情, 近而不相得, 則凶或害之, 悔且吝.]"라고 하였다.

10) 세상의 지극히 … 이것과 함께 할 수 있겠는가! : 『주역』「계사상」에서, "삼(參)으로 세고 오(伍)로 세어 변하며 그 수(數)를 교착하고 종합하여 그 변(變)을 통하여 마침내 천지의 문(文)을 이루며, 그 수(數)를 지극히 하여 마침내 천하의 상(象)을 정하니, 세상의 지극히 변화하는 자가 아니면 그 누가 이것과 함께 할 수 있겠는가.[參伍以變, 錯綜其數, 通其變, 遂成天地之文, 極其數, 遂定天下之象, 非天下之至變, 其孰能與於此.]"라고 하였다.

之象也. 承·乘者, 逆·順之象也; 遠·近者, 險·易之象也; 內·外者, 出·處之象也; 初·上者, 終·始之象也. 故觀變動者, 存乎應; 察安危者, 存乎位; 辨逆順者, 存乎承乘; 明出處者, 存乎內外. 遠近·終始, 各存其會 : 辟險尙遠, 趣時貴近; 比復好先, 乾壯惡首. 吉凶有時, 不可犯也; 動靜有適, 不可過也. 犯時之忌, 罪不在大; 失其所適, 過不在深. 觀爻思變, 變斯盡矣."[11]

(왕필이 말했다.) "괘(卦)는 때이고 효(爻)는 때에 적합한 변화이다. 때에는 막힘과 통함이 있으므로 그 쓰임에는 행하는 것과 숨는 것이 있다. 괘에는 작고 큰 것이 있으므로 괘사에는 험난함과 쉬움이 있다. 일시적으로 제어되어도 돌이켜 작용될 수 있고, 한 때에 길하더라도 반대로 흉함이 될 수 있으므로, 괘는 반대로 짝이 되지만 효 역시 모두 변한다. 명칭을 살펴 그 길흉을 보고 때를 들어 그 움직임과 고요함을 보면, 한 체(體)의 변화가 이를 통해 드러난다.
호응은 뜻을 같이 하는 모습이고, 자리는 효가 처한 모습이다. 받듦[承]과 올라탐[乘]은 거스름[逆]과 순조로움[順]의 모습이고, 멀고 가까운 것은 험난함과 쉬움의 모습이며, 안과 밖은 나가고 머물러 있는 모습이고, 처음과 위는 끝과 시작의 모습이다. 그러므로 변화와 움직임을 살펴보는 것은 호응에 달려 있고, 편안함과 위태로움을 살펴보는 것은 자리에 달려 있으며, 거스름과 순조로움을 판별하는 것은 받듦과 올라탐에 달려 있고, 나가고 머물러 있는 것을 밝히는 것은 안과 밖에 달려 있다. 멀고 가까움과 끝과 시작은 각각 그 만남을 보존하고 있으니, 위험을 피하는 것은 먼 것을 숭상하고 때를 따르는 것은 가까움을 귀하게 여기며, 나란히 하는 비(比)괘와 회복

11) 왕필(王弼), 『주역주』「주역약례(周易略例)·명효적변통효(明卦適變通爻)」.

하는 복(復)괘는 먼저 하는 것을 좋아하고 강건한 건(乾)괘와 강건함이 자라나는 대장(大壯)괘는 우두머리를 미워한다.
길흉은 때가 있어 범할 수 없고, 움직임과 고요함은 적절함이 있어 지나칠 수 없다. 때를 범하는 금기는 죄가 큰 일에 있지 않고, 적절함을 잃는 것은 과오가 심각한 것에 있지 않다. 효를 살펴보고 변화를 생각하면 변화는 이에 모두 나타날 것이다."

● "夫象者, 出意者也; 言者, 明象者也. 盡意莫若象, 盡象莫若言. 言生於象, 故可尋言以現象. 象生於意, 故可尋象以觀意. 意以象盡, 象以言著. 故言者所以明象, 得象而忘言. 象者所以存意, 得意而忘象. 存言者, 非得象者也; 存象者, 非得意者也. 象生於意而存象焉, 則所存者乃非其象也. 言生於象而存言焉, 則所存者乃非其言也. 然則忘象者, 乃得意者也, 忘言者, 乃得象者也. 爻苟合順, 何必坤乃爲牛? 義苟應健, 何必乾乃爲馬? 而或者定馬於乾, 案文責卦, 有馬無乾, 則僞說滋漫, 難可紀矣. 互體不足, 遂及卦變, 變又不足, 推致五行, 一失其原, 巧喻彌甚. 縱復或值, 義無所取. 蓋存象忘意之由也. 忘象以求其意, 義斯見矣."[12]

(왕필이 말했다.) "상(象)은 뜻을 내는 것이고, 말은 상(象)을 밝히는 것이다. 뜻을 다하는 데 상만한 것이 없고, 상을 다하는 데 말만한 것이 없다. 말은 상에서 나오므로 말을 생각해서 상을 드러낼 수 있다. 상은 뜻에서 생겨나므로 상을 생각해서 뜻을 볼 수 있다. 뜻

12) 왕필(王弼), 『주역주』「주역약례(周易略例)·명상(明象)」.

은 상으로 다하고 상은 말로 드러난다. 그러므로 말은 상을 밝히는 것이니 상을 얻었다면 말을 잊는다. 상은 뜻을 보존하는 것이니 뜻을 얻으면 상을 잊는다. 말을 보존하여 집착함이 상을 터득한 것이 아니고, 상을 보존하여 집착함이 뜻을 터득한 것이 아니다. 상은 뜻에서 나오지만 뜻에 상을 보존하니, 보존해야 하는 것은 그 상이 아니다. 말은 상에서 나오지만 상에 말을 보존하니 보존해야 하는 것은 그 말이 아니다. 그렇다면 상을 잊는다는 것은 곧 뜻을 얻는 것이고, 말을 잊는다는 것은 곧 상을 얻는 것이다.
효가 순조로움에 합치되면 어찌 반드시 곤(坤)괘가 소가 되어야 하는가? 뜻이 강건함에 호응하면 어찌 반드시 건(乾)괘가 말이 되어야 하는가? 어떤 경우에는 건괘에 말을 배정하는데, 문자를 따라 괘상을 구하면 말은 있어도 건(乾)이 없으니, 거짓말들이 늘어나게 되어 기준을 잡기 어렵다.
호체(互體)도 부족하여 괘변(卦變)까지 하고, 괘변도 부족하여 오행(五行)을 추론하니, 한번 그 근원을 잃으면 교묘한 비유가 더욱 심해진다. 설령 간혹 맞는 것이 있더라도 의미를 취할 것이 없다. 이것은 상만 보존하고 뜻을 잊었기 때문이다. 상을 잊음으로써 그 뜻을 구하면 의미는 이에 드러난다."

● "按 : 象無初·上得位·失位之文, 又「繫辭」但論三五·二四同功異位, 亦不及初上, 何乎? 唯乾上九「文言」云'貴而無位', 需上六云'雖不當位.' 若以上爲陰位邪, 則需上六不得云'不當位'也. 若以上爲陽位邪, 則乾上九不得云'貴而無位'也. 陰陽處之, 皆云非位, 而初亦不說當位·失位也. 然則初·上者, 是事之終始, 無陰陽定位也. 故乾初謂之'潛', 過五謂之'無位', 未有處其位而云

'潛', 有位而云'無'者也. 歷觀衆卦, 盡亦如之. 初·上無陰陽定位, 亦以明矣.

(왕필이 말했다.) "생각건대 상(象)에는 초효와 상효의 지위를 얻고 지위를 잃는 글이 없고, 또 「계사전」에서는 단지 삼효·오효와 이효·사효의 공은 같지만 자리는 다르다고 논하면서,[13] 초효와 상효를 언급하지 않은 것은 어째서인가?
오직 건(乾)괘 상육효 「문언전」에서 '존귀하지만 자리가 없다.'라고 했고[14] 수(需)괘 상육효에서는 '자리가 합당하지는 않지만'이라고 했다.[15] 만약 상효가 음의 자리였다면 수(需)괘 상육효에서 '자리가

---

13) 「계사전」에서는 단지 삼효·오효와 이효·사효의 공은 같지만 지위는 다르다고 논하면서 : 『주역』「계사전」에서, "이(二)와 사(四)는 공이 같으나 자리가 달라 선함이 같지 않으니, 이(二)는 칭찬이 많고 사(四)는 두려움이 많음은 군주의 자리와 가깝기 때문이다. 부드러움이 도가 되는 것은 멀리 있음이 이롭지 않으나 그 요체가 허물이 없음은 모두 부드러움으로 중(中)을 쓰기 때문이다. 삼(三)과 오(五)는 공이 같으나 자리가 달라 삼(三)은 흉함이 많고 오(五)는 공이 많음은 귀천(貴賤)의 차등 때문이니, 부드러움은 위태롭고 강함은 이겨낼 것이다.[二與四, 同功而異位, 其善不同, 二多譽, 四多懼, 近也, 柔之爲道, 不利遠者, 其要无咎, 其用柔中也. 三與五, 同功而異位, 三多凶, 五多功, 貴賤之等也, 其柔, 危, 其剛, 勝耶.]"라고 하였다.

14) 건(乾)괘 상육효 「문언전」에서 '존귀하지만 지위가 없다'고 했고 : 『주역』 건(乾)괘 「문언전」에서, "상구효는 '너무 높이 올라간 용이니 후회가 있다'고 했는데 무슨 말인가? 공자가 말했다. '존귀하지만 지위가 없고, 높은 자리에 있지만 따르는 백성이 없고, 현명한 사람이 아랫자리에 있지만 보좌하지 않으니, 그러므로 어떤 일을 행해도 후회가 있다.'[上九曰亢龍有悔, 何謂也? 子曰, 貴而無位, 高而無民, 賢人在下位而無輔, 是以動而有悔也.]"라고 하였다.

합당하지 않다'라고 말할 수 없었을 것이다. 만약 상효가 양의 자리였다면 건(乾)괘 상구효는 '존귀하지만 자리가 없다'고 말할 수 없었을 것이다. 음양이 거기에 처하면 모두 자리가 아니라고 말했지만, 애초에 또한 자리가 합당하다거나 자리를 잃었다고 말하지 않았다. 그렇다면 초효와 상효는 일의 시작과 끝이지 음양에 정해진 자리가 없다.

그러므로 건(乾)괘 초효에서는 '잠겼다'고 말했고, 오효를 지나면 '자리가 없다'고 했지, 그 자리에 처했는데도 '잠겼다'고 말하거나 자리를 가지고 있는데도 '없다'고 말한 적은 없다. 여러 괘들을 두루 살펴보면 모두 이와 같다. 초효와 상효는 음양의 정해진 자리가 없는 것이 또한 명확하다.

位者, 列貴賤之地, 待才用之宅也. 爻者, 守位分之任, 應貴賤之序者也. 位有尊卑, 爻有陰陽. 尊者陽之所處, 卑者陰之所履也. 故以尊爲陽位, 卑爲陰位. 去初·上而論位分, 則三·五各在一卦之上, 亦何得不謂之陽位? 二·四各在一卦之下, 亦何得不謂之陰位? 初·上者, 體之終始, 事之先後也. 故位無常分, 事無常所, 非可以陰陽定也. 尊卑有常序, 終始無常主, 故「繫辭」但論四爻功·位之通例, 而不及初·上之定位也. 然事不可無終始, 卦不可無六爻, 初·上雖無陰陽本位, 是終始之地也. 統而論之, 爻之所

15) 수(需)괘 상육효에서는 '지위가 합당하지는 않지만'이라고 했다: 『주역』 수(需)괘 상육효 「상전」에서, "부르지 않은 손님 세 사람이 오는 데에 공경하며 맞이하면 끝내는 길한 것은 지위가 합당하지는 않지만 큰 실수는 없기 때문이다.[象曰, 不速之客來敬之終吉, 雖不當位, 未大失也.]"라고 하였다.

處則謂之位. 卦以六爻爲成, 則不得不謂之'六位時成'也."[16]

자리는 귀함과 천함의 지위를 배열한 것이고 재주의 쓰임을 기대하는 장소이다. 효(爻)는 자리의 본분을 지키는 소임이고 귀함과 천함의 순서에 호응하는 것이다. 자리에는 존귀함과 비천함이 있고 효에는 음양(陰陽)이 있다. 존귀함은 양이 처하는 곳이고 비천함은 음이 있는 곳이다. 그러므로 존귀함이 양의 지위이고 비천함이 음의 지위이다.
초효와 상효를 제외하고 자리의 본분을 논한다면 삼효와 오효는 각각 한 괘의 위에 있는 데 또한 어째서 양의 자리라고 말하지 않는가? 이효와 사효는 각각 한 괘의 아래에 있는데 음의 자리라고 말하지 않는가? 초효와 상효는 체(體)의 끝과 시작이고 일의 앞과 뒤이다. 그러므로 자리는 일정한 본분이 없고 일에는 일정한 장소가 없으니, 음양으로 정해질 수 있는 것이 아니다.
존귀함과 비천함에는 일정한 순서가 있고 시작과 끝에는 일정한 주체가 없으므로, 「계사전」에서는 다만 네 효의 공과 지위에 대한 일반적인 용례를 논했지, 초효와 상효의 정해진 자리는 언급하지 않았다. 그러나 일에는 끝과 시작이 없을 수 없고 괘에는 육효가 없을 수 없으므로, 초효와 상효는 비록 음양의 본래 자리가 없지만 시작하고 끝나는 곳이다. 통괄해서 논하면 효가 처한 것은자리이다. 괘는 여섯 효로 이루어지므로 '여섯 자리가 때에 따라 이루어진다'[17]

16) 왕필(王弼), 『주역주』「주역약례(周易略例)」.

17) 여섯 자리가 때에 따라 이루어진다 : 『주역』 건(乾)괘 「단전」에서, "시작과 끝을 크게 밝히면 여섯 자리가 때에 따라 이루어지니, 때에 따라 여섯 용(龍)을 타고서 하늘을 날아다닌다.[大明終始, 六位時成, 時乘六龍, 以御天.]"라고 하였다.

고 말하지 않을 수 없었다."

● "凡彖者, 統論一卦之體者也; 象者, 各辯一爻之義者也. 故履卦六三爲兌之主, 以應於乾, 成卦之體, 在斯一爻. 故「彖」敍其應, 雖危而亨也. 象則各言六爻之義, 明其吉凶之行. 去六三成卦之體, 而指說一爻之德, 故危不獲亨而見咥也. 訟之九二, 亦同斯義. 一卦之體, 必由一爻爲主, 則指明一爻之美, 以統一卦之義. 大有之類是也. 卦體不由乎一爻, 則全以二體之義明之, 豐卦之類是也."[18]

(왕필이 말했다.) "단(彖)이란 한 괘의 체(體)를 통괄하여 논한 것이고, 상(象)은 한 효의 뜻을 각각 분석한 것이다. 그러므로 리(履䷉)괘의 육삼효는 태(兌☱)괘의 주효이고 건(乾☰)에 호응하니, 괘의 체를 이루는 것은 이 한 효에 있다. 그러므로 「단전」에서 그 호응을 서술하여 위태롭지만 형통하다고 했다.[19]
상(象)은 각각 여섯 효의 뜻을 말하고 그 길흉의 운행을 밝혔다. 육삼효가 괘를 이루는 체인 것을 제외하고 한 효의 덕을 가리켜 말했으므로, 위태로워 형통함을 얻지 못하고 호랑이에게 물리게 된다고 하였다. 송(訟䷅)괘 구이효 역시 이러한 뜻과 같다.[20] 한 괘의 체는

18) 왕필(王弼), 『주역주』「주역약례(周易略例)」.

19) 「단전」에서 그 호응을 서술하여 위태롭지만 형통하다고 했다 : 『주역』 리(履)괘 「단전」에서, "리(履)는 부드러움이 강함에게 밟히는 것이니, 강건한 것을 기뻐하면서 호응한다. 그래서 호랑이 꼬리를 밟더라도, 사람을 물지 않으니, 형통하다.[彖曰, 履, 柔履剛也, 說而應乎乾. 是以履虎尾, 不咥人, 亨.]"라고 하였다.

20) 송(訟䷅)괘 구이효 역시 이러한 뜻과 같다 : 『주역』 송(訟)괘 구이효에서,

반드시 한 효가 주효가 되는 것에 말미암으니, 한 효의 아름다움을 명확히 가리켜 한 괘의 뜻을 통괄하는 것이다. 대유(大有䷍)괘 부류가 그러하다. 괘의 체가 한 효에서 연유하지 않는 것은 온전히 두 체의 뜻으로 그것을 밝히니 풍(豐䷶)괘의 부류가 그러하다."

● 薛收問, '一卦六爻之義.'

王氏通曰: "卦也者, 著天下之時也. 爻也者, 效天下之動也. 趨時有六動焉, 吉凶悔吝所以不同也."

收曰: "敢問六爻之義."

曰: "六者非它也, 三才之道. 誰能過乎?"[21]

설수(薛收)가 '한 괘 여섯 효의 의미'에 대해 물었다.

왕통(王通)[22]이 대답했다. "괘는 천하의 때를 드러낸다. 효는 천하의 움직임을 본받는다. 때를 좇아서 여섯 가지 움직임이 있고, 길

---

"구이효는 다툼을 할 수가 없으니, 돌아가 도망가서, 고을 사람이 3백 호인 것처럼 하면 과실은 없다.[九二, 不克訟, 歸而逋, 其邑人, 三百戶, 無眚.]"라고 하였다.

21) 왕통(王通), 『중설(中說)』 권7.

22) 왕통(王通, 584~617): 자는 중엄(仲淹)이고, 수(隋)나라 강주 용문(絳州龍門: 현 산서성 하진〈河津〉) 사람이다. 당(唐)나라 시인 왕발(王勃)의 조부이다. 어려서부터 영민해서 『시』, 『서』, 『예』, 『역』에 통달했다. 스스로 유자(儒者)임을 자부하고 강학(講學)에 힘을 쏟아 문하에서 당의 명신 위징(魏徵)·방현령(房玄齡) 등이 배출되었다. 제자들이 문중자(文中子)라고 시호를 올렸다. 송대 정자(程子)나 주자(朱子) 등은 그를 견유(犬儒)로 평가했다. 저서에 『논어』를 모방하여 대화 형식으로 편찬한 『문중자(文中子)』 10권과 『원경(元經)』이 있다.

·흉·회·린이 그것 때문에 같지 않다."
설수가 말했다. "여섯 효의 의미를 묻고자 합니다."
왕통이 대답했다. "여섯이란 다른 것이 아니라 삼재(三才)의 도이다. 누가 이것을 넘어설 수 있겠는가?"

● 孔氏穎達曰 : "易者, 變化之總名, 改換之殊稱. 自天地開辟, 陰陽運行, 寒暑迭來, 日月更出, 孚萌庶類, 亭毒羣品, 新新不停, 生生相續, 莫非資變化之力, 換代之功. 然變化運行, 在陰陽二氣. 故聖人初畫八卦, 設剛柔兩畫, 象二氣也; 布以三位, 象三才也; 謂之爲易, 取變化之義. 鄭康成作『易贊』及『易論』云, '易一名而含三義, 易簡一也, 變易二也, 不易三也.' 崔覲·劉貞簡等並用此義云, '易者, 謂生生之德, 有易簡之義; 不易者, 言天地定位, 不可相易; 變易者, 謂生生之道, 變而相續.' 周簡子云, '不易者, 常體之名; 變易者, 相變改之名.' 故今之所用, 同鄭康成等.

공영달이 말했다. "역은 변과 화 전체를 한꺼번에 부르는 이름이고 고쳐서 바꾸는 것을 달리 일컫는 말이다. 천지가 열리고 닫히는 것에서부터 음양의 운행, 더위와 추위의 번갈아 옴, 해와 달의 번갈아 뜨는 것, 여러 부류를 싹트게 하고 여러 사물을 화육하게 하며, 새롭고 새로워 멈추지 않아 낳고 낳아 서로 이어가는 것이 변화의 힘과 교체의 공로에 의지하지 않음이 없다. 그러나 변화와 운행은 음양 두 기(氣)에 달려 있다. 그러므로 성인이 처음 8괘를 그려서 강(剛)과 유(柔) 두 획을 만든 것은 두 기를 상징한 것이고, 그것을 세 자리로 나열한 것은 삼재(三才)를 형상한 것이며, 그것을 역이라고 한 것은 변화의 의미를 취한 것이다.
정강성(鄭康成 : 鄭玄)은 『역찬(易贊)』과 『역론(易論)』을 지어 '역

은 한 가지 이름에 세 가지 의미를 포함하는데, 이간(易簡)이 하나이고, 변역(變易)이 다른 하나이며, 불역(不易)이 또 다른 하나이다.'라고 말했다. 최근(崔覲)과 유정간(劉貞簡) 등은 모두 이 의미를 사용하여 '역(易)은 낳고 낳는 덕을 말하는데 쉽고 간단하다는 의미가 있고, 불역(不易 : 바뀌지 않음)은 하늘과 땅이 제자리를 정해 바뀔 수 없음을 말하며, 변역(變易 : 변하여 바뀜)은 낳고 낳는 도가 변하여 서로 이어지는 것을 말한다.'고 했다. 주간자(周簡子 : 周弘正)는 '불역(不易)은 일정한 체의 이름이고, 변역(變易)은 서로 변하는 이름이다.'라고 말했다. 그러므로 여기에서 사용하는 것은 정강성과 같다.

作『易』所以垂教者. '孔子曰, 「上古之時, 人民無別, 羣物未殊, 未有衣食器用之利, 伏犧乃仰觀象於天, 俯觀法於地, 中觀萬物之宜. 於是始作八卦, 以通神明之德, 以類萬物之情. 故易者, 所以斷天地,[23] 理人倫, 而明王道. 是以畫八卦, 建五氣, 以立五常之行; 象法乾坤, 順陰陽, 以正君臣父子夫婦之義; 度時制宜, 作爲罔罟, 以佃以漁, 以贍民用. 於是人民乃治, 君親以尊, 臣子以順, 羣生和洽, 各安其性.」', 此其作『易』垂教之本意也."[24]

『역』을 지은 것은 가르침을 내려주기 위함이다. (『건착도(乾鑿度)』에서) '공자는 「상고시대에는 사람과 백성이 구별이 없었고 여러 사물이 나누어지지 않았으며, 입을 것과 먹을 것에 기물을 사용하는

23) 所以斷天地 : 『건착도(乾鑿度)』에는 "所以繼天地[천지를 계승하여]"라고 되어 있다.

24) 공영달, 『주역주소(周易註疏)』 권수(卷首).

이로움이 없어 복희가 우러러 하늘에서 상(象)을 살펴보고 굽어 땅에서 법(法)을 살펴보며 가운데에서 만물의 마땅함을 살펴보았다. 이에 비로소 8괘를 지어 신명의 덕에 통하고 만물의 실정을 분류하였다. 그러므로 역(易)은 그것으로 천지를 계승하여 인륜을 다스리고 왕도를 밝힌 것이다. 이로써 8괘를 그리고 오행의 기(氣)를 세워 오상(五常)의 실천을 정립했으며, 건곤(乾坤)을 본받고 음양을 따라 군신·부자·부부의 의미를 바로잡았으며, 때를 헤아려 적절한 조치를 취하고 그물을 만들어 사냥하고 고기를 잡아 백성의 쓰임을 넉넉하게 했다. 이에 백성이 다스려졌고 군주와 부모는 존중하고 신하와 자식은 순종하여 여러 생명이 화합하고 각각 그 본성을 편안하게 했다.」라고 말했다.'라고 하였다. 이것이 『역』을 지어 가르침을 내렸다는 말의 본래 뜻이다."

● "乾·坤者, 陰陽之本始, 萬物之祖宗, 故爲「上篇」之始而尊之也. 離爲日, 坎爲月, 日月之道, 陰陽之經, 所以始終萬物, 故以坎·離爲「上篇」之終也. 咸·恒者, 男女之始, 夫婦之道. 人道之興, 必由夫婦, 所以奉承祖宗, 爲天地之主, 故爲「下篇」之始而貴之也. 旣濟·未濟爲最終者, 所以明戒愼而全王道也. 以此言之, 則上下二篇, 文王所定."[25]

(공영달이 말했다.) "건(乾☰)괘와 곤(坤☷)괘는 음양의 기원이고 만물의 조상이므로 「상편」의 시작으로 삼아 높였다. 리(離)는 해이고 감(坎)은 달이며, 해와 달의 도는 음양의 씨줄로서 만물을 시작

25) 공영달, 『주역주소(周易註疏)』 권수(卷首).

하고 끝맺는 것이기 때문에, 리(離☲)괘와 감(坎☵)괘가 상편의 끝이다.

함(咸☱)괘와 항(恒☳)괘는 남녀의 시작이고 부부의 도이다. 인간의 도리가 일어남은 반드시 부부로부터 연유하여 조상을 받들어 모시는 것이 천지(天地)의 주된 것이므로 「하편」의 시작으로 삼아 귀하게 하였다. 기제(旣濟☵)괘와 미제(未濟☲)괘가 가장 끝이 된 것은 경계와 신중함을 밝혀서 왕도를 온전히 한 것이다. 이것으로 말하면 상하 두 편은 문왕이 정한 것이다."

● 周子曰："聖人之精，畫卦以示；聖人之蘊，因卦以發．卦不畫，聖人之精不可得而見；微卦，聖人之蘊殆不可悉得而聞．『易』何止五經之原？其天地鬼神之奧乎！"[26]

주자(周子 : 周敦頤)[27]가 말했다. "성인의 정수(精髓)는 괘를 그려 보였고, 성인의 온축은 괘를 통해 발현했다. 괘를 그리지 않았다면 성인의 정수를 볼 수 없고 괘가 없었다면 성인의 온축을 모두 들을 수 없다. 『역』이 어떻게 오경의 근원에 그칠 뿐이겠는가? 천지와 귀

26) 주돈이(周敦頤), 『통서(通書)』「정온(精蘊)」.

27) 주돈이(周惇頤, 1017~1073) : 자는 무숙(茂叔)이고, 호는 염계(濂溪)이며, 원래 이름은 돈실(惇實)이었는데, 북송 제5대 황제인 영종(英宗 : 1063~1067)의 옛 이름(조종실〈趙宗實〉)을 피하여 돈이(惇頤)로 이름을 고쳤다. 송대 도주 영도(道州營道 : 현 호남성 도현〈道縣〉) 사람으로 송대 성리학의 개조이다. 분녕주부(分寧主簿), 지남창(知南昌), 지침주(知郴州), 지남강군(知南康軍) 등을 역임하였다. 이정(二程)의 스승이며, 주희의 형이상학 체계에 큰 영향을 끼쳤다. 저서는 『태극도설(太極圖說)』, 『통서(通書)』, 「애련설(愛蓮說)」 등이 있다.

신의 심오함이로다!"

● 邵子曰 : "天變而人效之, 故元·亨·利·貞, 易之變也. 人行而天應之, 故吉凶悔吝, 易之應也. 以元·亨爲變, 則利貞爲應, 以吉凶爲應, 則悔吝爲變. 元則吉, 吉則利應之, 亨則凶, 凶則應之以貞. 悔則古, 吝則凶. 是以變中有應, 應中有變也. 變中之應, 天道也. 故元爲變, 則亨應之 ; 利爲變, 則應之以貞. 應中之變, 人事也. 故變則凶, 應則吉; 變則吝, 應則悔也. 悔者吉之先, 而吝者凶之本, 是以君子從天不從人."[28)]

소자(邵子 : 邵雍)[29)]가 말했다. "하늘이 변함에 사람이 그것을 본받으므로 원·형·이·정은 역의 변함이다. 사람이 행함에 하늘이 그것에 호응하므로 길·흉·회·린은 역의 호응함이다. 원·형을 변함

28) 소옹(邵雍), 『황극경세서(皇極經世書)』「관물외편(觀物外篇)」.

29) 소옹(邵雍, 1011~1077) : 자는 요부(堯夫)이고, 호는 안락선생(安樂先生)이며, 소문산 백원(蘇文山 百源)가에 은거하여 백원선생(百源先生)이라고도 불리었다. 시호는 강절(康節)이다. 송대 범양(范陽 : 현 하북성 탁현〈涿縣〉) 사람으로 만년에는 낙양(洛陽)에 거주하였는데, 이때 사마광(司馬光)·여공저(呂公著)·부필(富弼) 등이 그를 존경하여 함께 교류하면서 대저택을 증여하였다. 이지재(李之才)에게 도서선천상수학(圖書先天象數學)을 배웠다고 한다. 그는 도가사상의 영향을 받고 유가의 역철학(易哲學)을 발전시켜 독특한 수리철학(數理哲學)을 완성하였다. 역(易)이 음과 양의 2원(二元)으로서 우주의 모든 현상을 설명하고 있음에 대하여, 그는 음(陰)·양(陽)·강(剛)·유(柔)의 4원(四元)을 근본으로 하고, 4의 배수(倍數)로서 모든 것을 설명하였다. 그의 역학(易學)은 주희(朱熹)에게 큰 영향을 주었다. 저서는 『황극경세(皇極經世)』, 『이천격양집(伊川擊壤集)』, 『어초문답(漁樵問答)』 등이 있다.

으로 여기면 이·정은 호응이 되고, 길·흉을 호응함으로 여기면 회·린은 변함이 된다. 원(元)은 길하니 길하면 이로움[利]이 호응하고, 형통함[亨]은 흉하니 흉하면 올바름[貞]으로 호응한다. 후회하면 길하고 유감이 있으면 흉하다.
이 때문에 변하는 가운데 호응함이 있고 호응하는 가운데 변함이 있다. 변하는 가운데 호응함이 있는 것이 천도(天道)이다. 그러므로 원이 변함이 되면 형통함이 호응하고, 이로움이 변함이 되면 올바름으로 호응한다. 호응하는 가운데 변함이 인사(人事)이다. 그러므로 변하면 흉하고 호응하면 길하며, 변하면 유감이 있고 호응하면 후회한다. 후회는 길함의 앞이고, 유감이 있는 것은 흉함의 근본이다. 이 때문에 군자는 천도를 따르고 인사를 따르지 않는다."

● "易有意象, 立意皆所以明象, 統下三者. 有言象, 不擬物而直言以明事. 有像象, 擬一物以明意. 有數象, '七日'·'八月'·'三年'·'十年'之類是也."[30]

(소옹이 말했다.) "역에는 뜻의 상(象)이 있으니, 뜻을 세움은 모두 상을 밝히는 근거이니 아래 세 가지를 통괄한다. 말[言]의 상이 있으니 사물에 견주지 않고 곧바로 말로 해서 인간사를 밝혔다. 또 모양[像]의 상이 있으니 한 사물에 견주어 뜻을 밝혔다. 수(數)의 상이 있으니 '7일', '8월', '3년', '10년' 등의 따위가 이것이다."

● 張子曰: "大易不言有無, 言有無, 諸子之陋也."[31]

30) 소옹(邵雍), 『황극경세서(皇極經世書)』「관물외편(觀物外篇)」.

장자(張子 : 張載)[32]가 말했다. "위대한 역(易)에서는 유무(有無)를 말하지 않으니, 유무를 말하는 것은 여러 학자들의 비루함이다."

● "『易』爲君子謀, 不爲小人謀. 故撰德於卦, 雖爻有小大, 及繫辭其爻, 必告以君子之義."[33]

(장재가 말했다.) "『역』은 군자를 위해 도모하는 것이지 소인을 위해 도모하는 것이 아니다. 그러므로 괘에서 덕을 가릴 때[34] 비록 효에 작은 것[陰]과 큰 것[陽]이 있지만, 그 효에 말을 달 때는 반드시 군자의 의리를 가지고 말하였다."

● 程子曰 : "有理而後有象, 有象而後有數. 得其義, 則象數在其中矣. 必欲窮象之隱微, 盡數之毫忽, 乃尋流逐末, 術家之所尙,

31) 장자(張載), 『장자전서(張子全書)』「정몽(正蒙)·대역(大易)」.

32) 장재(張載, 1020~1077) : 자는 자후(子厚)이고, 세칭 횡거선생(橫渠先生)이라고 한다. 송대 대량(大梁 : 현 하남성 개봉〈開封〉) 사람으로 거주지는 미현 횡거진(郿縣橫渠鎭 : 현 섬서성 미현〈眉縣〉)이었다. 1057년 진사에 급제했고 운암령(雲巖令)·숭정원교서(崇政院校書) 등을 역임하였다. 젊어서 병법을 좋아하여 범중엄에게 서신을 보냈다가 『중용』을 읽기를 권유받고, 얼마 뒤 『육경(六經)』에 전념하게 되었다. 특히 『역』과 『중용』을 중시하여 『정몽(正蒙)』, 『서명(西銘)』, 『역설(易說)』 등을 지었는데, 이로써 나중에 '관학(關學)'의 창시자가 되었다.

33) 장자(張載), 『장자전서(張子全書)』「정몽(正蒙)·대역(大易)」.

34) 괘에서 덕을 가릴 때 : 『주역』「계사하」에서, "물건을 뒤섞음과 덕을 가림과 옳고 그름을 분별하는 것은 그 가운데 있는 효가 아니면 갖추지 못할 것이다.[若夫雜物撰德, 辨是與非, 則非其中爻不備.]"라고 하였다.

非儒者之所務也, 管輅·郭璞之學是也."[35]

정자(程子)가 말했다. "이치[理]가 있은 뒤에 상(象)이 있고 상이 있은 뒤에 수(數)가 있다. 그 의리를 얻으면 상과 수는 그 가운데 있다. 기필코 상의 은미함을 궁구하려고 수의 미세함까지 다하며 말류에 빠지는 것은 술수가들이 숭상하는 짓이지 학자들이 힘쓸 일이 아니다. 관로(管輅)와 곽박(郭璞)의 학문이 그러하다."

● "理無形也, 故因象以明理. 理見乎辭矣, 則可由辭以觀象. 故曰, '得其義, 則象數在其中矣.'"[36]

(정자가 말했다.) "이치는 형체가 없으므로 상을 통하여 이치를 밝힌다. 이치는 말에 드러나니 말로 말미암아 상을 볼 수 있다. 그러므로 '그 뜻을 얻으면 상과 수는 그 가운데 있다.'라고 했다."

● "看『易』且要知時. 凡六爻人人有用, 聖人自有聖人用, 賢人自有賢人用, 衆人自有衆人用, 學者自有學者用, 君有君用, 臣有臣用, 無所不通."[37]

(정자가 말했다.) "『역(易)』을 볼 때는 우선 때를 알아야 한다. 무릇 여섯 효(爻)는 사람마다 쓰임이 있으니, 성인(聖人)은 성인의 쓰임이 있고, 현인(賢人)은 현인의 쓰임이 있으며, 중인(衆人)은 중인의

35) 정호·정이, 『하남정씨유서(河南程氏遺書)』 권21 상, 「사설(師說)」.
36) 정호·정이, 『하남정씨유서(河南程氏遺書)』 권21 상, 「사설(師說)」.
37) 정호·정이, 『하남정씨유서(河南程氏遺書)』 권19, 「양준도록(楊遵道錄)」.

쓰임이 있고, 학자는 학자의 쓰임이 있으며, 군주는 군주의 쓰임이 있고, 신하는 신하의 쓰임이 있어 통하지 않음이 없다."

● "大抵卦爻始立, 義旣具, 聖人別起義以錯綜之. 如春秋前旣立例, 到後來書得全別. 一般事便書得別有意思. 若依前例觀之, 殊失之也."[38)]

(정자가 말했다.) "대개 괘(卦)와 효(爻)가 처음 만들어졌을 때 의리(義理)가 이미 갖추어졌지만, 성인이 별도로 의리를 일으켜 교착하여 종합했다. 예컨대 춘추시대 이전에 이미 범례를 세워 놓았는데 나중에 글을 써서 완전히 구별된 것과 같다. 일반적인 일에서도 글을 쓰면 별도의 뜻이 있다. 이전의 범례에 의거하여 보면 자못 뜻을 잃게 된다."

● "作易者, 自天地幽明, 至於昆蟲·草木之微, 無一而不合."[39)]

(정자가 말했다.) "역을 쓴 것은 천지의 그윽하고 밝은 것으로부터 곤충·초목의 미세함에 이르기까지 하나라도 부합하지 않음이 없다."

● "陰之道, 非必小人也, 其害陽則小人, 其助陽成物則君子也. 利非不善也, 其害義則不善也, 其和義則非不善也."[40)]

38) 정호·정이, 『하남정씨유서(河南程氏遺書)』 권17.
39) 정호·정이, 『이정수언(二程粹言)』「논서편(論書篇)」.
40) 정호·정이, 『이정수언(二程粹言)』「논도편(論道篇)」.

(정자가 말했다.) "음(陰)의 도는 꼭 소인만을 가리키는 것이 아니니, 양(陽)을 해치면 소인이고 양을 돕거나 사물을 이루게 하면 군자이다. 이로움은 불선(不善)을 가리키는 것이 아니니, 의(義)를 해치면 불선이고 의(義)에 화합하면 불선이 아니다."

● 『傳』「序」云 : "易, 變易也, 隨時變易以從道也. 其爲書也, 廣大悉備, 將以順性命之理, 通幽明之故, 盡事物之情, 而示開物成務之道也. 聖人之憂患後世, 可謂至矣. 去古雖遠, 遺經尙存. 然而前儒失意以傳言, 後學誦言而忘味, 自秦而下, 蓋無傳矣. 予生千載之後, 悼斯文之湮晦, 將俾後人沿流而求源, 此『傳』所以作也.

(정자가) 『이천역전(伊川易傳)』「서(序)」에서 말했다. "역(易)은 변역(變易)이니 때에 따라 변역하여 도를 따르는 것이다. 『역』이란 책은 넓고 크게 모든 것을 갖추어, 성(性)과 명(命)의 이치를 따르고 죽음과 삶의 원인을 통달하며 사물의 실정을 다하여, 모든 것의 뜻을 열어 모든 일을 성취하는 도를 보였다.
성인이 후세를 근심하는 것이 지극하다 할 만하다. 지나간 옛날은 비록 멀지만 남아 있는 경전은 아직 보존되어 있다. 그러나 선대의 학자들은 뜻을 잃고 말만 전하여 후학들이 그 말만 암송하고 의미의 맛을 잃었으니, 진(秦)나라로부터 그 이후로는 의미의 맛이 전해지지 못했다. 내가 천년 뒤에 태어나서 우리 유학의 학문이 없어진 것을 안타깝게 여겨, 후대 사람들이 흘러온 것을 거슬러 올라가 근원을 구하도록 했으니, 이것이 『이천역전』을 짓게 된 까닭이다.

‘『易』有聖人之道四焉. 以言者尙其辭, 以動者尙其變, 以制器者尙其象, 以卜筮者尙其占.’ 吉凶消長之理, 進退存亡之道備於辭, 推辭考卦, 可以知變, 象與占在其中矣. ‘君子居則觀其象而玩其辭, 動則觀其變而玩其占.’ 得其辭, 不達其意者有矣, 未有不得於辭, 而能通其意者也. 至微者理也, 至著者象也. 體用一源, 顯微無間, 觀會通以行其典禮, 則辭無所不備. 故善學者求言必自近, 易於近者, 非知言者也. 予所傳者辭也. 由辭以得其意, 則在乎人焉.”[41]

(「계사상」에서) ‘『역』에는 성인의 도 4가지가 있다. 이것으로 말하는 자는 괘와 효의 말을 숭상하고, 이것으로 움직이려는 자는 괘와 효의 변화를 숭상하고, 이것으로 기물을 만들려는 자는 그 모양을 숭상하고, 이것으로 점을 치려는 자는 점괘를 숭상한다.’라고 하였다.
길흉(吉凶)·소장(消長)의 이치와 진퇴(進退)·존망(存亡)의 도리가 괘와 효의 말에 갖추어져 있어, 그 말을 미루어 괘를 고찰하면 변화를 알 수 있으니, 상(象)과 점(占)이 그 가운데 들어 있다.
(「계사상」에서) ‘군자가 거처할 때는 그 모양을 관찰하여 그 괘와 효의 말을 살펴보고, 움직이려 할 때는 변화를 관찰하여 점(占)을 살펴본다.’고 하였다. 그 괘와 효의 말을 이해하고도 그 속에 담긴 의미를 통달하지 못하는 사람은 있을 수 있지만, 괘효의 말을 이해하지도 못하고 그 속에 담긴 의미를 통달할 수 있는 사람은 없었다. 지극히 은미한 것은 이치(理)이고 지극히 드러난 것은 상(象)이다. 체(體)와 용(用)이 하나의 근원이고, 드러남과 은미함에 틈이 없으

41) 정이천(程伊川), 『이천역전(伊川易傳)』「이천역전서(伊川易傳序)」.

니, 모이고 통하는 곳을 살펴보아 전례(典禮)를 행하는 것은 괘효의 말에 갖추어지지 않음이 없다. 그러므로 잘 배우는 사람은 말을 이해할 때 반드시 스스로 가장 가까운 곳에서 이해하니, 그 가까운 것을 소홀히 하면 말을 아는 자가 아니다. 내가 전하는 것은 말인 사(辭)이다. 사(辭)로부터 의미를 이해하는 것은 사람에게 달려 있다."

● "『易』之爲書, 卦·爻·彖·象之義備, 而天地萬物之情見, 聖人之憂天下來世其至矣. 先天下而開其物, 後天下而成其務. 是故極其數, 以定天下之象 ; 著其象, 以定天下之吉凶. 六十四卦, 三百八十四爻, 皆所以順性命之理, 盡變化之道也. 散之在理, 則有萬殊 ; 統之在道, 則無二致. 所以易有太極, 是生兩儀, 太極者道也, 兩儀者陰陽也. 陰陽一道也, 太極無極也. 萬物之生, 負陰而抱陽, 莫不有太極, 莫不有兩儀, 絪縕交感, 變化不窮. 形一受其生, 神一發其智, 情僞出焉, 萬緖起焉, 易所以定吉凶而生大業. 故易者, 陰陽之道也 ; 卦者, 陰陽之物也 ; 爻者, 陰陽之動也. 卦雖不同, 所同者奇·偶. 爻雖不同, 所同者九·六. 是以六十四卦爲其體, 三百八十四爻互爲其用. 遠在六合之外, 近在一身之中, 暫於瞬息, 微於動靜, 莫不有卦之象焉, 莫不有爻之義焉.

(주자가 『주역본의(周易本義)』「서(序)」에서 말했다.) "『역』이라는 책에는 괘(卦)·효(爻)·단(彖)·상(象)의 의미가 갖추어져 천지만물의 실정이 드러나 있으니, 성인이 세상의 후세를 근심하는 것이 지극하다. 세상에 앞서 사물을 열어주고, 세상을 뒤따라 일을 이루었다.

이 때문에 그 수(數)를 지극히 하여 세상의 상(象)을 정하고, 그 상(象)을 드러내어 세상의 길흉을 정하였다. 64괘와 384효는 모두 성명(性命)의 이치를 따르고 변화의 도(道)를 다한 것이다. 흩어져 이치에 있으면 만 가지로 차이가 있고 통합하여 도에 있으면 두 가지가 없다. 그러므로 역에 태극(太極)이 있어 이것이 양의(兩儀)를 낳음에, 태극은 도이고 양의는 음양(陰陽)이다. 그러나 음양은 하나의 도이고 태극은 무극(無極)이다. 만물이 생겨남에 음(陰)을 등지고 양(陽)을 안아 태극이 있지 않음이 없고 양의가 있지 않음이 없으니, 서로 깊게 교감하여 변화가 끝이 없다.

형체가 한번 생명을 받고 정신이 한번 지혜를 발현하여 진정과 거짓이 생겨나며 만 가지 단서가 일어나니, 역은 길흉을 정하여 대업을 낳는다. 그러므로 역은 음양의 도이고, 괘는 음양의 사물이며, 효는 음양의 움직임이다. 괘는 비록 같지 않지만 같은 것은 기(奇 : 홀인 陽)와 우(偶 : 짝인 陰)이고, 효는 비록 같지 않지만 같은 것은 구(九 : 陽)와 육(六 : 陰)이다. 그래서 64괘는 그 체(體)가 되고 384효는 서로 그 용(用)이 된다. 멀리는 육합(六合)의 밖에 있고 가까이는 한 몸의 가운데 있어, 순식간의 순간과 움직임·고요함의 미세한 것에도 괘의 상(象)이 있지 않음이 없고 효의 의미가 있지 않음이 없다.

至哉, 易乎! 其道至大而無不包, 其用至神而無不存. 時固未始有一, 而卦亦未始有定象, 事固未始有窮, 而爻亦未始有定位. 以一時而索卦, 則拘於無變, 非易也; 以一事而明爻, 則窒而不通, 非易也; 知所謂卦·爻·彖·象之義, 而不知有卦·爻·彖·象之用, 亦非易也. 故得之於精神之運, 心術之動, 與天地合其德,與日月合其明, 與四時合其序, 與鬼神合其吉凶, 然後可以謂之知易也. 雖然, 易之有卦, 易之已形者也; 卦之有爻, 卦之已見者也. 已形已見者, 可以言知, 未形未見者, 不可以名求, 則所謂易者果何如哉? 此學者所當知也."[42]

지극하다, 역(易)이여! 그 도가 매우 커서 포함하지 않은 것이 없고, 그 쓰임이 아주 신묘하여 있지 않은 것이 없다. 때는 본디 애초에 똑같은 적이 없었고, 괘도 또한 애초에 정해진 모습이 없었으며, 일은 본디 애초에 끝이 없었고 효도 또한 애초에 정해진 자리가 없었다. 한 때로 괘를 찾으면 변화가 없음에 구애되니 역(易)이 아니고, 한 가지 일로 효를 밝히면 막혀 통하지 못하니 역(易)이 아니며, 이른바 괘·효·단·상의 의미만 알고 괘·효·단·상의 쓰임을 알지 못해도 역(易)이 아니다.
그러므로 정신(精神)의 운용과 심술(心術)의 움직임에서 터득하여 천지와 더불어 그 덕이 합하고 일월(日月)과 더불어 밝음이 합하고 사시(四時)와 더불어 차례가 합하고 귀신(鬼神)과 더불어 길흉이 합한 뒤에야 역(易)을 안다고 말할 수 있다. 비록 그러하지만 역에 괘가 있는 것은 역이 이미 나타난 것이고, 괘에 효가 있는 것은 괘가 이미 드러난 것이다. 이미 나타나고 이미 드러난 것은 말로 알 수 있지만 아직 나타나지 않고 드러나지 않은 것은 이름으로 구할 수 없으니, 역(易)이라고 하는 것은 과연 어떠한 것인가? 이는 배우는 자가 마땅히 알아야 할 것이다."

42) 주희, 『주역본의(周易本義)』「서(序)」.

● 朱子曰:“『漢書』, ‘『易』本隱以之顯, 『春秋』推見至隱.’ ‘『易』與『春秋』, 天人之道也.’ 『易』以形而上者, 說出在那形而下者上; 『春秋』以形而下者, 說上那形而上者去.”[43]

주자가 말했다. “『한서(漢書)』에 ‘『역』은 감추어진 것에 근본하여 드러난 것으로 나아가고, 『춘추』는 드러난 것을 미루어 감추어진 것에 이른다.’[44]라고 했고 ‘『역』과 『춘추』는 자연과 인간의 도이다.’[45]라고 했다. 『역』은 형이상자를 가지고 형이하자 상에서 말하고 『춘추』는 형이하자를 가지고 형이상자를 말한다.”

● 問:“易有交易·變易之義, 如何?”
曰:“交易是陽交於陰, 陰交於陽, 是卦圖上底. 如‘天地定位, 山澤通氣’云云者是也. 變易是陽變陰, 陰變陽, 老陽變爲少陰, 老陰變爲少陽, 此是占筮之法. 如晝夜·寒暑·屈伸·往來者是也.”[46]

물었다. “역(易)에는 교역(交易)과 변역(變易)의 의미가 있다는데, 어떤 뜻입니까?”
(주자가) 대답했다. “교역(交易)은 양이 음에서 사귀고 음이 양에서 사귀는 것이니 괘도(卦圖)에 있다. 예를 들어 ‘하늘과 땅이 자리를 정하고 산과 못이 기를 통한다’라고 운운하는 말이[47] 이것이다.

43) 주희, 『주자어류』 권67, 133조목.
44) 『역』은 감추어진 것에 근본하여 … 감추어진 것에 이른다 : 『전한서(前漢書)』 권57 하, 「사마상여전(司馬相如傳)」.
45) 『역』과 『춘추』는 천인(天人)의 도이다 : 『전한서(前漢書)』 권21 상, 「율력지(律歷志)」
46) 주희, 『주자어류』 권65, 22조목.

변역(變易)은 양이 음으로 변하고 음이 양으로 변하며, 노양(老陽)이 변하여 소음(少陰)이 되고 노음(老陰)이 변하여 소양(少陽)이 되는 것이니, 이것은 점치는 방법이다. 예를 들어 낮과 밤·추위와 더위·굽힘과 펼침·오고감이 이것이다."

● "易是陰陽屈伸, 隨時變易. 大抵古今有大闔闢, 小闔闢. 今人說易, 都無著摸. 聖人便於六十四卦, 只以陰陽奇耦寫出來. 至於所以爲陰陽, 爲古今, 乃是此道理."[48]

(주자가 말했다.) "역은 음양이 굽히고 펼쳐져 때에 따라 변화하고 바뀌는 것이다. 예나 지금이나 큰 합벽(闔闢 : 열리고 닫힘)과 작은 합벽이 있다. 지금 사람들이 『역』을 말하는 데 도무지 모색하는 것이 없다. 성인은 64괘에서 음양과 기우(奇偶)만으로 그려냈을 뿐이다. 음과 양이 되고, 예나 지금이 되는 근거에 이르는 것이, 곧 이 도리이다."

● "聖人作『易』之初, 蓋是仰觀俯察, 見得盈乎天地之間, 無非一陰一陽之理. 有是理, 則有是象; 有是象, 則其數便自在這裏, 非特「河圖」·「洛書」爲然. 而「圖」·「書」爲特巧而著耳. 於是聖人

47) 하늘과 땅이 위치를 정하고 산과 못이 기를 통한다'고 운운하는 말이 : 『주역』「설괘전」, 제3장에서, "하늘과 땅이 위치를 정하고 산과 연못이 기를 통하며, 우레와 바람이 서로 부딪히고, 물과 불이 서로 해치지 않아 8괘가 서로 교착한다.[天地定位, 山澤通氣, 雷風相薄, 水火不相射, 八卦相錯.]"라고 하였다.

48) 주희, 『주자어류』 권95, 30조목.

因之而畫卦, 卦畫旣立便有吉凶在裏. 蓋是陰陽往來·交錯於其間, 其時則有消長之不同, 長者便爲主, 消者便爲客; 事則有當否之或異, 當者便爲善, 否者便爲惡. 卽其主客·善惡之辨, 而吉凶見矣. 故曰'八卦定吉凶.' 吉凶旣決定而不差, 則以之立事, 而大業自此生矣.

(주자가 말했다.) "성인이 『역』을 처음 지을 때 우러러 보고 굽어 살펴 천지 사이에 가득 찬 것이 한번 음하고 한번 양하는 이치가 아님이 없음을 알았다. 이 이치가 있으면 이 상(象)이 있고, 이 상이 있으면 그 수(數)가 본래 거기에 있으니, 「하도」와 「낙서」만이 그러한 것이 아니다. 「하도」와 「낙서」는 특별히 뛰어나게 잘 드러내고 있을 뿐이다. 이에 성인이 그것에 따라 괘를 그었고, 괘의 획이 확립된 후, 곧 길흉이 그 안에 있게 되었다.
이 음양이 그 사이에서 왕래하고 교착하면, 그 때는 소멸하고 자라나는 다름이 있으니, 자라나는 것은 주인이 되고 소멸하는 것은 손님이 된다. 일에는 마땅함과 마땅하지 않음의 차이가 있으니, 마땅한 것은 선이 되고 마땅하지 않은 것은 악이 된다. 그 주인과 손님, 선과 악의 분별에서 길흉이 나타난다. 그러므로 '8괘가 길흉을 정한다.'[49]라고 했다. 길흉이 결정된 후 어긋나지 않으면, 이것으로 일을 세우고 큰 사업이 여기에서 생겨난다.

此聖人作『易』, 教民占筮, 而以開天下之愚, 以定天下之志, 以成天下之事者如此. 自伏犧而下, 但有此六畫, 而未有文字可傳,

49) 8괘가 길흉을 정한다 : 『주역』「계사상」에서, "8괘가 길흉(吉凶)을 정하고, 길흉이 큰 사업을 낳는다.[八卦定吉凶, 吉凶, 生大業.]"라고 하였다.

到得文王·周公, 乃繫之以辭. 故曰'聖人設卦觀象, 繫辭焉而明吉凶.'

이것이 성인이 『역』을 지어 백성들에게 점치는 일을 가르쳐, 세상의 어리석은 사람을 개발해주고 세상의 뜻을 정하며 세상의 일을 완성하는 작업인데, 일이 이와 같다. 복희 이래로부터 단지 이 여섯 획만 있고 전할 만한 문자는 없었는데, 문왕과 주공에 이르러 이에 말을 덧붙였다. 그러므로 '성인이 괘를 만들어 상(象)을 살펴보고, 말을 붙여 길흉을 밝혔다.'[50]라고 했다.

大率天下之道, 只是善惡而已. 但所居之位不同, 所處之時旣異, 而其幾甚微. 只爲天下之人不能曉會, 所以聖人因占筮之法以曉人, 使人居則觀象玩辭, 動則觀變玩占, 不迷於是非得失之途. 所以是書夏·商·周皆用之. 其所言雖不同, 其辭雖不可盡見, 然皆太卜之官掌之, 以爲占筮之用. 自伏犧而文王·周公, 雖自略而詳, 所謂占筮之用則一. 蓋卽占筮之中, 而所以處置是事之理, 便在裏了. 故其法若粗淺, 而隨人賢愚, 皆得其用. 雖是有定象, 有定辭, 皆是虛說此個地頭, 合是如此處置, 初不黏著物上. 故一卦一爻, 足以包無窮之事.

대체로 천하의 도는 선과 악일 뿐이다. 단지 사는 자리가 다르고 처하는 때가 이미 다르지만, 그 기미는 매우 은미하다. 다만 세상 사람들이 이것을 깨닫지 못하기 때문에, 성인이 점치는 법으로 사람들을 깨우쳐 사람들이 가만히 있을 때는 상(象)을 살펴보고 말을

50) 성인이 괘를 만들어 상(象)을 살펴보고, 말을 붙여 길흉을 밝혔다 : 『주역』「계사상」 제2장.

음미하며, 움직일 때는 변화를 살펴보고 점(占)을 완미하여 시비(是非)와 득실(得失)의 길에 미혹되지 않게 하였다.
그래서 이 책을 하·상·주 시대에 모두 사용했다. 말한 것이 비록 똑같지 않고 그 설명은 비록 모두 이해할 수 없지만, 모두 태복(太卜)의 관원이 관장하여 점치는 용도로 삼았다. 복희로부터 문왕·주공에 이르기까지 비록 간략함에서 상세하게 되었으나, 이른바 점치는 용도는 한결같았다.
점치는 가운데 이 일을 처리하는 근거로서의 이치가 그 속에 있었다. 그러므로 그 방법이 거칠고 얕은 것 같지만 사람들의 현명함과 어리석음에 따라 모두 그 쓰임을 얻을 수 있었다. 비록 정해진 상(象)이 있고 정해진 설명이 있지만, 모두 이러한 경우에는 마땅히 이와 같이 처리해야 한다는 것을 가정해서 말했을 뿐, 애초에 어떤 것에 고착되지 않았다. 그러므로 하나의 괘와 하나의 효가 무궁한 일들을 포함하기에 충분했다.

此所以見易之爲用, 無所不該, 無所不遍, 但看人如何用之耳. 易如鏡相似, 看甚物來, 都能照得. 如所謂'潛龍', 只是有個潛龍之象, 自天子至於庶人, 看甚人來, 都使得. 孔子說作'龍德而隱', 便是就事上指殺說來. 然會看底, 雖孔子說也活, 也無不通; 不會看底, 雖文王·周公說底, 也死了. 須知得他是假托說, 是包含說. 假托, 謂不惹著那事; 包含, 是說個影像在這裏, 無所不包."[51]

여기에서 역(易)의 쓰임이 포함하지 않음이 없고 두루 편재하지 않음이 없음을 알 수 있으니, 사람이 어떻게 사용하는지를 볼 뿐이다.

51) 주희, 『주자어류』 권67, 5조목.

역은 하나의 거울과 같아 어떤 물건을 비춰보아도 모두 비출 수 있다. 예컨대 이른바 '잠긴 용'은 잠긴 용의 상이 있을 뿐이니, 천자로부터 서민에 이르기까지 어떤 사람이 보더라도 모두 사용할 수 있다. 공자가 '용의 덕을 가지고 은둔한 자이다.'[52)]라고 한 것은 구체적인 일에 제한하여 말한 것이다.
그러나 잘 이해하는 사람은 공자가 말한 것이 생동적이라도 또한 통하지 않음이 없고, 이해하지 못하는 사람은 문왕과 주공이 말한 것이라도 죽은 것이 되어버린다. 모름지기 역은 가탁하여 말하고 포괄적으로 말한 것임을 알아야 한다. 가탁한 것은 어떤 구체적인 일을 초래하지 않음을 말하고, 포괄적인 것은 어떤 형상이 그 속에 있어 포함하지 않음이 없음을 말한다."

● "易之有象, 其取之有所從, 其推之有所用, 非苟爲寓言也. 然兩漢諸儒, 必欲究其所從, 則旣滯泥而不通. 王弼以來, 直欲推其所用, 則又疏略而無據. 二者皆失之一偏, 而不能闕其所疑之過也. 且以一端論之, 乾之爲馬, 坤之爲牛, 「說卦」有明文矣. 馬

52) 용의 덕을 가지고 은둔한 자이다 : 『주역』 건(乾)괘 초구효, 「문언전」에서, "초구에 말하기를 '잠겨 있는 용은 쓰지 말라'는 것은 무슨 말인가? 공자가 말했다. '용의 덕을 가지고 은둔한 자이니, 세상에 따라 변치 않으며 명성을 이루려 하지 않아, 세상에 은둔하되 근심하지 않으며, 남으로부터 인정을 받지 못하여도 고민하지 않아, 즐거운 세상이면 도를 행하고 걱정스런 세상이면 떠나가서, 뜻이 확고하여 뽑을 수 없는 것이 잠겨있는 용이다.'라고 했다.[初九曰, '潛龍勿用, 何謂也?' 子曰, '龍德而隱者也, 不易乎世, 不成乎名, 遯世无悶, 不見是而无悶, 樂則行之, 憂則違之, 確乎其不可拔, 潛龍也.']"라고 하였다.

之爲健, 牛之爲順, 在物有常理矣. 至於案文責卦, 若屯之有馬而無乾, 離之有牛而無坤, 乾之六龍, 則或疑於震, 坤之牝馬, 則當反爲乾, 是皆有不可曉者.

(주자가 말했다.) "역(易)에 상(象)이 있는데 그 취함에는 좇는 것이 있고 그 추론함에는 쓰이는 곳이 있으니, 구차하게 말을 붙인 것이 아니다. 그러나 양한(兩漢)의 여러 학자들은 반드시 그 좇는 것을 추구하려고 했으니, 이미 막히고 집착하여 통하지 못했다. 왕필 이래로 그 쓰이는 곳만을 추론하려고 했으니, 또 엉성하고 간략하여 근거가 없었다. 이 두 가지는 모두 한 쪽으로 치우치는 실수를 저질러, 의심스러운 것을 유보해 두지 않은 잘못이 있다.
우선 한 가지를 가지고 논한다면, 건(乾)이 말이 되고 곤(坤)이 소가 되는 것은 「설괘전(說卦傳)」에 분명한 글이 있다. 말의 강건함과 소의 순종함은 사물에서는 일상적인 이치이다. 그러나 문자를 따라 괘상을 구하는 경우, 준(屯䷂)괘에는 말이 있지만 건(乾☰)이 없고,[53] 리(離䷝)괘에는 소가 있지만 곤(坤☷)이 없으며,[54] 건(乾)괘의 여섯 마리 용은 진(震)괘에 견주고,[55] 곤(坤)괘의 암말은 마

53) 준(屯䷂)괘에는 말이 있지만 건(乾☰)이 없고 : 『주역』 준(屯)괘 육이효에서, "육이효는 혼돈스러워서 나아가지 못하며, 말을 탔다가 내리니, 도적이 아니라면 혼인을 한다. 여자가 올바름을 지켜 아이를 잉태하지 않다가, 10년 만에 아이를 잉태한다.[六二, 屯如邅如, 乘馬班如, 匪寇, 婚媾. 女子貞不字, 十年乃字.]"라고 하였다.

54) 리(離䷝)괘에는 소가 있지만 곤(坤☷)이 없으며 : 『주역』 리(離)괘 괘사, "붙어 의지하는 데에는 올바름을 굳게 지키는 것이 이롭고 형통하니, 암소를 기르듯이 하면, 길하다.[離, 利貞, 亨. 畜牝牛, 吉.]"라고 하였다.

55) 건(乾)괘의 여섯 마리 용은 혹 진(震)괘에 견주고 : 『주역』「설괘전」에서 "건은 말이고, 곤은 소이며, 진은 용이고, 손은 닭이며, 감은 돼지이고,

땅히 돌이켜 건(乾)이 되어야 한다면, 이는 모두 분명하게 밝힐 수 없는 것이 있다.

是以漢儒求之「說卦」而不得, 則遂相與創爲互體·變卦·五行·納甲·飛伏之法, 參互以求, 而幸其偶合. 其說雖詳, 然其不可通者, 終不可通, 其可通者, 又皆傅會穿鑿, 而非有自然之勢. 唯其一二之適然而無待於巧說者, 爲若可信, 然上無所關於義理之本原, 下無所資於人事之訓戒, 則又何必苦心極力以求於此, 而欲必得之哉!

이 때문에 한(漢)대 학자들이 「설괘전」에서 구했으나 얻지 못했으니, 마침내 서로 호체(互體)·변괘(變卦)·오행(五行)·납갑(納甲)·비복(飛伏)의 방법을 만들어 상호 참조하여 구하고 요행이 부합하기를 바랐다. 그 말이 상세하지만 통할 수 없는 것은 끝내 통할 수 없었고, 통할 수 있는 것도 모두 견강부회하고 천착하여 자연스러운 형세가 있지 않았다. 오직 한두 가지가 우연히 맞아서 교묘한 말이 필요 없는 것은 믿을 만한 것 같지만, 위로는 의리(義理)의 본원에 관계되는 것이 없고 아래로는 인사(人事)의 훈계(訓戒)에 도움되는 것이 없으니, 또 어찌 고심하고 힘을 다해 이것을 구하여 반드시 터득하려고 하겠는가!

故王弼曰, '義苟應健, 何必乾乃爲馬 ; 爻苟合順, 何必坤乃爲牛?' 而程子亦曰, '理無形也, 故假象以顯義.' 此其所以破先儒膠

리는 꿩이며, 간은 개이고, 태는 양이다.[乾爲馬, 坤爲牛, 震爲龍, 巽爲雞, 坎爲豕, 離爲雉, 艮爲狗, 兌爲羊.]"라고 하였다.

固支離之失，而開後學玩辭玩占之方，則至矣．然觀其意，又似直以易之取象，無復有所自來，但如『詩』之比·興，『孟子』之譬喩而已．如此則是「說卦」之作，爲無所與於『易』．而'近取諸身，遠取諸物'者，亦剩語矣．故疑其說亦若有未盡者．因竊論之，以爲易之取象，固必有所自來，而其爲說，必已具於太卜之官，顧今不可復考，則姑闕之，而直據辭中之象，以求象中之意，使足以爲訓戒，而決吉凶，如王氏·程子與吾『本義』之云者，其亦可矣．固不必深求其象之所自來，然亦不可直謂假設，而遽欲忘之也．"[56]

그러므로 왕필이 '의미가 강건함에 호응한다면 하필 건(乾)이라야 비로소 말이 되고, 효(爻)가 순종함에 부합한다면 하필 곤(坤)이라야 비로소 소가 되겠는가?'[57]라고 했고, 정자(程子)도 또한 '이치는 형체가 없으므로 상(象)을 빌어 의미를 드러냈다.'[58]라고 했다. 이는 선대 학자들의 고루하고 지리한 잘못을 깨뜨려 후학들에게 말을 음미하고 점을 살피는 방법을 열어준 것이니, 지극하다.
그러나 그 뜻을 살펴보면, 또 다만 역(易)에서 상(象)을 취한 것이 다시 유래한 바가 없기 때문에, 『시(詩)』의 비(比)·흥(興)과 『맹자(孟子)』의 비유와 같을 뿐이라고 여기는 듯하다. 이와 같다면 「설괘전」을 지은 것이 역(易)에 관여함이 없게 된다. 그리고 '가까이는 몸에서 취하고 멀리는 사물에서 취했다.'[59]라는 것도 또한 쓸데없

56) 주희, 『주문공문집(朱文公文集)』 권67, 「잡저(雜著)·역상설(易象說)」.
57) 의미가 강건함에 호응한다면 … 비로소 소가 되겠는가? : 왕필, 『주역약례(周易略例)』「명상(明象)」.
58) 이치는 형체가 없으므로 상(象)을 빌어 의미를 드러냈다 : 『하남정씨유서(河南程氏遺書)』 권21 상, 「사설(師說)」.

는 말이 된다. 그러므로 그 설명들을 의심하는 것도 또한 미진함이 있는 듯하다.
이 때문에 내 생각에는, 역(易)에서 상(象)을 취한 것은 반드시 유래가 있을 것이고, 그 해설이 반드시 태복(太卜)의 관원에게 이미 갖추어져 있었는데 다만 지금 다시 상고할 수 없으니, 잠시 그것은 유보해둔다. 사(辭) 가운데 상(象)에 근거하여 상(象) 가운데 뜻을 구해 훈계로 삼고 길흉을 결단하는 것이 왕필과 정자(程子)와 나의 『주역본의』에서 말한 것처럼 하면, 그 또한 괜찮다고 본다. 본디 그 상(象)의 유래를 깊이 추구할 필요는 없지만, 또한 단지 가설(假設)이라고 말하여 대번에 그것을 버리려 해서도 안 될 것이다."

● "易之象似有三樣 : 有本畫自有之象, 如奇畫象陽·偶畫象陰是也. 有實取諸物之象, 如乾坤六子, 以天地雷風之類象之是也. 有只是聖人自取象來明是義者, 如'白馬翰如'·'載鬼一車'之類是也."[60]

(주자가 말했다.) "역(易)의 상(象)은 세 가지가 있는 듯하다. 본래

---

59) 가까이는 몸에서 취하고 멀리는 사물에서 취했다 : 『주역』「계사상」에서, "옛날 포희씨(包犧氏)가 세상에 왕 노릇할 때 우러러 하늘의 상(象)을 관찰하고 굽어 땅의 법(法)을 관찰하며, 새와 짐승의 문(文)과 천지의 마땅함을 관찰하며, 가까이는 자신에게서 취하고 멀리는 물건에게서 취하여, 이에 비로소 8괘를 만들어 신명(神明)의 덕을 통하고 만물의 실정을 분류하였다.[古者包犧氏之王天下也, 仰則觀象於天, 俯則觀法於地, 觀鳥獸之文, 與天地之宜, 近取諸身, 遠取諸物, 於是始作八卦, 以通神明之德, 以類萬物之情.]"라고 하였다.
60) 주희, 『주자어류』 권66, 71조목.

획(畫)에 원래 가지고 있는 상(象)이 있으니, 예컨대 기(奇)의 획은 양(陽)을 상징하고 우(偶)의 획은 음(陰)을 상징함이 이것이다. 실제로 여러 물건의 상(象)을 취한 것이 있으니, 예컨대 건(乾)·곤(坤)과 여섯 자식으로 천(天)·지(地)·뇌(雷)·풍(風) 등의 부류로 상징함이 이것이다. 다만 성인이 스스로 상(象)을 취하여 그 의미를 밝힌 것이 있으니, 예컨대 '백마(白馬)가 나는 듯하다.'[61]라는 말과 '귀신을 한 수레에 가득히 실었다.'[62]라는 말과 같은 부류가 이것이다."

● "易有象辭, 有占辭, 有象·占相渾之辭."[63]

(주자가 말했다.) "『역』에는 상사(象辭)가 있고, 점사(占辭)가 있으며, 상과 점이 혼합된 사(辭)가 있다."

● 問:"王弼說初·上無陰·陽定位, 如何?"

61) 백마(白馬)가 나는 듯하다:『주역』비(賁)괘 육사효에서, "육사효는 꾸미는 것이 희며, 흰 말이 나는 듯하니, 도적이 아니면 청혼한다.[六四, 賁如皤如, 白馬翰如, 匪寇婚媾.]"라고 하였다.

62) 귀신을 한 수레에 가득히 실었다:『주역』규(睽)괘, 상구효에서, "상구효는 대립하고 외로워서, 돼지가 진흙을 뒤집어쓴 것과 수레에 귀신이 가득히 실려 있는 것을 본다. 먼저 활줄을 당기다가 나중에는 활줄을 풀어놓는데, 이는 도적이 아니라 혼인하는 것이니, 가서 비를 만나면 길하다.[上九, 睽孤, 見豕負塗, 載鬼一車. 先張之弧, 後說之弧, 匪寇婚媾, 往遇雨則吉.]"라고 하였다.

63) 주희,『주자어류』권67, 107조목.

曰 : "伊川說'陰陽奇偶, 豈容無也? 乾上九「貴而無位」, 需上六「不當位」, 乃爵位之位, 非陰陽之位', 此說最好."[64]

물었다. "왕필이 초효와 상효는 음이나 양으로 정해진 자리가 없다고 말했는데, 어떻습니까?"
(주자가) 대답했다. "이천(伊川 : 程頤)이 '음양은 기(奇)·우(偶)이니 어찌 없다고 하겠는가? 건(乾)괘 상구효 「문언전」에서 「존귀하지만 자리가 없다」[65]고 했고 수(需)괘 상육효에서는 「자리가 합당하지는 않지만」[66]이라고 했으니, 작위의 자리이지 음양의 자리가 아니다.'[67]라고 말했으니, 이 설명이 가장 좋다."

● "『易』只是爲卜筮而作, 故『周禮』分明言太卜掌三易連山·歸藏·周易. 古人於卜筮之官, 立之凡數人. 秦去古未遠, 故『周易』亦以卜筮得不焚. 今人說『易』是卜筮之書, 便以爲辱累了『易』.

64) 주희, 『주자어류』 권70, 41조목.
65) 존귀하지만 자리가 없다 : 『주역』 건(乾)괘 「문언전」에서, "상구효는 '너무 높이 올라간 용이니 후회가 있다'고 했는데 무슨 말인가? 공자가 말했다. 존귀하지만 자리가 없고, 높은 자리에 있지만 따르는 백성이 없고, 현명한 사람이 아랫자리에 있지만 보좌하지 않으니, 그러므로 어떤 일을 행해도 후회가 있다.[上九曰, '亢龍有悔, 何謂也?' 子曰, '貴而無位, 高而無民, 賢人在下位而無輔, 是以動而有悔也.']"라고 하였다.
66) 자리가 합당하지는 않지만 : 『주역』 수(需)괘 상육효 「상전」에서, "부르지 않은 손님 세 사람이 오는 데에 공경하며 맞이하면 끝내는 길한 것은 자리가 합당하지는 않지만 큰 실수는 없기 때문이다.[象曰, '不速之客來敬之終吉, 雖不當位, 未大失也.']"라고 하였다.
67) 정이천, 『이천역전(伊川易傳)』 서합(噬嗑)괘 초구효.

見夫子說許多義理, 便以爲『易』只是說道理, 殊不知其言吉凶悔吝皆有理, 而其教人之意無不在也. 今人卻道聖人言理, 而其中固有卜筮之說. 他說理後, 說從那卜筮上來作什麽?[68]

(주자가 말했다.) "『역』은 단지 점치기 위해 만든 것이므로 『주례』에서는 분명하게 태복(太卜)은 세 가지 역, 즉 『연산』·『귀장』·『주역』을 관장한다고 말했다. 옛 사람들은 점치는 관직에 여러 명의 관리를 두었다. 진나라는 고대와 시대가 멀지 않았기 때문에 『주역』은 또한 점치는 책이라는 이유로 분서갱유를 겪으면서도 불태워지지 않았다.
오늘날 사람들은 『역』을 점치는 책이라고 말하면 바로 『역』을 모욕하는 것이라고 여긴다. 그들은 공자가 많은 도리를 말한 것을 보고 곧 『역』은 도리를 말한 것일 뿐이라고 여긴다. 『역』에서 길·흉·회·린을 말한 것은 모두 이치가 있지만 사람들을 가르치는 뜻이 있지 않는 곳이 없다는 점을 특히 알지 못한다. 지금 사람들은 또한 성인이 리를 말했다고 하지만 그 가운데 본디 점치는 말이 있다. 그가 리를 말한 뒤에 그 점치는데 따라 말한 것은 무엇을 하려는 것인가?"

● "上古之時, 民心昧然, 不知吉凶之所在. 故聖人作『易』, 教之卜筮, 使吉則行之, 凶則避之, 此是開物成務之道. 故「繫辭」云, '以通天下之志, 以定天下之業, 以斷天下之疑', 正謂此也. 初但有占而無文, 往往如今之环珓相似耳. 今人因『火珠林』起課者,

68) 주희, 『주자어류』 권105, 1조목.

但用其爻而不用其辭，則知古者之占，往往不待辭而後見吉凶. 又云, '如『左氏』所載「得屯之比」, 旣不用屯之辭, 亦不用比之辭, 卻自別推一法.'[69]

(주자가 말했다.) "아주 먼 옛날에는 백성들이 우매하여 길흉의 소재를 알지 못했다. 그러므로 성인이 『역(易)』을 지어 점치는 법을 가르쳐 길하면 실행하고 흉하면 피하도록 했으니, 이것이 사물을 열어주고 사업을 이루는 도이다. 그러므로 「계사전」에서 '성인은 세상의 뜻을 통하고 세상의 사업을 정하고, 세상의 의심을 결단하였다.'[70]라고 했으니, 바로 이것을 말한다.
처음에는 단지 점만 있었고 문자는 없었으니, 오늘날 배교(环珓)[71]와 서로 비슷했다. 요즘 사람들이 『화주림(火珠林)』의 기과(起課)[72]를 따라 단지 효를 사용하고 그 말을 사용하지 않으니, 옛날

69) 又云, '如『左氏』所載「得屯之比」, 旣不用屯之辭, 亦不用比之辭, 卻自別推一法.' : 주희, 『주자어류』 권66, 32조목.

70) 성인은 세상의 뜻을 통하고 세상의 사업을 정하고, 세상의 의심을 결단하였다 : 『주역』「계사상」에서, "공자가 말했다. '역(易)은 어찌하여 만든 것인가? 역은 사물을 열어주고 사업을 이루어 세상의 도를 포괄하니, 이와 같을 뿐이다. 이러므로 성인이 이로써 세상의 뜻을 통하며 세상의 일을 정하며 세상의 의심을 결단한 것이다.'[子曰, '夫易, 何爲者也. 夫易, 開物成務, 冒天下之道, 如斯而已者也. 是故聖人, 以通天下之志, 以定天下之業, 以斷天下之疑.']"라고 하였다.

71) 배교(环珓) : 점치는 도구이다. 옥으로 조개껍질 모양을 만들거나 혹은 대나무로 만든다. 두 조각으로 나누어 땅에 던져서, 엎어진 것과 자빠진 것을 보고서 길흉을 점친다.

72) 기과(起課) : 점치는 방법의 일종이다. 고대 방사의 육임술(六壬術)에는 사과식(四課式)이 있었다. 점목(占目)의 간지(干支)를 사용하는 것이 추산(推算)의 근본이었다. 후대에 점치는 것을 기과(起課)라고 통칭했다.

의 점치는 일에서는 종종 문자 없이도 길흉을 파악할 수 있었다는 것을 알 수 있다. 또 말했다. '『춘추좌전』에 「준(屯)괘가 비(比)괘로 간 것을 얻었다.」라고 기재된 것과 같이, 이미 준괘의 사(辭)를 쓰지 않았고 또 비(比)괘의 사(辭)도 쓰지 않았으니, 또한 그 자체에서 별도로 하나의 방법을 미루어 나갔다.

至文王·周公, 方作彖·爻之辭, 使人得此爻者, 便觀此辭之吉凶. 至孔子, 又恐人不知其所以然, 故又復逐爻解之, 謂此爻所以吉者, 謂以中正也, 此爻所以凶者, 謂不當位也. 明明言之, 使人易曉耳. 至如「文言」之類, 卻是就上面發明道理. 非是聖人作『易』, 專爲說道理以教人也. 須見聖人本意, 方可學易."[73]

문왕·주공에 이르러 비로소 단(彖)과 효(爻)에 사(辭)를 지어, 사람들이 이 효를 얻으면 곧 이 사(辭)의 길흉을 살펴볼 수 있도록 했다. 공자에 이르러 또 사람들이 그러한 까닭을 알지 못할까 걱정했기 때문에, 또 다시 효마다 해석을 하여 이 효가 길한 까닭은 중정(中正)이기 때문이고, 이 효가 흉한 까닭은 자리에 합당하지 않기 때문이라고 말했다. 분명하게 말하여 사람들이 쉽게 알 수 있도록 했다. 「문언전」과 같은 부류는 또한 그 위에 도리를 밝게 드러낸 것이다.
성인이 『역』을 지은 것은 오로지 도리를 설명하여 사람을 가르치려 한 것은 아니다. 모름지기 성인의 본래 뜻을 알아야 『역』을 배울 수 있다.

73) 주희, 『주자어류』 권70, 152조목.

● "聖人作『易』, 本是使人卜筮, 以決所行之可否, 而因之以教人爲善. 如嚴君平所謂'與人子言依於孝, 與人臣言依於忠者.' 故卦爻之辭, 只是因依象類, 虛設於此, 以待叩而決者, 使以所值之辭, 決所疑之事. 似若假之神明, 而亦必有是理而後有是辭. 理無不正, 故其丁寧告戒之辭, 皆依於正. 天下之動, 所以正夫一, 而不謬於所之也."[74]

(주자가 말했다.) "성인이 『역』을 지은 것은 본래 사람들이 점을 쳐서 행위의 가부를 결정하고, 그것을 따라 사람이 선을 행하도록 가르치려는 것이다. 예를 들어 엄평군(嚴君平)이 '자식된 사람에게 효에 의거하라고 말하고, 신하된 사람에게 충에 의거하라고 말하는 것'[75]과 같다. 그러므로 괘사와 효사는 다만 상(象)의 종류에 의거하여 여기에 가설을 세우고, 물어보아 결정하는 자가 해당되는 사(辭)로 의심되는 일을 결정하도록 했다. 이는 마치 신명(神明)을 가탁하는 것과 같으니 또한 반드시 이 리(理)가 있은 후에 이 사(辭)가 있다. 리는 바르지 않음이 없으므로 간절히 알려주고 경계하는 사(辭)는 모두 올바름에 의거한다. 세상의 움직임은 그 올바름이 항상되기에[76] 그것에서 어긋나지 않는다."

74) 주희(朱熹), 『주문공문집(朱文公文集)』 권31, 「답장경부(答張敬夫)」.

75) 자식된 사람에게 효에 … 의거하라고 말하는 것 : 『전한서(前漢書)』 권72 「왕공양공포전(王貢兩龔鮑傳)」.

76) 세상의 움직임은 그 올바름이 항상되기에 : 『주역』「계사하」에서, "천지의 도(道)는 항상 보여주는 것이요, 일월의 도는 항상 밝은 것이요, 세상의 움직임은 그 올바름이 항상된다.[天地之道, 貞觀者也, 日月之道, 貞明者也, 天下之動, 貞夫一者也.]"라고 하였다.

● "卦爻之辭, 本爲卜筮者斷吉凶, 而因以訓戒. 至「彖」·「象」·「文言」之作, 始因其吉凶·訓戒之意, 而推說其義理以明之. 後人但見於孔子所說義理, 而不復推本文王·周公之本意. 因鄙卜筮爲不足言, 而其所以言易者, 遂遠於日用之實, 類皆牽合委曲, 偏主一事而言, 無復包含該貫曲暢旁通之妙. 若但如此, 則聖人當時, 自可別作一書, 明言義理, 以詔後世. 何用假托卦象, 爲此艱深隱晦之辭乎?"[77]

(주자가 말했다.) "괘사와 효사는 본래 점치는 자를 위해 길흉을 결단하고 그것에 따라 훈계한 것이다. 「단전(彖傳)」·「상전(象傳)」·「문언전(文言傳)」이 지어져 비로소 길흉과 훈계하는 뜻에 따라 의리(義理)를 미루어 말하여 그것을 밝혔다.
후대 사람들은 공자가 말한 의리만 보고 다시는 문왕(文王)과 주공(周公)의 본래 뜻을 미루어보지 않았다. 따라서 점치는 것을 비루하게 여겨 말할 만한 것이 못된다고 여기고, 역을 말하는 것이 마침내 일상생활의 실제에서 멀어져, 많은 것이 모두 억지로 맞추고 왜곡해서 한 가지 일을 위주로 치우치게 말했으니, 다시는 포괄하고 관통하여 곡진히 사방으로 통하는 오묘함이 없어졌다. 이와 같을 뿐이라면 성인이 당시에 원래 별도로 한 권의 책을 지어 의리(義理)를 분명히 말하여 후세를 가르쳤을 것이다. 어찌 괘상(卦象)에 가탁하여 이처럼 어렵고 심오하고 은미한 말을 했겠는가?"

● "大抵『易』之書, 本爲卜筮而作, 故其辭必根於象數, 而非聖

77) 주희, 『주문공문집』 권33, 「답여백공(答呂伯恭)」.

人己意之所爲. 其所勸戒, 亦以施諸筮得此卦此爻之人, 而非反以戒夫卦爻者. 近世言易者, 殊不知此, 所以其說雖有義理, 而無情意. 雖大儒先生, 有所不免. 比因玩索, 偶幸及此, 私竊自慶, 以爲天啟其衷, 而以語人, 人亦未見有深曉者."[78]

(주자가 말했다.) "대개 『역』이라는 책은 본래 점을 치기 위해 만들어졌으므로 그 사(辭)는 반드시 상수(象數)에 뿌리를 두고 있지, 성인 자신의 뜻으로 만든 것이 아니다. 그 권면하고 경계하는 것도 역시 어떤 괘의 어떤 효를 점쳐 얻은 사람에게 베푼 것이지, 반대로 어떤 괘와 어떤 효를 경계한 것이 아니다.
근세에 역을 말하는 자들은 이것을 몰라 그 말이 의리는 있지만 감정이 없다. 학식이 뛰어난 학자일지라도 이것을 모면하지 못하는 경우가 있다. 최근 완미하고 사색하다가 우연히 여기에 이르게 되어 개인적으로 스스로 기뻐하면서 하늘이 충심(忠心)을 열어준 것으로 생각했는데, 사람들에게 얘기해도 사람들 또한 깊이 이해하고 있는 자를 보지 못했다."

● "『易』中都是'貞吉', 不曾有'不貞吉'; 都是'利貞', 不曾說'利不貞.' 如占得乾卦, 固是大亨. 下則云'利貞', 蓋正則利, 不正則不利. 至理之權輿聖人之至教, 寓其閒矣. 大率是爲君子設, 非小人盜賊所得竊取而用."[79]

78) 주희, 『주문공문집』 권38, 「답조제거(答趙提擧)」.
79) 『주역전의대전(周易傳義大全)』「역설강령(易說綱領)」에 주희의 말로 기재되어 있다.

(주자가 말했다.) "『역』 가운데 모두 '정(貞)하면 길하다.'라고 하였지 '정(貞)하지 않으면 길하다.'라고 한 것은 없다. 모두 '정(貞)함이 이롭다.'라고 하였지 '정(貞)하지 않은 것이 이롭다.'라고 한 적은 없다. 예컨대 점을 쳐서 건(乾)괘를 얻으면 참으로 크게 형통하다. 그런데 그 아래에 '정(貞)함이 이롭다.'라고 하였으니, 바르면 이롭고 바르지 않으면 이롭지 않기 때문이다. 지극한 이치의 맹아와 성인의 지극한 가르침이 이 사이에 의지하여 붙어 있다. 대체로 『역』은 군자를 위해 만든 것이지, 소인과 도적들이 절취해서 쓸 수 있는 것이 아니다."

● 蔡氏元定曰:"天下之萬聲, 出於一闔一辟; 天下之萬理, 出於一動一靜; 天下之萬數, 出於一奇一偶; 天下之萬象, 出於一方一圓, 盡起於乾·坤二畫."[80]

채원정(蔡元定)[81]이 말했다. "세상의 온갖 소리는 한 번 닫힘과 한 번 열림에서 나오고, 세상의 모든 이치는 한 번 움직임과 한 번 고

80) 주희, 『주자어류』 권65, 35조목.

81) 채원정(蔡元定, 1135~1198) : 자는 계통(季通)이고, 세칭 서산선생(西山先生)이라 하였다. 송대 건양(建陽 : 현 복건성 건양) 사람으로 주희를 경모하여 스승으로 받들었으나, 주희가 도리어 제자가 아닌 친구로 대우하였다. 그의 학문은 성리학뿐 아니라 천문·지리·악율(樂律)·역수(曆數)·병진(兵陣) 등에 뛰어났다. 특히 상수학(象數學)에 조예가 깊어 주희의 『역학계몽(易學啓蒙)』 저술에 참여한 것으로 알려진다. 말년에 주희와 함께 경원당금(慶元黨禁)의 표적이 되어 귀양을 가서 생을 마쳤다. 저서는 『율려신서(律呂新書)』, 『팔진도설(八陣圖說)』, 『홍범해(洪範解)』 등이 있다.

요함에서 나오며, 세상의 모든 수는 하나의 홀수와 하나의 짝수에서 나오고, 세상의 모든 형상은 하나의 네모와 하나의 동그라미에서 나오니, 모두가 오직 건(乾)·곤(坤) 두 획에서 일어난다."

● 許氏衡曰:"初, 位之下, 事之始也. 以陽居之, 才可以有爲矣, 或恐其不安於分也; 以陰居之, 不患其過越矣, 或恐其軟弱昏滯, 未足以趨時也. 大抵柔弱則難濟, 剛健則易行. 或諸卦柔弱而致凶者, 其數居多. 若總言之, 居初者, 易貞; 居上者, 難貞. 易貞者, 由其所適之道多; 難貞者, 以其所處之位極. 故六十四卦初爻多得免咎, 而上每有不可救者. 始終之際, 其難易之不同蓋如此."[82]

허형(許衡)[83]이 말했다. "초효는 자리의 아래 부분이고 일의 시작이다. 양(陽)으로 거기에 자리 잡아야 비로소 큰 일을 할 수 있지만, 간혹 그것이 본분에 편안하지 못할까 걱정이다. 음(陰)으로 거기에 자리 잡으면 그 과분함을 근심하지 않지만, 간혹 그 유약하고 어두워서 때를 따라가기에 부족할까 걱정이다. 대체로 유약하면 성

82) 허형(許衡), 『독역사언(讀易私言)』.

83) 허형(許衡, 1209~1281) : 자는 중평(仲平)이고 호는 노재(魯齋)이며, 시호는 문정(文正)이다. 원대 회주 하내(懷州河內 : 현 하남성 초작시 심양〈焦作市 沁陽〉) 사람이다. 경학(經學), 역사, 예악명물(禮樂名物), 성력(星曆), 병형(兵刑), 식화(食貨), 수리(水利)에 널리 통달했다. 특히 원대 정주학(程朱學)을 발전시킨 공로가 커서, 유인(劉因)과 함께 원대 두 대가(大家)라고 불렸다. 세조(世祖) 때 벼슬에 나아가 국자좨주(國子祭酒), 중서좌승(中書左丞)을 지냈다. 저서에 『독역사언(讀易私言)』, 『노재심법(魯齋心法)』, 『노재유서(魯齋遺書)』 등이 있다.

취하기 어렵고 강건하면 쉽게 행한다. 간혹 여러 괘에서 유약하여 흉함에 이른 것이 그 수가 대부분을 차지한다.
총론적으로 말하면 초효에 자리한 것은 곧고 바르기 쉽고 상효에 자리한 것은 곧고 바르기가 어렵다. 굳고 바르기가 쉬운 것은 그 적합한 도리가 많기 때문이고, 곧고 바르기가 어려운 것은 처하는 자리가 극한이기 때문이다. 그러므로 64괘의 초효는 허물을 면하는 경우가 대부분이고, 상효는 매번 구제할 수 없는 것이 있다. 시작과 끝의 때에 그 어렵고 쉬움의 다름이 대개 이와 같다."

● "二與四, 皆陰位也. 四雖得正, 而猶有不中之累, 況不得其正乎? 二雖不正, 而猶有得中之美, 況正而得中者乎? 四, 近君之位也, 二, 遠君之位也, 其勢又不同. 此二之所以'多譽', 四之所以'多懼'也. 二中位, 陰·陽處之, 皆爲得中. 中者, 不偏不倚·無過不及之謂. 其才若此, 故於時義爲易合. 時義旣合, 則吉可斷矣."[84]

(허형이 말했다.) "이효와 사효는 모두 음의 자리이다. 사효는 올바름을 얻을지라도 여전히 중(中)을 이루지 못한 얽매임이 있는데, 하물며 올바름을 얻지 못한 것은 어떻겠는가? 이효는 올바르지 않을지라도 또한 중(中)을 이룬 아름다움이 있으니, 하물며 올바르면서 중을 이룬 것은 어떻겠는가?
사효는 군주와 가까운 자리이고 이효는 군주와 먼 자리이니, 그 형세가 또 다르다. 이것이 이효는 '명예가 많고' 사효는 '근심이 많은'

84) 허형(許衡), 『독역사언(讀易私言)』.

이유이다.[85] 이효는 중(中)의 자리이니 음이나 양이 거기에 처해도 모두 중을 얻게 된다. 중(中)은 치우치지도 않고 기울지도 않으며 지나침도 없고 미치지 않음도 없는 것을 말한다. 그 재질이 이와 같으므로 때의 의리(義理)에 쉽게 부합한다. 때의 의리에 부합했다면 길함은 단정할 수 있다."

● "卦爻六位, 惟三爲難處. 蓋上下之交, 內外之際, 非平易安和之所也."[86]

(허형이 말했다.) "괘효의 여섯 자리에서 오직 삼효가 처신하기 어렵다. 상체와 하체가 교제하는 부분과 내괘와 외괘의 사이는 평이하고 안정된 곳이 아니기 때문이다."

● "四之位近君, '多懼'之地也. 以柔居之, 則有順從之美; 以剛居之, 則有僭逼之嫌. 然又須問居五者, 陰邪陽邪. 以陰承陽, 則得於君而勢順; 以陽承陰, 則得於君而勢逆. 勢順則無不可也, 勢逆則尤忌上行, 而凶咎必至. 以陽承陽, 以陰承陰, 皆不得於

85) 이것이 이효는 '명예가 많고' 사효는 '근심이 많은' 이유이다 : 『주역』「계사하」에서, "이효와 사효는 공이 같으나 자리가 달라 선함이 같지 않으니, 이효는 명예가 많고 사효는 두려움이 많음은 군주의 자리와 가깝기 때문이다. 유함의 도는 멀리 있는 것이 이롭지 않으나 그 요결에 허물이 없음은 모두 유함으로 중(中)을 쓰기 때문이다.[二與四, 同功而異位, 其善不同, 二多譽, 四多懼, 近也, 柔之爲道, 不利遠者, 其要无咎, 其用柔中也.]"라고 하였다.

86) 허형, 『독역사언』.

君也. 然陽以不正而有才, 陰以得正而無才, 故其勢不同. 有才而不正, 則貴於寡欲, 故乾之諸四, 多得免咎. 無才而得正, 則貴乎有應, 故艮之諸四, 皆以有應爲優, 無應爲劣. 獨坤之諸四, 能以柔順處之, 雖無應援, 亦皆免咎. 此又隨時之義也."[87]

(허형이 말했다.) "사효의 자리는 군주와 가까워 '근심이 많은' 곳이다. 유(柔)로 거기에 자리 잡으면 순종(順從)의 아름다움이 있고, 강(剛)으로 거기에 자리 잡으면 참람하게 핍박하는 혐의가 있다. 그러나 또한 반드시 오효에 자리한 것이 음인지 양인지를 물어야 한다. 음으로 양을 받들면 군주를 얻어 형세가 순조롭지만, 양으로 음을 받들면 군주를 얻어도 형세가 거스른다. 형세가 순조로우면 못할 것이 없지만, 형세가 거스르면 위로 행하는 것을 더욱 꺼려야 하는데, 위로 행하면 흉함과 허물이 반드시 이르기 때문이다. 양으로 양을 받들거나 음으로 음을 받들면 모두 군주를 얻지 못한다.
그러나 양은 올바르지 못하지만 재주가 있고, 음은 올바르지만 재주가 없기 때문에, 그 형세가 같지 않다. 재주가 있지만 올바르지 못하면 욕심을 줄이는 것을 귀하게 여기므로 건(乾)의 여러 사효는[88] 허물을 면하는 경우가 많다. 재주가 없지만 올바름을 얻으면 호응을 얻는 것이 귀하므로 간(艮)의 여러 사효는[89] 모두 호응이 있는 것을 우월하게 여기고 호응이 없는 것을 열등하게 여긴다. 유독 곤(坤)의 여러 사효는[90] 유순함으로 처신할 수 있어 호응의 도움이 없더라도 또한 모두 허물을 면한다. 이것은 또 때를 따르는 의미이다."

87) 허형, 『독역사언』.
88) 건(乾)의 여러 사효는 : 상괘가 건(乾☰)인 것을 말한다.
89) 간(艮)의 여러 사효는 : 상괘가 간(艮☶)인 것을 말한다.
90) 곤(坤)의 여러 사효는 : 상괘가 곤(坤☷)인 것을 말한다.

● "五, 上卦之中, 乃人君之位也. 諸爻之德, 莫精於此. 能首出乎庶物, 不問何時, 克濟大事. 「傳」謂'五多功'者此也."[91)]

(허형이 말했다.) "오효는 상괘(上卦)의 가운데이니 군주의 자리이다. 여러 효의 덕은 이것보다 정밀한 것은 없다. 모든 것보다 뛰어날 수가 있어 어느 때건 불문하고 큰 일을 해낼 수 있다. 「계사전」에서 '오효가 공이 많다'고 한 말[92)]이 이것이다."

● "上, 事之終, 時之極也. 其才之剛·柔, 內之應否, 雖或取義, 然終莫及上與終之重也. 是故難之將出者, 則指其可由之方, 事之旣成者, 則示以可保之道. 義之善或不必勸, 則直云其吉也; 勢之惡或不可解, 則但言其凶也. 質雖不美, 而冀其或改焉, 則猶告之. 位雖處極, 而見其可行焉, 則亦諭之. 大抵積微而盛, 過盛而衰, 有不可變者, 有不能不變者. 「大傳」謂'其上易知', 豈非事之已成乎?"[93)]

(허형이 말했다.) "상효는 일의 끝이고 때의 극한이다. 그 재질의 강(剛)·유(柔)와 내괘의 호응 여부는 간혹 의미를 취하지만 끝내 상(上)과 끝의 중함에 미치지 못한다. 이 때문에 어려움이 장차 일

91) 허형, 『독역사언』.

92) 「계사전」에서 '오효가 공이 많다'고 한 말 : 『주역』「계사하」에서, "삼효와 오효는 공이 같으나 자리가 달라 삼효는 흉함이 많고 오효는 공이 많음은 귀천의 차등 때문이니, 유함은 위태롭고 강함은 이겨낼 것이다.[三與五, 同功而異位, 三多凶, 五多功, 貴賤之等也, 其柔, 危, 其剛, 勝耶.]"라고 하였다.

93) 허형, 『독역사언』.

어나려고 하는 것은 그것이 생겨날 수 있는 방향을 가리키고, 일이 이미 완성된 것은 그것으로 보존할 수 있는 방도를 보여준다. 의미가 선하여 간혹 권고할 필요가 없으면 직접 길하다고 말하고, 형세가 나쁜데 간혹 벗어날 수 없으면 단지 흉하다고 말한다. 바탕[質]이 아름답지 않더라도 혹시 개선될 수 있기를 바라면 여전히 권고한다. 자리가 비록 극한에 처했더라도 행할 수 있는 것이 보이면 깨우쳐준다. 대체로 미세함이 쌓여 성대해지고 성대함이 지나쳐 쇠락하니, 변할 수 없는 것이 있고 변하지 않을 수 없는 것이 있다. 「계사전」에서 '상(上)은 알기 쉽다.'라고 했으니[94] 어찌 일이 이미 이루어진 것이 아니겠는가?"

● 胡氏一桂曰 : "上·下體雖相應, 其實陽爻與陰爻應, 陰爻與陽爻應, 若皆陽皆陰, 雖屬相應之位, 則亦不應矣. 然事固多變, 動在因時, 故有以有應而得者, 有以有應而失者, 亦有以無應而吉者, 有以無應而凶者. 斯皆時·事之使然, 不可執一而定論也. 至若比五以剛中, 上下五陰應之, 大有五以柔中, 上下五陽應之, 小畜四以柔得應, 上下五剛亦應之, 又不以六爻之應例論也."[95]

호일계(胡一桂)[96]가 말했다. 상체와 하체가 서로 호응하지만, 그

94) 「계사전」에서 '상(上)은 알기 쉽다'고 했으니 : 『주역』「계사하」에서, "초(初)는 알기 어렵고 상(上)은 알기 쉬우니, 본(本)과 말(末)이다. 처음 말은 모의하고 끝마쳐 끝을 이룬다.[其初, 難知, 其上, 易知, 本末也. 初辭擬之, 卒成之終.]"라고 하였다.

95) 호일계(胡一桂), 『주역계몽익전(周易啓蒙翼傳)』 하편, 「거요(擧要)」.

96) 호일계(胡一桂, 1247~?) : 자는 정방(庭芳)이고 호는 쌍호(雙湖)이다. 원대 휘주무원(徽州婺源 : 현 강서성 무원〈婺源〉) 사람이다. 가학으로 부

실제는 양효가 음효와 호응하고 음효가 양효와 호응하는 것이니, 모두 양이거나 모두 음이면 서로 호응하는 자리에 속해 있더라도 또한 호응하지 않는다.
그러나 일이란 본디 다양하게 변하고 움직임은 때를 따르므로, 호응하여 얻는 것도 있고 호응하여 잃는 것도 있으며 또한 호응이 없어 길한 것도 있고 호응이 없어 흉한 것도 있다. 이것은 모두 때와 일이 그렇게 한 것이니 한 가지를 고집하여 논의를 정할 수 없다.
그런데 비(比䷇)괘는 오효가 강중(剛中)으로 위와 아래의 다섯 음이 모두 호응하고, 대유(大有䷍)괘는 오효가 유중(柔中)으로 위와 아래 다섯 양이 호응하고, 소축(小畜䷈)괘는 사효가 유(柔)로서 호응을 얻고 위와 아래 다섯 강(剛)이 역시 호응하니, 또한 여섯 효가 호응하는 사례로 논할 수 없다."

● "六十四卦皆以五爲君位者, 此『易』之大略也. 此間或有居此位而非君義者, 有居他位而有君義者, 斯易之變, 不可滯於常例."97)

(호일계가 말했다.) "64괘는 모두 오효를 군주의 자리로 여기니, 이는 『역』의 대체적인 것이다. 이 사이에 혹 이 자리에 있으면서 군주의 의미가 아닌 것이 있고 다른 자리에 있으면서 군주의 의미가

---

친인 호방평(胡方平)에게 경학과 역사를 배워 널리 통하고, 특히 역에 뛰어났다. 주희의 역학을 전승했다. 저술은 『역본의부록찬소(易本義附錄纂疏)』, 『역학계몽익전(易學啓蒙翼傳)』, 『주자시전부록(朱子詩傳附錄纂疏)』, 『십칠사찬고금통요(十七史纂古今通要)』 등이 있다.

97) 호일계, 『주역계몽익전』 하편, 「거요(擧要)」.

있는 것도 있는데, 이것이 역의 변화이니 일반적 사례에 집착할 수 없다."

● 胡氏炳文曰 : "『易』卦之占, 亨多, 元亨少. 爻之占, 吉多, 元吉少. 元亨, 大善而亨; 元吉, 大善而吉也. 人之行事, 善百一, 大善千一, 故以元爲貴. 然茲事也, 請論心之初, 善不善, 皆自念慮之微處, 充之卽是, 此善之最大處. 蓋有一豪之不善, 非元也, 有一息之不善, 非元也."[98]

호병문(胡炳文)[99]이 말했다. "『역』에서 괘의 점은 형통한 것이 많지만 크게 형통한 것은 적다. 효의 점은 길한 것이 많지만 크게 길한 것은 적다. 크게 형통한 것은 크게 선하여 형통함이고, 크게 길한 것은 크게 선하여 길함이다.
사람이 일을 행하는 데 선한 것은 백에 하나이지만 크게 선한 것은 천에 하나이므로 큰 것을 귀한 것으로 여긴다. 그러나 이것을 마음의 시초에서 논해 보면, 선하거나 불선한 것은 모두 사려의 미세한 곳에서 비롯하지만 그것을 확충하면 옳으니, 이것이 선의 가장 큰

98) 호병문(胡炳文), 『운봉집(雲峯集)』 권4 「자설(字說) · 백선자설(伯善字說)」.
99) 호병문(胡炳文, 1250~1333) : 원나라 휘주(徽州) 무원(婺源) 사람. 자는 중호(仲虎)고, 호는 운봉(雲峰)이다. 주희(朱熹)의 종손(宗孫)에게 『주역』과 『서경』을 배워 주자학에 잠심했으며, 특히 『주역』에 뛰어났다. 신주(信州) 도일서원(道一書院) 산장(山長)을 지내고, 난계주학정(蘭溪州學正)이 되었는데, 나가지 않았다. 저서에 『주역본의통석(周易本義通釋)』과 『서집해(書集解)』, 『춘추집해(春秋集解)』, 『예서찬술(禮書纂述)』, 『사서통(四書通)』, 『대학지장도(大學指掌圖)』, 『오경회의(五經會義)』, 『이아운어(爾雅韻語)』 등이 있다.

곳이다. 터럭만한 불선이 있어도 큰 것이 아니고, 한 순간의 불선이 있어도 큰 것이 아니기 때문이다."

● 吳氏澄曰 : "時之爲時, 莫備於『易』. 程子謂之'隨時變易以從道.' 夫子傳六十四「彖」, 獨於十二卦發其凡, 而贊其時與時義·時用之大, 一卦一時, 則六十四時不同也, 一爻一時, 則三百八十四時不同也. 始於乾之乾, 終於未濟之未濟, 則四千九十六時, 各有所值. 引而伸, 觸類而長, 時之百千萬變無窮, 而吾之所以時其時者, 則一而已."[100]

오징(吳澄)[101]이 말했다. "때의 때됨은 『역』보다 잘 갖추어진 것이 없다. 정자(程子)는 그것을 '때에 따라 변역하여 도를 따르는 것이다.'[102]라고 했다. 공자는 64괘의 「단전」을 전했는데 유독 12괘에서 그 범례를 발현하여, 그 때와 때의 의미, 때의 쓰임이 큼을 찬미했

100) 오징(吳澄), 『오문정집(吳文正集)』 권40 「기(記)·시재기(時齋記)」.

101) 오징(吳澄, 1249~1333) : 자는 유청(幼淸)이고, 세칭 초려선생(草廬先生)이라 한다. 송원(宋元)교체기 숭인(崇仁 : 현 강서성 소속) 사람으로 국자감사업(國子監司業)·한림학사(翰林學士)를 역임하였다. 시호는 문정(文正)이다. 그의 학문은 주로 주희와 육구연의 사상을 절충하는 경향이 있으며, 특히 주희 이래의 도통(道統)을 은연중에 자임하고 있다. 저서는 『학기(學基)』, 『학통(學統)』, 『서·역·춘추·예기찬언(書·易·春秋·禮記纂言)』, 『오문정공집(吳文正公集)』, 『효경장구(孝經章句)』 등이 있고, 『황극경세서(皇極經世書)』, 『노자(老子)』, 『장자(莊子)』, 『태현경(太玄經)』, 『팔진도(八陣圖)』, 『곽박장서(郭璞葬書)』를 교정했다.

102) 때에 따라 변역하여 도를 따르는 것이다 : 정이, 『이천역전(伊川易傳)』 「서(序)」.

으니, 하나의 괘를 하나의 때로 하면 64개의 때가 다르고, 하나의 효를 하나의 때로 하면 384개의 때가 다르다. 건(乾)괘의 건(乾)에서 시작하여 미제(未濟)괘의 미제(未濟)로 끝나면 4,096개의 때가 각각 해당하는 것이 있다. 그것을 끌어서 펼치고 부류에 따라 확장하면[103] 때가 천만 번 변하여 무궁하지만 내가 그 때에 때를 맞추는 것은 하나일 뿐이다."

● 薛氏瑄曰 : "六十四卦, 只是一奇一偶. 但因所遇之時, 所居之位不同, 故有無窮之事變. 如人只是一動一靜, 但因時位不同, 故有無窮之道理. 此所以爲易也."[104]

설선(薛瑄)이 말했다. "64괘는 하나의 기(奇 : 홀)와 하나의 우(偶 : 짝)일 뿐이다. 단지 그 만나는 때에 따라 자리하는 위치가 다르므로 무궁한 일의 변화가 있다. 예를 들어 사람은 한 번 움직이고 한 번 고요할 뿐이지만 그 때와 위치에 따라 다르므로 무궁한 도리가 있다. 이것이 역이 되는 까닭이다."

● 蔡氏清曰 : "乾卦卦辭, 只是要人如乾; 坤卦卦辭, 只是要人如坤. 至如蒙·蠱等卦, 則又須反其義. 此有隨時而順之者, 有隨時而制之者. 易道只是時, 時則有此二義, 在學者細察之."[105]

103) 그것을 끌어서 펼치고 부류에 따라 확장하면 : 『주역』「계사상」에서 "그것들을 끌어서 펼치고 부류에 따라 확장하면, 세상에 할 수 있는 일이 끝날 것이다.[引而伸之, 觸類而長之, 天下之能事畢矣.]"라고 하였다.

104) 설선(薛瑄), 『독서록(讀書錄)』 권8.

105) 채청(蔡清), 『역경몽인(易經蒙引)』 권1상.

채청(蔡清)이 말했다. “건(乾)괘의 괘사는 사람이 건(乾)과 같아지기를 바랄 뿐이고, 곤(坤)괘의 괘사는 사람이 곤(坤)과 같아지기를 바랄 뿐이다. 그런데 몽(蒙)괘·고(蠱)괘 등의 경우는 반드시 그 의미를 뒤집어야 보아야 한다. 이는 때에 따라 순응하는 것이 있고, 때에 따라 제어하는 것이 있기 때문이다. 역의 도리는 때일 뿐이지만, 때에는 이 두 가지 의미가 있으니 배우는 사람이 그것을 자세히 살펴보는 데 달려 있다.”

● “周公之繫爻辭, 或取爻德, 或取爻位, 又或取本卦之時與本爻之時, 又或兼取應爻, 或取所承·所乘之爻. 有承·乘·應與時位兼取者, 有僅取其一二節者, 又有取一爻爲衆爻之主者. 大概不出此數端.[106]

(채청이 말했다.) “주공이 효사를 붙일 때 어떤 경우는 효의 덕을 취했고, 어떤 경우는 효의 지위를 취했으며, 또 어떤 경우는 본래 괘의 때와 본래 효의 때를 취했고, 또 어떤 경우는 호응하는 효를 겸하여 취했으며, 어떤 경우는 받드는 효와 올라타는 효를 취했다. 받드는 것과 올라타는 것과 호응하는 것을 때·자리와 겸해서 취한 경우도 있고, 단지 그 가운데 한두 가지를 취한 경우도 있으며, 또 하나의 효가 여러 효의 주인이 되는 것을 취한 경우도 있다. 대체로 이 몇 가지 경우를 벗어나지 않는다.”

106) 채청, 『역경몽인』 권1상.

## 강령 3. 이 편은 역을 읽는 방법 및 여러 학자들의 정확성과 착오를 논한다.

## 綱領三. 此篇論讀易之法及諸家醇疵.

● 王氏通曰 : "易之憂患, 業業焉, 孜孜焉. 其畏天憫人, 思及時而動乎!"
繁師玄曰 : "遠矣! 吾視易之道, 何其難乎?"
曰 : "有是夫! 終日乾乾, 可也."[1]

왕통(王通)이 말했다. "역의 우환은 두려워하고[2] 부지런히 힘쓰는[3] 일이다. 하늘을 두려워하고 사람을 근심하여 때에 미칠 것을 생각하고 움직인다!"
반사현(繁師玄)이 말했다. "멀도다! 내가 역의 도를 보니 어찌 그리 어려운가!"

1) 왕통(王通), 『중설(中說)』 권4, 「주공편(周公篇)」.
2) 두려워하고 : 『서(書)』「우서·고요모(皐陶謨)」에서, "안일과 욕심으로 제후를 가르치지 마시어 삼가고 두려워하소서. 하루 이틀 사이에도 기미가 만 가지나 됩니다. 모든 관직을 폐하지 마소서. 하늘의 일을 사람이 대신한 것입니다.[無敎逸欲有邦, 兢兢業業, 一日二日, 萬幾, 無曠庶官, 天工, 人其代之.]"라고 하였다.
3) 부지런히 힘쓰는 : 『서(書)』「우서·익직(益稷)」에서, "우(禹)가 절하고 '아! 훌륭합니다. 황제시여. 제가 무슨 말씀을 올리겠습니까. 저는 날로 부지런히 부지런히 힘쓸 것을 생각합니다.'[禹拜曰, 都. 帝, 予何言, 予思日孜孜.]"라고 하였다.

(왕통이) 대답했다. "그런가! 하루 종일 힘쓰고 힘쓰면 될 것이다."

● 劉炫問易.
曰 : "聖人於易, 沒身而已, 況吾儕乎?"
炫曰 : "吾談之於朝, 無我敵者."
不答. 退謂門人曰 : "默而成之, 不言而信, 存乎德行."[4]

유현(劉炫)이 역(易)에 대해 물었다.
(왕통이) 대답했다. "성인도 역에 대해 죽을 때까지 연구했을 뿐인데,[5] 하물며 우리들이야 어떻겠는가?"
유현이 말했다. "내가 그것을 조정에서 얘기했더니 나를 대적할 사람이 없었다." 대답하지 않았다. 물러나 문인들에게 말했다. "묵묵히 이루며 말하지 않아도 믿는 것은 덕행에 있다."[6]

● "北山黃公善醫, 先寢食而後針藥. 汾陰侯生善筮, 先人事而

4) 왕통(王通), 『중설(中說)』 권5, 「문역편(問易篇)」.
5) 성인도 역에 대해 죽을 때까지 연구했을 뿐인데 : 이 구절에 대해 완일(阮逸)은 "성인은 죽을 때까지 역을 세우는 과정에 있는데 유현은 역의 글을 익히기만 할 뿐 역이 자신의 몸에 있다는 점을 몰랐다.[聖人終身立易中, 劉炫但熟易之文, 而不知易在身也.]"라고 주석하였다.
6) 묵묵히 이루며 말하지 않아도 믿는 것은 덕행에 있다 : 『주역』「계사상」에서, "교화하여 재제함은 변(變)에 있고 미루어 행함은 통(通)에 있고 신묘하게 하여 밝힘은 사람에 있고 묵묵히 이루며 말하지 않아도 믿는 것은 덕행에 있다.[化而裁之, 存乎變, 推而行之, 存乎通, 神而明之, 存乎其人, 默而成之, 不言而信, 存乎德行.]"라고 하였다.

後說卦."[7]

(왕통이 말했다.) "북산(北山)의 황공(黃公)은 의술에 뛰어났는데 잠과 음식을 먼저하고 침과 약을 나중에 했다. 분음(汾陰)의 후생(侯生)은 점을 잘 쳤는데 사람의 일을 먼저하고 괘에 대해 말하는 것을 나중에 했다."

● 邵子曰 : "知易者不必引用講解, 是爲知易. 孟子之言, 未嘗及易, 其間易道存焉. 但人見之者鮮耳. 人能用易, 是爲知易. 如孟子, 可謂善用易者也."[8]

소자(邵子 : 邵雍)가 말했다. "역을 아는 사람은 반드시 역을 인용하여 강론하고 해설하지 않았으니, 이는 역을 아는 사람이다. 맹자의 말에는 역이 언급되지 않았으나 그 사이에는 역의 도리가 있다. 사람들이 그것을 보고 아는 자가 드물 뿐이다. 사람이 역을 사용할 수 있다면 이는 역을 아는 것이다. 맹자와 같은 사람이 역을 잘 사용했다고 할 수 있다."

● 程子曰 : "觀『易』須看時, 然後觀逐爻之才. 一爻之中, 當包函數意, 聖人常取其重者而爲之辭. 亦有『易』中言之已多, 取其未嘗言者, 又有且言其時, 不及其爻之才者. 皆臨時參考, 須先看卦, 乃看得辭."[9]

7) 왕통(王通), 『중설(中說)』 권5, 「위상편(魏相篇)」.
8) 소옹(邵雍), 『황극경세서(皇極經世書)』 권13, 「관물외편상(觀物外篇上)」.
9) 정호 · 정이, 『하남정씨유서(河南程氏遺書)』 권2, 「원풍기미여여숙동견

정자(程子)가 말했다. "『역』을 살펴볼 때 반드시 때를 본 뒤에 매 효의 재질을 살펴보아야 한다. 하나의 효 가운데 당연히 여러 가지 뜻을 포함하고 있기 때문에, 성인은 항상 그 중요한 것을 취하여 말을 달았다. 또한 『역』에서 말이 많아 아직 말하지 않은 것을 취한 것도 있고 또 그 때를 말하여 그 효의 자질을 언급하지 않은 것도 있다. 모두 때에 임하여 참고하되, 반드시 먼저 괘를 보고 사(辭)를 보아야 한다."

● "古之學者, 皆有傳授. 如聖人作經, 本欲明道. 今人若不先明義理, 不可治經, 蓋不得傳授之意云爾. 如繫辭本欲明易, 若不先求卦義, 則看繫辭不得."[10]

(정자가 말했다.) "옛날의 배우는 사람들은 모두 전수(傳授)함이 있었다. 예컨대 성인이 경(經)을 지은 것은 본래 도를 밝히려는 일이다. 지금 사람들이 먼저 의리(義理)를 밝히지 못하면 경(經)을 연구할 수가 없으니, 전수(傳授)한 뜻을 터득하지 못했기 때문이다. 예컨대 사(辭)를 붙인 것은 본래 역(易)을 밝히려함 이니, 먼저 괘의 뜻을 구하지 않으면 사(辭)를 붙여도 알 수 없다."

● "易須是默識心通, 只窮文意, 徒費力."[11]

(정자가 말했다.) "역(易)은 반드시 묵묵히 알고 마음으로 통해야

(元豐己未呂與叔東見)」.

10) 정호·정이, 『하남정씨유서』 권2, 「원풍기미여여숙동견」.

11) 정호·정이, 『하남정씨유서』 권18, 「유원승수편(劉元承手編)」.

하니, 문자의 뜻만을 연구한다면 한갓 힘을 허비할 뿐이다."

● 朱子曰 : "看『易』須是看他卦爻未畫以前, 是怎模樣. 卻就這上見得他許多卦爻象數, 是自然如此, 不是杜撰. 且『詩』則因風俗世變而作, 『書』則因帝王政事而作. 『易』初未有物, 只是懸空說出. 當其未有卦畫, 則渾然一太極, 在人則是喜怒哀樂未發之中, 一旦發出, 則陰陽吉凶, 事事都有在裏面. 人須是就至虛靜中, 見得這道理周遮通瓏, 方好. 若先靠定一事說, 則滯泥不通. 所謂'潔靜精微, 易之教也.'"[12]

주자가 말했다. "『역』을 볼 때 반드시 그 괘·효가 그려지기 이전에 어떤 모양이었는지를 살펴야 한다. 또한 여기에서 그 많은 괘·효의 상(象)과 수(數)가 저절로 이와 같은 것이지 근거없이 지어낸 것이 아님을 알아야 한다.

『시』는 풍속과 세상의 변화에 따라 쓴 것이고, 『서』는 제왕의 정사에 근거하여 쓴 것이다. 『역』은 애초에 사물이 있기 이전에 다만 가설적으로 말한 것이다. 아직 괘획(卦畫)이 있기 이전은 혼연히 하나의 태극뿐이니, 사람으로 보면 희노애락이 아직 일어나지 않은 중(中)인데, 일단 감정이 발현되면 음양과 길흉이 사사건건 모두 여기에 있게 된다. 사람들은 반드시 가장 허정(虛靜)한 가운데 이 도리가 두루 관통하는 것을 보아야 비로소 좋다. 먼저 정해진 하나의 일에 의지해 설명한다면 꽉 막혀 통하지 않게 된다. 이것이 이른바 '깨끗하고 고요하고 정미함이 『역』의 가르침이다.'[13]라는 말이다."

12) 주희, 『주자어류』 권67, 59조목.

13) 깨끗하고 고요하고 정미함이 『역』의 가르침이다 : 『예기(禮記)』「경해(經

● “經書難讀, 而此經爲尤難. 蓋未開卷時, 已有一重象數大概功夫, 開卷之後, 經文本意, 又多被先儒硬說殺了, 令人看得意思局促, 不見本來開物成務活法.”14)

(주자가 말했다.) “경서는 읽기 어려운데, 이 책은 더욱 어렵다. 아직 책을 펼쳐 보지 않았을 때 이미 중복하여 상수(象數)를 대체적으로 공부했고, 책을 펼쳐 본 뒤에는 경문의 본래 의미 또한 대부분 선대 학자들의 억지 주장에 매도되어 사람들이 의미를 국한시켜 보게 하여, 본래의 사물을 열어주고 사업을 이루는 생동적인 내용을 보지 못하게 하기 때문이다.”

● “『易』不比『詩』·『書』. 他是說盡天下後世無窮無盡底事理, 只一兩個字, 便是一個道理. 人須是經歷天下許多事變, 讀『易』方知各有一理, 精審端正. 今旣未盡經曆, 非是此心大段虛明寧靜, 如何見得?”15)

---

解)」에서, “그 나라에 들어가면 그 가르침을 알게 된다. 그 사람됨이 온화하고 부드러우며 도타운 것은 『시』의 가르침이다. 서로 통해서 멀리 옛일을 아는 것은 『서』의 가르침이다. 드넓게 화이(和易)하고 착한 것은 『악』의 가르침이다. 깨끗하고 고요하고 정미한 것은 『역』의 가르침이다. 공손하고 검소하며 엄숙히 삼가는 것은 『예』의 가르침이다. 말과 사물을 모아 비교하는 것은 『춘추』의 가르침이다.[孔子曰, “入其國, 其敎可知也. 其爲人也, 溫柔敦厚, 『詩』敎也. 疏通知遠, 『書』敎也. 廣博易良, 『樂』敎也. 絜靜精微, 『易』敎也. 恭儉莊敬, 『禮』敎也. 屬辭比事, 『春秋』敎也.]”라고 하였다.

14) 주희(朱熹), 『주문공문집(朱文公文集)』 권43, 「답진명중(答陳明仲)」.

15) 주희, 『주자어류』 권67, 55조목.

(주자가 말했다.) "『역』은 『시』·『서』와 비교가 안 된다. 그것은 천하 후세의 무궁하고 무진한 사리(事理)를 다 설명하고 있으니, 단 한 두 글자라도 하나의 도리이다. 사람은 반드시 세상의 수많은 일의 변화를 겪고 나서 『역』을 읽어야한다. 그래야 비로소 각각 하나의 이치가 정밀하고 단정하게 있음을 알 수 있다. 지금까지 수많은 일의 변화를 겪어보지 않았으면 이 마음이 매우 밝게 비어 평안하고 고요하지 않은 것이니, 어떻게 이해할 수 있겠는가?"

● "看『易』若是靠定象去看, 便滋味長. 若只憑地懸空看, 也沒甚意思."16)

又曰 : "說『易』'得其理, 則象數在其中', 固是如此. 然泝流以觀, 卻須先見象數的當下落, 方說得理不走作. 不然, 事無實證, 則虛理易差也.17)

(주자가 말했다.) "『역』을 볼 때, 정해진 상(象)에 의거해 보면 그 맛이 깊다. 단지 허공에 매달린 듯이 보면 아무런 의미가 없다." (주자가) 또 말했다. "(정자가) 『역』을 설명하면서, '그 이치를 얻으면 곧 상(象)과 수(數)가 그 가운데 있다'라고 한 것이18) 진실로 이와 같다. 그러나 근원을 거슬러 올라가 살펴보면, 도리어 반드시 먼저 상수(象數)가 그렇게 되어 있는 것을 이해해야 비로소 이치에

16) 주희, 『주자어류』 권67, 69조목.

17) 주희(朱熹), 『주문공문집(朱文公文集』 권56, 「답정자상(答鄭子上)」.

18) 『역』을 설명하면서, '그 이치를 얻으면 곧 상(象)과 수(數)가 그 가운데 있다'라고 한 것이 : 정호·정이, 『하남정씨유서(河南程氏遺書)』 권21상, 「사설(師說)」.

대한 설명이 크게 벗어나지 않게 된다. 그렇지 않으면 구체적인 일에 실증(實證)이 없으니, 공허한 이치가 되어 쉽게 어긋난다."

● "今人讀『易』, 當分爲三等.[19] 看伏犧之易, 如未有許多「彖」·「象」·「文言」說話, 方見得『易』之本意, 只是要作卜筮用. 及文王·周公分爲六十四卦, 添入'乾, 元亨利貞', '坤, 元亨利牝馬之貞', 已是文王·周公自說出一般道理了. 然猶是就人占處說, 如占得乾卦, 則大亨而利於正耳. 及孔子繫易, 作「彖」·「象」·「文言」, 則以'元·亨·利·貞'爲乾之四德."[20]

(주자가 말했다.) "요즘 사람들이 『역』을 읽는 것은 마땅히 세 등급으로 나누어야 한다. 복희의 역을 보는 것은 예컨대 아직 수많은 「단전」·「상전」·「문언전」과 같은 말은 있지 않았으니, 『역』의 본래 의도는 단지 점을 치려는 것임을 알 수 있다. 문왕과 주공에 이르러 64괘로 나누어 '건(乾)은 크게 형통하고 곧음이 이롭다'거나 '곤은 크게 형통하고 암말의 곧음이 이롭다'라는 말을 첨가하였으니, 이것은 이미 문왕과 주공이 스스로 하나의 도리를 말한 것이다. 그러나 여전히 사람들이 점치는 것으로 말한 것이니, 점을 쳐서 건(乾)괘를 얻으면 크게 형통하고 곧음이 이롭다는 것일 뿐이다. 공자에 이르러 역에 덧붙여서 「단전」·「상전」·「문언전」을 지었으니, '원·형·

19) 當分爲三等 : 주희, 『주자어류』 권66, 20조목에는 이 구절 뒤에 "伏羲自是伏羲之易, 文王自是文王之易, 孔子自是孔子之易.[복희는 그 자체로 복희의 역이고, 문왕은 그 자체로 문왕의 역이며, 공자는 그 자체로 공자의 역이다.]"라는 말이 더 있다.

20) 주희, 『주자어류』 권66, 20조목.

리·정'을 건괘의 네 가지 덕으로 삼았다."

以上論讀『易』.
이상 『역』을 읽는 것에 대해 논했다.

● 孔氏穎達曰 : "龍出於河, 則八卦宣其象; 麟傷於澤, 則十翼彰其用. 業資幾聖, 時歷三古, 及秦亡金鏡, 未墜斯文. 漢理珠囊, 重興儒雅, 其傳『易』者, 西都則有丁·孟·京·田, 東都則有荀·劉·馬·鄭. 大體更相祖述, 非有絕倫. 唯魏世王輔嗣之注, 獨冠古今. 所以江左諸儒, 並傳其學, 河北學者, 罕能及之. 其江南義疏, 十有餘家, 皆辭尙虛玄, 義多浮誕. 原夫易理難窮, 雖復玄之又玄, 至於垂範作則, 便是有而教有. 若論住內住外之空, 就能就所之說, 斯乃義涉於釋氏, 非爲教於孔門也."[21]

공영달이 말했다. "용(龍)이 하수(河水)에서 나오니 8괘가 그 상을 베풀고, 기린이 서쪽에서 다치니 십익(十翼)이 그 쓰임을 빛낸다. 사업은 몇 분의 성인에 바탕하고 때는 삼고(三古)[22]를 지나 진(秦)나라에 이르러 거울을 잃었으나 우리 유학은 실추되지 않았다. 한나라가 주낭(珠囊)[23]을 다스려 유학이 중흥하니, 그 역을 전한 자가 서도(西都)에는 정관(丁寬)·맹희(孟喜)·경방(京房)·전하(田何)이고, 동도(東都)에는 순상(荀爽)·유표(劉表)·마융(馬融)·정현

21) 공영달(孔穎達), 「주역주소(周易注疏)」「주역정의서(周易正義序)」.
22) 삼고(三古) : 상고(上古)·중고(中古)·하고(下古)를 말하는데, 상고는 복희를, 중고는 문왕을, 하고는 공자를 가리킨다.
23) 주낭(珠囊) : 오성(五星)의 법도로서 음양오행의 이치를 말한다.

(鄭玄)이다. 그들은 대체로 번갈아 조술(祖述)하였지, 아주 빼어난 것이 있지는 않았다.

위나라 시대에 왕보사(王輔嗣 : 王弼)의 주석만이 홀로 고금에 뛰어났다. 그래서 강동의 여러 학자들이 모두 그 학문을 전했고, 하북의 학자들은 이에 미칠 수 있는 것이 드물었다. 그 강남의 의소(義疏)는 10여 학파인데 모두 말이 현묘함을 숭상하여 뜻이 대부분이 들뜨고 허황했다.

원래 역의 이치는 공부하기가 어렵지만, 다시 현묘하고 또 현묘할지라도 규범을 드리우고 법도를 지으면 옳은 것이 있고 가르침이 있다. 안에 거주하고 바깥에 거주하는 공허함과 능력을 취하고 장소를 취하는 설명으로 논한다면, 이에 그 의리는 석씨(釋氏)에게 건너가 공문(孔門)에서의 가르침으로 되지 않는다."

● 程子曰 : "邵堯夫先生之學, 得之於李挺之. 挺之得之穆伯長, 伯長得之華山希夷陳圖南先生. 朔其源流, 遠有端緒. 今穆·李之言, 及其行事, 概可見矣. 而先生淳一不雜, 汪洋浩大, 乃其所自得者多矣."[24)]

정자가 말했다. "소요부(邵堯夫 : 邵雍) 선생의 학문은 이정지(李挺之 : 李之才)로부터 얻었고, 이정지는 목백장(穆伯長 : 穆修)[25)]으로

24) 정호·정이, 『이정수언(二程粹言)』 권하, 「성현편(聖賢篇)」.

25) 목수(穆修, 979~1032) : 자는 백장(伯長)이고, 목참군(穆參軍)으로 불리었다. 송대 운주 문양(鄆州 汶陽 : 현 산동성 문상〈汶上〉) 사람인데, 나중에 채주(蔡州 : 현 하남성 여남〈汝南〉)에 살았다. 태주사리참군(泰州司理參軍)과 영주·채주문학참군(潁州·蔡州文學參軍)을 역임하였다.

부터 얻었고, 목백장은 화산(華山) 희이(希夷) 진도남(陳圖南 : 陳搏) 선생으로부터 얻었다. 그 원류를 살펴보면 멀리 그 단서가 있다. 지금 목백장과 이정지의 말들 및 그 행사(行事)는 대체로 알 수 있다. 그런데 소옹 선생은 순일무잡하고 호탕하여 스스로 터득한 것이 많았다."

● 尹氏焞曰 : "伊川先生踐履盡易, 其作『傳』只是因而寫成. 熟讀玩味, 旣可見矣."[26]

윤돈(尹焞)[27]이 말했다. "이천(伊川 : 程頤) 선생은 삶의 실천에서 역을 다했고, 『역전』을 지은 것은 그 삶을 바탕으로 써서 완성했을 뿐이다. 깊이 읽고 완미하면 알 수 있을 것이다."

---

소순(蘇舜)·소흠(蘇欽)형제와 친교하고 고문에 뛰어났다. 진단(陳搏)에게서 역수학(易數學)을 배우고 그것을 이지재(李之才)에게 전수해 주었으며, 이지재(李之才)는 또 소옹(邵雍)에게 전수하였다고 한다. 또 충방(种放)에게서 진단의 「태극도」를 얻어 주돈이에게 전수해주었다고 한다. 저서는 『목참군집(穆參軍集)』이 있다.

26) 방문일(方聞一), 『대역수언(大易粹言)』 권수(卷首)에 윤돈의 글로 기재되어 있다.

27) 윤돈(尹焞, 1071~1142) : 자는 언명(彦明)·덕충(德充)이고, 호는 삼외재(三畏齋)와 황제가 하사한 호인 화정처사(和靖處士)가 있으며, 시호는 숙공(肅公)이다. 송대 낙양(洛陽 : 현 하남성 낙양) 사람으로 과거에 응시하지 않았으나, 천거에 의해 숭정전설서(崇政殿說書)겸 시강(侍講)을 역임하였다. 어려서부터 정이(程頤)에게 사사하여 스승의 학설을 가장 돈독하게 이어받았다고 한다. 저서는 『논어해(論語解)』, 『맹자해(孟子解)』, 『화정집(和靖集)』 등이 있다.

● 朱子門人問'當朞'.
曰:"『易』卦之位, 震東·離南·兌西·坎北者爲一說, 十二辟卦分屬十二辰者爲一說. 及焦延壽爲卦氣直日之法, 乃合二說而一之. 旣以八卦之震·離·兌·坎二十四爻直四時, 又以十二辟卦直十二月. 且爲分四十八卦爲之公·侯·卿·大夫, 而六日七分之說生焉. 若以八卦爲主, 則十二卦之乾不當爲巳之辟. 坤不當爲亥之辟, 艮不當侯於申酉, 巽不當侯於戌亥. 若以十二卦爲主, 則八卦之乾不當在西北, 坤不當在西南, 艮不當在東北, 巽不當在東南. 彼此二說, 互爲矛盾. 且其分四十八卦爲公·侯·卿·大夫, 以附於十二辟卦, 初無法象, 而直以意言, 本已無所據矣. 不待論其減去四卦二十四爻, 而後可以見其失也.

주자 문인이 '당기(當朞 : 期年)'[28]에 대해 물었다.
(주자가) 대답했다. "『역』에서 괘의 위치는 진(震☳)괘는 동쪽이고 리(離☲)괘는 남쪽이고 태(兌☱)괘는 서쪽이고 감(坎☵)괘는 북쪽이라는 것이 하나의 설명이고, 12벽괘(辟卦)[29]를 12진(辰)[30]에 분

28) 당기(當朞 : 期年) : 『주역(周易)』「계사상」에서, "건(乾)의 책수(策數)는 216이고 곤(坤)의 책수는 144이다. 모두 360이니, 기년(期年)의 일수(日數)에 해당한다.[乾之策, 二百一十有六, 坤之策, 百四十有四, 凡三百有六十, 當期之日.]"라고 하였다.
29) 12벽괘(辟卦) : 12벽괘는 1년의 12달을 역의 64괘 중 12괘로 구분하여 나타내는 방법이다. 아래의 표와 같다.

| 復 ䷗ | 臨 ䷒ | 泰 ䷊ | 大壯 ䷡ | 夬 ䷪ | 乾 ䷀ | 姤 ䷫ | 遯 ䷠ | 否 ䷋ | 觀 ䷓ | 剝 ䷖ | 坤 ䷁ |
|---|---|---|---|---|---|---|---|---|---|---|---|
| 子월 | 丑월 | 寅월 | 卯월 | 辰월 | 巳월 | 午월 | 未월 | 申월 | 酉월 | 戌월 | 亥월 |

30) 십이진(十二辰) : 자(子), 축(丑), 인(寅), 묘(卯), 진(辰), 사(巳), 오(午),

속시키는 것이 또 하나의 설명이다. 초연수(焦延壽)[31]가 괘기(卦氣)[32]를 일진(日辰)에 배치하는 방법을 만들어 위의 두 이론을 합해 하나로 했다. 이미 팔괘 가운데 진(震)·리(離)·태(兌)·감(坎)괘의 24효를 사계절에 배치하고 나서[33] 또 12벽괘를 열두 달에 배치했고 또 48괘를 나누어 공(公)·후(侯)·경(卿)·대부(大夫)를 삼았으며, 6일 7분[34]의 이론이 생겨났다.

8괘를 위주로 한다면 12벽괘의 건(乾)은 사월(巳月)의 벽(辟)이 되는 것은 부당하고, 곤(坤)은 해월(亥月)의 벽(辟)이 되는 것은 부당하며,[35] 간(艮)이 신유(申酉)에서 후(侯)가 되는 것도 부당하고, 손

---

미(未), 신(申), 유(酉), 술(戌), 해(亥)의 달(月)을 말한다.

31) 초연수(焦延壽) : 이름은 공(贛)이고, 한(漢)나라 원제(元帝) 때 사람이다. 역학(易學)에 밝았으며 저서로 『역림(易林)』이 있다.

32) 괘기(卦氣) : 초연수는 64괘를 1년 24절기에 분배했다. 이 때문에 괘기(卦氣)라 말하는 것이다.

33) 이미 팔괘 가운데 … 사계절에 배치하고 나서 : 봄은 진(震)괘에 여름은 리(離)괘에 가을은 태(兌)괘에 겨울은 감(坎)괘에 배치한다.

34) 6일 7분 : 사정괘(四正卦, 乾·坤·坎·離)는 사시(四時)에 맞추고, 나머지 60괘 360효는 나뉘어져 매 1일을 주관한다. 365와 4분의 1이 1년의 날수인데 360일에서 남은 5와 4분의 1일은 배당할 효가 없다. 그래서 이 남은 5와 4분의 1일에 대해 매 1일을 80분으로 나누니 5일은 400분이 되고, 4분의 1일은 또 20분이 되니 모두 420분이 된다. 이를 60괘 360일에다 더 보태어 배치하니 각각의 괘마다 7분을 더 얻게 되는 것이다. '6일(六日)'이라 한 것은 매 1효가 각각 1일을 주관하니 하나의 괘는 각각 6일씩 얻게 된다. 위에서 말한 7분이라는 말과 함께 6일 7분(六日七分)이라 한다.

35) 8괘를 위주로 한다면 … 벽(辟)이 되는 것은 부당하며 : 12벽괘에서 건(乾)괘는 사월(巳月)괘이고, 곤(坤)괘는 해월(亥月)괘이다. 만약 8괘 후천(後天)의 방위를 위주로 말하자면 건괘는 마땅히 서북(西北) 방위에

(巽)이 술해(戌亥)에서 후(候)가 되는 것도 부당하다.
12벽괘를 주로 삼는다면 8괘의 건은 서북에 있는 것이 부당하고, 곤은 서남에 있는 것이 부당하며, 간은 동북에, 손은 동남에 있는 것도 또한 부당하다.[36] 피차의 두 설명이 서로 모순 된다.
또 48괘를 나누어 각각 공·후·경·대부를 삼아서 12벽괘에 부속시키는 것은 처음부터 법상(法象)이 없이 곧장 생각나는 대로 말한 것으로 본래 근거가 없는 것이다. 4괘의 24효를 뺀 뒤에 그 과실을 알 수 있다고 할 필요도 없다.

揚雄『太玄』次第, 乃是全用焦法. 其八十一首, 蓋亦去其震·離·兌·坎者, 而但擬其六十卦耳. 諸家於八十一首, 多有作擬震·離·兌·坎者, 近世許翰始正其誤. 至立踦·嬴二贊, 則正以七百二十九贊, 又不足乎六十卦六日七分之數而益之. 恐不可反據其說, 以正焦氏之說也."[37]

양웅(揚雄)의 『태현경』 순서[38]는 완전히 초연수의 방법을 사용한

해당하고, 곤괘는 마땅히 서남(西南) 방위에 해당한다.

36) 12벽괘를 주로 삼는다면 … 동남에 있는 것도 역시 부당하다 : 『翼增』에서 "건괘(乾卦)는 사월(巳月)에 해당하고, 곤괘(坤卦)는 해월(亥月)에 해당하며, 간괘(艮卦)는 신월(申月)과 유월(酉月)에 해당하며 손괘(巽卦)는 술월(戌月)과 해월(亥月)에 해당한다.[謂乾當在巳, 坤當在亥, 艮當在申酉, 巽當在戌亥也).]"라고 하였다.

37) 주희(朱熹), 『주문공문집(朱文公文集)』 권37, 「답정태지(答程泰之)·당기(當朞)」.

38) 『태현경』 순서 : 『태현경』의 순서는 『역(易)』의 1괘(卦)에 6효(爻)가 있는 것처럼 1수(首)에 9찬(贊)이 있다. 그래서 81수에 729찬이 된다.

것이다. 그 81수(首)는 또한 진(震)·리(離)·태(兌)·감(坎)을 제거하고 60괘를 모방한 것일 뿐이다. 여러 학자들이 81수(首)에 대해 진(震)·리(離)·태(兌)·감(坎)을 모방해 만든 것이 많이 있는데, 근래에 허한(許翰)[39]이 비로소 그 잘못을 바로잡았다. 기찬(踦贊)과 영찬(嬴贊)[40]이란 두 찬을 세운 것은 바로 729찬으로는 또 60괘 6일 7분의 수에 부족하여 그것을 더 보탠 것이다. 거꾸로 그 설명에 근거해도 초연수의 주장을 바로잡을 수 없을 것이다."

● "先天圖非某之說, 乃康節之說; 非康節之說, 乃希夷之說; 非希夷之說, 乃孔子之說. 但當日諸儒旣失其傳, 而方外之流, 陰相付授以爲丹竈之術. 至希夷·康節, 乃反之於『易』而後其說始得復明於世."[41]

(주자가 말했다.) "선천도(先天圖)는 나의 말이 아니라 소강절(邵康節 : 邵雍)의 말이고, 소강절의 말이 아니라 진희이(陳希夷 : 陳摶)의 말이며, 진희이의 말이 아니라 공자의 말이다. 단지 당시 여러 학자들이 이미 그 전수를 잃어서 방외(方外)의 무리가 은밀히 서로 주고받으며 단조술(丹竈術)[42]로 만들었다. 진희이와 소강절에 이르러 『역』으로 되돌아온 뒤에, 그 말들이 비로소 다시 세상에 밝혀

39) 허한(許翰, ?~1133) : 자(字)는 숭로(崧老)이다. 북송 시대 고종(高宗) 때에 우상(右相)이었다. 『태현해(太玄解)』 4권과 『태현역(太玄曆)』 1권을 저술했다.

40) 기영(踦嬴) : '기(踦)'는 '남은 것(奇)'이고 '영(嬴)'은 '나머지(餘)'이다.

41) 주희(朱熹), 『주문공문집(朱文公文集)』 권38, 「답원기중(答袁機仲)」.

42) 단조술(丹竈術) : 후한 시대에 위백양(魏伯陽)의 연단법(煉丹法)을 말한다. 단약을 만드는 부엌을 의미한다.

지게 되었다."

● 問: "伊川『易』說理太多."
曰: "伊川言'聖人有聖人用, 賢人有賢人用. 若一爻只作一事, 則三百八十四爻, 止作得三百八十四事也', 說得極好. 然他解, 依舊是三百八十四爻, 止作得三百八十四事用也."[43]

물었다. "이천(伊川: 程頤)의 『역』은 이치를 설명한 것이 너무 많습니다."
(주자가) 대답했다. "이천이 '성인에게는 성인의 쓰임이 있고, 현인에게는 현인의 쓰임이 있다. 한 효가 한 가지 일에 그친다면 384효는 단지 384개의 일을 하는데 그칠 것이다'[44]라고 했는데, 설명이 매우 좋다. 그러나 그의 해석도 여전히 384효가 단지 384가지 일에 쓰이는 것으로 그쳤다."

● "『詩』·『書』略看訓詁, 解釋文義令通而已, 卻只玩味本文. 其道理只在本文, 下面小字盡說, 如何會過得他? 若『易傳』, 卻可脫去本文. 程子此書平淡地漫漫委曲, 說得更無餘蘊. 不是那敲磕逼匝出底, 義理平鋪地放在面前. 只如此等行文, 亦自難學. 如其他峭拔雄健之文, 卻可作; 若『易傳』淡底文字, 如何可及?"[45]

43) 주희, 『주자어류』 권67, 28조목.
44) 성인에게는 성인의 쓰임이 있고 … 단지 384개의 일을 하는데 그칠 것이다 : 정호·정이, 『하남정씨유서(河南程氏遺書)』 권19.
45) 주희, 『주자어류』 권67, 33조목.

(주자가 말했다.) "『시(詩)』·『서(書)』는 간략하게 훈고(訓詁)를 보면 문장의 뜻을 해석하여 잘 통할 뿐이니, 도리어 본문을 완미해야 한다. 그 도리가 다만 본문에 있는데, 그 아래의 작은 글자들이 아무리 설명해도 어떻게 그것을 넘어설 수 있겠는가?
『역전』같은 경우는 도리어 본문을 빼버릴 수 있다. 정자(程子 : 程頤)의 이 책은 평이하고 담담하면서도 폭넓고 곡진하여 다시 더 여지가 없을 정도로 설명했다. 억지로 다그치듯 찾아낸 것이 아니기 때문에 의리가 눈앞에 평평하게 펼쳐져 있다. 이와 같이 글을 쓰는 방식은 또한 본래 배우기 어렵다. 다른 빼어나고 웅건한 문장은 도리어 지을 수 있지만, 『역전』과 같이 담박한 글은 어찌 미칠 수 있겠는가?"

● 問 : "『易傳』大概將三百八十四爻作人說, 恐通未盡否."
曰 : "也是. 卽是不可裝定作人說. 看占得如何? 有就事言者,[46] 有以位言者. 以吉凶言之則爲事, 以終始言之則爲時, 以高下言之則爲位, 隨所作而看皆通. 「繫辭」, '不可爲典要, 唯變所適.' 豈可裝定作人說?"[47]

물었다. "『역전』은 대개 384효를 사람에 적용하여 말하는데, 다 통하지는 않는 것 같습니다."
(주자가) 대답했다. "그렇다. 꼭 사람만 가정하여 말해서는 안 된다. 점친 것이 어떠한지를 보아야 한다. 일을 가지고 말한 경우가

46) 有就事言者 : 주희, 『주자어류』 권67, 29조목에는 이 구절 뒤에 "有以時節言者[때를 가지고 말한 경우도 있으며]"라는 말이 더 있다.
47) 주희, 『주자어류』 권67, 29조목.

있고 지위를 가지고 말한 경우도 있다. 길흉으로 말하면 일이 되고, 시작과 끝으로 말하면 때가 되며, 높고 낮음으로 말하면 지위가 되니 해당하는 것에 따라 보아야 모두 통한다. 「계사전」에 '전요(典要)로 삼을 수 없고, 오직 적합한 것으로 변한다'[48]라고 했다. 어찌 사람만을 가정해서 말할 수 있겠는가?"

● "此書近細讀之,[49] 恐程『傳』得之已多. 但不合全說作義理, 不就卜筮上看, 故其說有無頓著處耳. 今但作卜筮看, 而以其說推之, 道理自不可易.[50]

(주자가 말했다.) "이 책(『귀장』을 가리킴)을 최근에 자세히 읽어보니 아마도 정이의 『이천역전(伊川易傳)』이 그것을 터득한 것이 많은 것 같다. 그러나 완전히 의리로만 말해서는 안 되는데 점치는 측면으로는 보지 않았기 때문에, 그 말이 귀착할 곳이 없을 뿐이다. 지금 다만 점치는 것으로 보고 그 말로 미루어 가면 도리는 본래

48) 전요(典要)로 삼을 수 없고, 오직 적합한 것으로 변한다 : 『주역』「계사하」에서, "『역(易)』이라는 책은 잊을 수 없고 도 됨은 자주 옮긴다. 변동하여 머물지 않아 여섯 빈자리에 두루 흐른다. 그리하여 오르내림이 무상하고 강유(剛柔)가 서로 교역하여 전요(典要)로 삼을 수 없고, 오직 적합한 것으로 변한다.[易之爲書也, 不可遠, 爲道也屢遷, 變動不居, 周流六虛, 上下无常, 剛柔相易, 不可爲典要, 唯變所適.]"라고 하였다.

49) 此書近細讀之 : 주희 『주문공문집』 권44, 「답채계통(答蔡季通)」에는 이 구절 앞에 "向所托校『歸藏』告示及, 晁以道『易說』亦望借及.[저번에 부탁하기를 『귀장』을 교감해서 알려달라고 했고, 조이도(晁以道 : 晁說之)의 『역설』도 빌려주기를 바랐습니다.]"이라는 말이 더 있다.

50) 주희, 『주문공문집』 권44, 「답채계통(答蔡季通)」.

바꿀 수 없다."

● "自秦·漢以來, 考象辭者, 泥於術數, 而不得其弘通簡易之法. 談義理者, 淪於空寂, 而不適乎仁義中正之歸. 求其因時立敎以承三聖, 不同於法而同於道者, 則唯伊川先生程氏之書而已."[51]

(주자가 말했다.) "진(秦)·한(漢) 이래로 상사(象辭)를 고찰하는 자들은 술수(術數)에 빠져 그 넓게 통하고 간단하고 쉬운 법을 얻지 못했다. 의리를 담론하는 자들은 공적(空寂)에 빠져 인의(仁義)와 중정(中正)이 귀착할 곳으로 가지 못했다. 때에 알맞게 가르침을 세우기를 구하여 세 성인을 계승하고, 방법에서는 같지 않지만 도에서 같은 것은 이천(伊川) 선생 정씨(程氏 : 程頤)의 책일 뿐이다."

● "老蘇說『易』, 專得於'愛惡相攻而吉凶生'以下三句. 他把這六爻, 似那累世相仇相殺底人相似看. 這一爻攻那一爻, 這一畫克那一畫, 全不近人情. 東坡見他恁地太粗疎, 卻添得些佛老在裏面, 其書自作兩樣.[52]

(주자가 말했다.) "노소(老蘇 : 蘇洵)가 『역』을 설명한 것은 오로지 '사랑과 미움이 서로 공격하여 길흉이 생겨난다'[53] 이하의 세 구절에

---

51) 주희, 『주문공문집』 권81, 「서이천선생역전판본후(書伊川先生易傳板本後)」.
52) 주희, 『주자어류』 권67, 151조목.
53) 사랑과 미움이 서로 공격하여 길흉이 생겨난다 : 『주역』「계사상」에서, "변동은 이로움으로써 말하고, 길흉은 정(情)으로써 옮겨간다. 이 때문에

에서 얻었다. 그는 이 여섯 효를 마치 오랜 세월 동안 서로 원수지고 서로 죽이는 사람과 비슷하게 본다. 이 효가 저 효를 공격하고 이 획이 저 획을 극복하니 전혀 인정과 가깝지 않다.
동파(東坡 : 蘇軾)는 그가 이처럼 지나치게 소략한 것을 보고 또한 거기에 불(佛)·노(老)를 덧붙였으니, 그 책이 저절로 두 가지 모양이 되었다."

● 王氏應麟曰 : "以義理解『易』, 自王弼始, 何晏非弼比也. 清談亡晉, 衍也, 非弼也. 範寧以王弼·何晏並言, 過矣."[54]

왕응린(王應麟)이 말했다. "의리로 『역』을 해석하는 일은 왕필로부터 시작되었으니 하안(何晏)은 왕필에 비할 것이 아니다. 청담이 진(晉)나라를 망하게 한 것은 왕연(王衍)[55] 때문이지 왕필 때문이 아니다. 범녕(範寧)[56]이 왕필과 하안을 나란히 말한 것은 지나치다."

---

사랑함과 미워함이 서로 공격하여 길·흉이 생기며, 멀고 가까움이 서로 취하여 회린이 생기며, 진정과 거짓이 서로 감동하여 이해(利害)가 생기나니, 무릇 역(易)의 정(情)은 가까우면서도 서로 맞지 못하면 흉하거나 혹은 해로우며, 뉘우치고 또 부끄럽다.[變動以利言, 吉凶以情遷, 是故愛惡相攻而吉凶生, 遠近相取而悔吝生, 情僞相感而利害生, 凡易之情, 近而不相得, 則凶或害之, 悔且吝.]"라고 하였다.

54) 왕응린(王應麟), 『곤학기문(困學紀聞)』 권1, 「역(易)」.

55) 왕연(王衍, 256~311) : 자는 이보(夷甫)이고, 서진(西晉)시대 낭야(琅琊)군 임기(臨沂)현 사람으로 저명한 청담가이다. 처음에 태자사인(太子舍人)이 되었다가 황문시랑(黃門侍郎)에 올랐다. 외모가 준수하고 인품이 단아하여 그의 청담은 크게 성행했고, 급기야 당시 풍속을 이루어 결국은 진 나라를 멸망시키기에 이르렀다고 한다.

56) 범녕(範寧, 339~401) : 남양(南陽) 순양(順陽) 사람으로 범왕(範汪)의

● "程子言『易』, 謂得其義則象數在其中. 朱子以爲先見象數, 方說得理. 不然, 事無實證, 則虛理易差. 愚嘗觀顔延之「庭誥」云, '馬·陸得其象數, 取之於物 ; 荀·王擧其正宗, 得之於心.' 其說以荀主爲長. 李泰發亦謂一行明數而不知其義, 管輅明象而不通其理. 蓋自輔嗣之學行, 而象數之說隱. 然義理象數, 一以貫之, 乃爲盡善."[57]

(왕응린이 말했다.) "정자(程子 : 程頤)는 『역』을 말하면서 그 의리를 얻으면 상수(象數)는 그 가운데 있다고 했다. 주자는 먼저 상수(象數)를 보아야 이치를 말할 수 있으며, 그렇지 않으면 일에 실증이 없으니 이치가 공허해지고 쉽게 어긋난다고 여겼다.
나는 일찍이 안연지(顔延之)[58]가 『정고(庭誥)』에서 '마융(馬融)·육적(陸績)이 그 상수를 얻어 사물에서 취했고, 순상(荀爽)·왕필(王弼)이 그 정종(正宗)을 거론하여 마음에서 얻었다'[59]고 한 것을

아들이다. 동진(東晉) 시기의 대유학자(大儒學者)이자 경학가(經學家)이다. 일찍이 예장태수(豫章太守)를 지냈다. 『후한서(後漢書)』의 작자인 범엽(範曄)의 조부이다. 그는 유학을 추숭하여 하안과 왕필의 현학을 반대했다. 저서로는 최초의 『춘추곡량전』 주석서인 『춘추곡량전집해(春秋穀梁傳集解)』가 있다.

57) 왕응린, 『곤학기문』 권1, 「역(易)」.

58) 안연지(顔延之, 384~456) : 자는 연연(延年)이고 남조 송대 문학가이다. 낭야(琅邪)군 임기(臨沂)현 사람이다. 증조부는 함(含)이고 우광록대부(右光祿大夫)이다. 조부는 약(約)이고 영릉태수(零陵太守)이다. 아버지는 현(顯)이고 호군사마(護軍司馬)이다. 어려서는 빈곤하여 누추한 집에 살았지만 책읽기를 좋아하여 읽지 않은 책이 없었다. 문장이 아름다워 약관의 나이에 사령운(謝靈運)과 함께 안사(顔謝)라고 칭해졌다.

59) 마융(馬融)·육적(陸績)이 그 상수를 … 거론하여 마음에서 얻었다 : 『태

보았다. 그 주장은 순상(荀爽)과 왕필(王弼)을 뛰어나다고 여긴 것이다. 이태발(李泰發) 역시 일행(一行)[60]은 수(數)를 밝혔지만 그 의리를 알지 못하고 관로(管輅)[61]는 상(象)을 밝혔지만 그 이치를 통하지 못했다고 하였다.
왕보사(王輔嗣 : 王弼)의 학문이 성행한 이래로 상수의 학설이 사라졌다. 그러나 의리(義理)와 상수(象數)는 하나로 꿰뚫어야 가장 훌륭한 것이 된다."

以上論諸家說易.

이상 여러 학자가 『역』을 설명한 것에 대해 논했다.

평어람(太平御覽)』 권608에서 『정고(庭誥)』의 말로 인용하고 있다.

60) 일행(一行, 673~727) : 당나라 선사(禪師)이다. 본명은 장수(張遂)이다. 당나라 때의 유명한 천문학자(天文學者)이자 선승이다. 『태연력(大衍曆)』을 편집했다. 그는 주로 천문의기(天文儀器)와 천상을 관측하는 일에 공헌한 것이 많았다.

61) 관로(管輅, 209~256) : 삼국 시기 조위(曹魏)의 술사이다. 자는 공명(公明)이고 평원(平原) 사람이다. 『주역』에 정통하고 복서와 관상에 뛰어났다.

# 의례
# 義例

### 때[時]

● 消息盈虛之謂'時', 泰·否·剝·復之類是也. 又有指事言者, 訟·師·噬嗑·頤之類是也. 又有以理言者, 履·謙·咸·恒之類是也. 又有以象言者, 井·鼎之類是也. 四者皆謂之時.

줄어들고 늘어나며 가득 차고 텅 비는 것을 '때'라고 하니, 태(泰䷊)괘·비(否䷋)괘·박(剝䷖)괘·복(復䷗)괘 따위가 이것이다. 또 일을 가리켜 말하는 것이 있으니, 송(訟䷅)괘·사(師䷆)괘·서합(噬嗑䷔)괘·이(頤䷚)괘 따위가 이것이다. 또 이치로 말한 것이 있으니, 리(履䷉)괘·겸(謙䷎)괘·함(咸䷞)괘·항(恒䷟)괘 따위가 이것이다. 또 상(象)으로 말한 것이 있으니 정(井䷯)괘·정(鼎䷱)괘의 따위가 이것이다. 이 네 가지는 모두 때를 말한다.

### 자리[位]

● 貴賤上下之謂'位'. 王弼謂中四爻有位, 而初·上兩爻無位, 非謂無陰陽之位也, 乃謂爵位之位耳. 五君位也, 四近臣之位也, 三雖非近而位亦尊者也, 二雖不如三·四之尊而與五爲正應者也. 此四爻皆當時用事, 故謂之有位. 初·上則但以時之始終論者, 爲多, 若以位論之, 則初爲始進而未當事之人, 上爲旣退而在事外之人也, 故謂之無位. 然此但言其正例耳. 若論變例則如屯·泰·復·臨之初, 大有·觀·大畜·頤之上, 皆得時而用事, 蓋以其爲卦主故也. 五亦有時不以君位言者, 則又以其卦義所取者臣道, 不及於君故也故. 朱子云'常可類求, 變非例測.'

귀함과 천함 그러고 위와 아래를 '자리'라고 한다. 왕필(王弼)은 가운데 네 효는 자리가 있지만 초효와 상효 두 효는 자리가 없다고 했으니, 음양의 자리가 없다는 것을 말하는 것이 아니라 작위(爵位)의 지위를 말할 뿐이다. 오효는 군주의 자리이고, 사효는 군주와 가까운 신하의 자리이며, 삼효는 비록 군주와 가깝지는 않지만 자리 역시 존귀한 자이고, 이효는 비록 삼효와 사효처럼 존귀하지는 않지만 오효와 올바른 호응을 하는 자이다.
이 네 효는 모두 해당하는 때에 일을 하고 있으므로 자리가 있다고 했다. 초효와 상효는 단지 때의 시작과 끝으로 논하는 것이 많으니, 자리를 가지고 논한다면 초효는 처음 나아가지만 일을 담당하지 못하는 사람이고, 상효는 이미 물러나 일의 밖에 있는 사람이므로 자리가 없다고 했다. 그러나 이것은 단지 정상적인 사례를 말할 뿐이다.
변칙적인 사례를 논하면 준(屯)괘·태(泰)괘·복(復)괘·임(臨)괘의 초효와 대유(大有)괘·관(觀)괘·대축(大畜)괘·이(頤)괘의 상효는 모두 때를 얻어 일을 하고 있으니, 그것이 괘의 주효이기 때문이다. 오효 역시 어떤 때는 군주의 자리로 말하지 않은 것이 있으니, 또한 괘의 의미가 취한 것이 신하의 도리라서 군주에 미치지 못하기 때문이다. 주자는 '불변하는 것은 유추하여 구할 수는 있지만, 변하는 것은 정해진 사례로 추측하는 것이 아니다.'[1]라고 했다.

## 덕[德]

● 剛柔中正不中正之謂德. 剛柔各有善不善, 時當用剛, 則以剛爲善也, 時當用柔, 則以柔爲善也. 唯中與正, 則無有不善者. 然正尤不如中之善, 故程子曰, '正未必中, 中則無不正也.' 六爻當位者未必皆吉, 而二·五之中, 則吉者獨多, 以此故爾.

강(剛)과 유(柔)가 중(中)·정(正)하느냐 중·정하지 못하느냐를 덕이라고 한다. 강(剛)과 유(柔)에는 각각 선함과 불선함이 있어 때에 마땅히 강(剛)을 사용해야 하면 강(剛)이 선이 되고, 때에 마땅히 유(柔)를 사용해야 하면 유(柔)가 선이 된다. 중(中)이 정(正)과 더불어 할 때 선하지 않음이 없다.
그러나 정(正)은 특히 중(中)의 선함만 못하므로, 정자(程子)는 '정(正)은 반드시 중(中)이 아닐 수도 있지만, 중(中)하면 정(正)하지 못함이 없다.'고 했다. 여섯 효가 지위에 합당한 것은 반드시 모두 길한 것은 아니지만, 이효와 오효의 중(中)은 길한 것이 유독 많으니, 이 때문이다.

## 호응[應]·나란함[比]

● '應'者, 上下體相對應之爻也. '比'者, 逐位相比連之爻也. 『易』中比·應之義, 唯四與五比, 二與五應爲最重. 蓋以五爲尊位, 四近而承之, 二遠而應之也. 然近而承者, 則貴乎恭順小心, 故剛不如柔之善. 遠而應者, 則貴乎強毅有爲, 故柔又不如剛之善. 夫子曰, '二與四, 同功而異位, 二多譽, 四多懼, 近也. 柔之爲道,

1) 주희, 『주문공문집』 권85, 「역오찬(易五贊)」.

不利遠者, 其要無咎, 其用柔中也.' 夫言柔之道不利遠, 可見剛之道不利近矣. 又可見柔之道利近, 剛之道利遠矣. 夫子此條, 實全易之括例.

'호응'은 상체와 하체가 서로 대응하는 효이다. '나란함'은 자리의 순서가 서로 나란히 연결하는 효이다. 『역』 가운데 나란함과 호응의 의미는 사효와 오효의 나란함과 이효와 오효의 호응이 가장 중요하다. 오효는 존귀한 자리이니 사효는 가까이서 그를 받들고 이효는 멀리서 그를 호응하기 때문이다. 그러나 가까이서 받드는 자는 공순하고 조심하는 마음이 중요하므로 강(剛)은 유(柔)의 선함보다 못하다. 멀리서 호응하는 자는 강인하게 일을 도모하는 것이 중요하므로, 유(柔)가 또한 강(剛)의 선함보다 못하다.
공자는 '이효와 사효는 공로가 같지만 자리가 다르니 선함이 같지 않다. 이효는 칭찬이 많은데 사효가 두려움이 많은 것은 군주의 자리와 가깝기 때문이다. 유(柔)의 도(道)는 멀리 있는 것이 이롭지 않다. 그 요지가 허물이 없는 것은 그 작용이 유(柔)로써 중(中)에 자리 잡기 때문이다'[2]라고 했다.
유(柔)의 도는 먼 것이 이롭지 않음을 말했으니 강(剛)의 도는 가까운 것이 이롭지 않음을 알 수 있다. 또 유(柔)의 도가 가까운 것이 이로움을 알 수 있으니 강(剛)의 도는 먼 것이 이로움을 알 수 있다. 공자의 이 조목은 실로 전체 『역』의 포괄적인 범례이다.

● 凡比與應, 必一陰一陽, 其情乃相求而相得. 若以剛應剛, 以

2) 이효와 사효는 공로가 같지만 … 자리 잡기 때문이다 : 『주역』「계사하」.

柔應柔, 則謂之無應. 以剛比剛, 以柔比柔, 則亦無相求相得之情矣.

나란함과 호응은 반드시 한 번 음하고 한 번 양하여 그 실정은 서로 구하여 서로 얻는다. 강(剛)이 강(剛)에 호응하고 유(柔)가 유(柔)에 호응하면 호응이 없다고 말한다. 강(剛)이 강(剛)에 나란히 하고 유(柔)가 유(柔)에 나란히 하면 또한 서로 구하고 서로 얻는 정이 없다.

● 以此例推之, 『易』中以六四承九五者, 凡十六卦, 皆吉. 比曰'外比於賢', 小畜曰'有孚惕出', 觀曰'利用賓於王', 坎曰'納約自牖', 家人曰'富家', 益曰'中行告公從', 井曰'井甃無咎', 漸曰'或得其桷', 巽曰'田獲三品', 渙曰'渙其群元吉', 節曰'安節亨', 中孚曰'月幾望', 皆吉辭也. 唯屯·需與蹇·則相從於險難之中, 故曰'往吉', 曰'出自穴', 曰'來連.' 旣濟則交儆於未亂之際, 故曰'終日戒', 亦皆吉辭.

이러한 예로 유추하면 『역』에서 육사효가 구오효를 받드는 것은 모두 16괘로 모두 길하다. 비(比䷇)괘의 '밖으로 현자와 친밀하게 하다'[3]는 것과 소축(小畜䷈)괘의 '진정한 믿음이 있다면 두려움에서 벗어난다'[4]는 것과 관(觀䷓)괘의 '왕에게 극진하게 대우받는 것

3) 밖으로 현자와 친밀하게 하다 : 『주역』 비(比)괘 육사효에서 "육사효는 밖으로 친밀하게 협력하니, 올바르게 행해서 길하다.[六四, 外比之, 貞吉.]"라 했고, 「상전」에서, "밖으로 현자와 친밀하게 협력하는 것은 윗사람을 따르는 것이다.[象曰, 外比於賢, 以從上也.]"라고 했다.

4) 진정한 믿음이 있다면 두려움에서 벗어난다 : 『주역』 소축(小畜)괘 육사

이 이롭다'[5]는 것과 감(坎䷜)괘의 '마음을 결속시키는 것을 창문을 통해서 한다'[6]는 것과 가인(家人䷤)괘의 '집안을 부유하게 한다'[7]는 것과 익(益䷩)괘의 '중(中)을 행하면 공(公)에게 충고해서 따르게 한다'[8]는 것과 정(井䷯)괘의 '우물에 벽돌을 쌓으면 허물이 없다'[9]는 것과 점(漸䷴)괘의 '혹 그 평평한 가지를 얻는다'[10]는 것과 손(巽䷸)괘의 '사냥하여 세 등급의 짐승을 얻는다'[11]는 것과 환(渙

---

효에서, "육사효는 진정한 믿음을 가지고 하면, 피해를 없애고 두려움에서 벗어나, 허물이 없다.[六四, 有孚, 血去惕出, 無咎.]"라고 했다. 「상전」, "진정한 믿음이 있다면 두려움에서 벗어나는 것은 위와 뜻이 합치했기 때문이다.[象曰, 有孚惕出, 上合志也.]"라고 했다.

5) 왕에게 극진하게 대우받는 것이 이롭다 : 『주역』 관(觀)괘 육사효에서, "육사효는 나라의 빛남을 보니, 왕에게 극진하게 대우받는 것이 이롭다.[六四, 觀國之光, 利用賓于王.]"라고 했다.

6) 마음을 결속시키는 것을 창문을 통해서 한다 : 『주역』 감(坎)괘 육사효에서, "육사효는 한 동이의 술과 두 그릇의 밥을 질그릇에 담아 사용하고, 마음을 결속시키는 것을 창문을 통해서 하면 결국에는 허물이 없다.[六四, 樽酒簋貳, 用缶, 納約自牖, 終无咎.]"라고 했다.

7) 집안을 부유하게 한다 : 『주역』 가인(家人)괘 육사효에서, "육사효는 집안을 부유하게 하는 것이니, 크게 길하다.[六四, 富家, 大吉.]"라고 했다.

8) 중(中)을 행하면 공(公)에게 충고해서 따르게 한다 : 『주역』 익(益)괘 육사효에서, "육사효는 중(中)을 이룬 행위를 하면, 공(公)에게 충고해서 따르게 하리니, 의지하며 나라를 옮기는 것이 이롭다.[六四, 中行, 告公從, 利用爲依遷國.]"라고 했다.

9) 우물에 벽돌을 쌓으면 허물이 없다 : 『주역』 정(井)괘 육사효에서, "육사효는 우물에 벽돌을 쌓으면 허물이 없을 것이다.[六四, 井甃无咎.]"라고 했다.

10) 혹 그 평평한 가지를 얻는다 : 『주역』 점(漸)괘 육사효에서, "육사효는 기러기가 나무로 점차적으로 나아가는 것이니, 혹 그 평평한 가지를 얻으면 허물이 없다.[六四, 鴻漸于木, 或得其桷, 无咎.]"라고 했다.

䷺)괘의 '흩어지는 때 무리를 이루어 크게 길하다'[12]는 것과 절(節䷻)괘의 '절제하는 데 편안하니 형통하다'[13]는 것과 중부(中孚䷼)괘의 '달이 거의 가득 찼다'[14]는 것은 모두 길한 말이다. 오직 준(屯䷂)괘·수(需䷄)괘와 건(蹇䷦)괘는 험난함 가운데 서로 좇으므로 '가면 길하다'[15]라고 했고 '스스로 동굴에서 나온다'[16]고 했고 '오면 연대한다'[17]고 했다. 기제(旣濟䷾)괘는 아직 혼란하지 않을 때 서로 경계하므로 '종일토록 경계한다'[18]라고 했으니 또한 모두

11) 사냥하여 세 등급의 짐승을 얻는다 : 『주역』 손(巽)괘 육사효에서, "육사효는 후회가 없어지니, 사냥하여 세 등급의 짐승을 얻는다.[六四, 悔亡, 田獲三品.]"라고 했다.

12) 흩어지는 때 무리를 이루어 크게 길하다 : 『주역』 환(渙)괘 육사효에서, "육사효는 흩어지는 때 무리를 이루는 자라서 크게 길하다. 흩어질 때 언덕처럼 모이는 것은 보통 사람이 생각할 수 있는 것이 아니다.[六四, 渙其群, 元吉. 渙有丘, 匪夷所思.]"라고 했다.

13) 절제하는 데 편안하니 형통하다 : 『주역』 절(節)괘 육사효에서, "육사효는 절제하는 데 편안한 것이니, 형통하다.[六四, 安節, 亨.]"라고 했다.

14) 달이 거의 가득 찼다 : 『주역』 중부(中孚)괘 육사효에서, "육사효는 달이 거의 가득 찬 것이니, 말의 짝을 잃으면, 허물이 없다.[六四, 月幾望, 馬匹亡, 无咎.]"라고 했다.

15) 가면 길하다 : 『주역』 준(屯)괘 육사효에서, "육사효는 말을 탔다가 내리는 모습이니, 혼인을 구하여 가면 길하고 이롭지 않음이 없다.[六四, 乘馬班如, 求婚媾, 往吉, 无不利.]"라고 했다.

16) 스스로 동굴에서 나온다 : 『주역』 수(需)괘 육사효에서, "육사효는 피에서 기다리는 모습이니, 스스로 동굴에서 나온다.[六四, 需于血, 出自穴.]"라고 했다.

17) 오면 연대한다 : 『주역』 건(蹇)괘 육사효에서, "육사효는 가면 어렵고, 오면 연합한다.[六四, 往蹇, 來連.]"라고 했다.

18) 종일토록 경계한다 : 『주역』 기제(旣濟)괘 육사효에서, "육사효는 물에 젖

길한 말이다.

● 以九四承六五, 亦十六卦, 則不能皆吉, 而凶者多. 如離之'焚如死如棄如', 恒之'田無禽', 晉之'鼫鼠', 鼎之'覆餗', 震之'遂泥', 皆凶爻也. 大有之'匪彭', 睽之'睽孤', 解之'解拇', 歸妹之'愆期', 旅之'心未快', 小過之'往厲必戒', 雖非凶爻, 而亦不純吉. 唯豫之四, 一陽而上下應, 噬嗑之四, 一陽爲用獄主, 豐之四, 爲動主以應乎明, 大壯之壯, 至四而極, 未濟之未濟, 至四而濟, 皆卦主也, 故得吉·利之辭, 而免凶咎.

구사효가 육오효를 받들고 있는 것 역시 16괘인데 모두 길할 수는 없고 흉한 것이 많다. 이(離☲)괘의 '불타오르는 듯하여 죽게 되고 버림을 받는다'[19]는 것과 항(恒☳)괘의 '사냥을 하지만 잡은 짐승은 없다'[20]는 것과 진(晉☷)괘의 '쥐새끼와 같다'[21]는 것과 정(鼎☲)괘의 '음식을 엎는다'[22]는 것과 진(震☳)괘의 '돌이킬 수 없이 빠졌

---

는 데에 헌옷을 마련하고, 종일토록 경계하는 것이다.[六四, 繻有衣袽, 終日戒.]"라고 했다.

19) 불타오르는 듯하여 죽게 되고 버림을 받는다 : 『주역』 이(離)괘 구사효에서, "구사효는 갑작스럽게 오는 것으로 불타오르는 듯하니, 죽게 되고 버림을 받는다.[九四, 突如其來如, 焚如, 死如, 棄如.]"라고 했다.

20) 사냥을 하지만 잡은 짐승은 없다 : 『주역』 항(恒)괘 구사효에서, "구사효는 사냥을 하지만 잡은 짐승은 없다.[九四, 田無禽.]"라고 했다.

21) 쥐새끼와 같다 : 『주역』 진(晉)괘 구사효에서, "구사효는 나아감이 쥐새끼와 같으니, 그런 마음을 굳게 지키면 위태롭다.[九四, 晉如鼫鼠, 貞厲.]"라고 했다.

22) 음식을 엎는다 : 『주역』 정(鼎)괘 구사효에서, "구사효는 솥이 다리가 부러져, 공(公)에게 바칠 음식을 엎었으니, 그 얼굴에 땀이 흘러서, 흉하다.

다'[23]는 것은 모두 흉한 효이다. 대유(大有䷍)괘의 '지나치게 성대하지 않다'[24]는 것과 규(睽䷥)괘의 '분열의 때에 홀로 외롭다'[25]는 것과 해(解䷧)괘의 '엄지발가락을 풀어 없앤다'[26]는 것과 귀매(歸妹䷵)괘의 '혼기가 지났다'[27]는 것과 여(旅䷷)괘 '나의 마음이 불쾌하다'[28]는 것과 소과(小過䷽)괘의 '가면 위태롭고 반드시 경계해야 한다'[29]는 것은 흉한 효는 아니지만 순수하게 길한 것도 아니다. 오직

---

[九四, 鼎折足, 覆公餗, 其形渥, 凶.]"라고 했다.

23) 돌이킬 수 없이 빠졌다 : 『주역』 진(震)괘 구사효에서, "구사효는 진동하여 돌이킬 수 없이 빠져버렸다.[九四, 震遂泥.]"라고 했다.

24) 지나치게 성대하지 않다 : 『주역』 대유(大有)괘 구사효에서, "구사효는 지나치게 성대하지 않으면 허물이 없다.[九四, 匪其彭, 無咎.]"라고 했다.

25) 분열의 때에 홀로 외롭다 : 『주역』 규(睽)괘 구사효에서, "구사효는 분열의 때에 홀로 외로워 훌륭한 남편을 만나 서로 믿음을 가지고 교제하니, 위태롭지만 허물이 없다.[九四, 睽孤, 遇元夫, 交孚, 厲, 无咎.]"라고 했다.

26) 엄지발가락을 풀어 없앤다 : 『주역』 해(解)괘 구사효에서, "구사효는 자신의 엄지발가락을 풀어 없애버리면, 벗들이 몰려와서 신뢰하게 된다.[九四, 解而拇, 朋至斯孚.]"라고 했다.

27) 혼기가 지났다 : 『주역』 귀매(歸妹)괘 구사효에서, "구사효는 소녀를 시집보내는 데 혼기(婚期)가 지난 것이니, 지체하여 돌아감은 때가 있기 때문이다.[九四, 歸妹愆期, 遲歸有時.]"라고 했다.

28) 나의 마음이 불쾌하다 : 『주역』 여(旅)괘 구사효에서, "구사효는 나그네가 거처하고, 물자와 도끼를 얻었지만, 나의 마음은 불쾌하다.[九四, 旅于處, 得其資斧, 我心不快.]"라고 했다.

29) 가면 위태롭고 반드시 경계해야 한다 : 『주역』 소과(小過)괘 구사효에서, "구사효는 허물이 없으니 과도하지 않아 적당해서 가면 위태롭고 반드시 경계해야 하며, 오래도록 올바름을 고집하지 말아야 한다.[九四, 无咎, 弗過遇之, 往厲必戒, 勿用永貞.]"라고 했다.

예(豫☳☷)괘의 구사효는 하나의 양효로 위와 아래로 호응하고,[30] 서합(噬嗑☲☳)괘의 구사효는 하나의 양이 형벌을 쓰는 주체이고,[31] 풍(豐☳☲)괘의 구사효는 움직임의 주체로 밝음에 호응하고,[32] 대장(大壯☳☰)괘의 굳셈은 구사효에 이르러 지극하고,[33] 미제(未濟☲☵)괘의 아직 완성되지 못함은 구사효에 이르러 완성되니[34] 모두 괘의 주효이므로 길하거나 이롭다는 말을 얻고 흉함과 허물을 면한다.

30) 예(豫☳☷)괘의 구사효는 하나의 양효로 위와 아래로 호응하고 : 『주역』 예(豫)괘 구사효에서, "구사효는 기쁨을 일으키는 원인이므로 크게 얻음이 있으니, 의심받지 않게 하면 친구들이 모인다.[九四, 由豫, 大有得, 勿疑, 朋盍簪.]"라고 했다.

31) 서합(噬嗑☲☳)괘의 구사효는 하나의 양이 형벌을 쓰는 주체이고 : 『주역』 서합(噬嗑)괘 구사효에서, "구사효는 말린 갈비를 깨물어 금과 화살을 얻으나 어렵다고 생각하고 올바름을 굳게 지키면 이로우니, 길하다.[九四, 噬乾胏, 得金矢, 利艱貞, 吉.]"라고 했다.

32) 풍(豐☳☲)괘의 구사효는 움직임의 주체로 밝음에 호응하고 : 『주역』 풍(豐)괘 구사효에서, "구사효는 덮개를 풍요하게 했다. 해가 중천에 떴는데도 북두성을 보니, 대등한 상대를 만나면, 길하다.[九四, 豐其蔀, 日中見斗, 遇其夷主, 吉.]"라고 했다.

33) 대장(大壯☳☰)괘의 굳셈은 구사효에 이르러 지극하고 : 『주역』 대장(大壯)괘 구사효에서, "구사효는 올바름을 굳게 지키면 길하여, 후회가 없어지니, 울타리가 터져 열려 곤궁하지 않으며, 큰 수레의 바퀴살이 강성하다.[九四, 貞吉, 悔亡, 藩決不羸, 壯于大輿之輹.]"라고 했다.

34) 미제(未濟☲☵)괘의 아직 완성되지 못함은 구사효에 이르러 완성되니 : 『주역』 미제(未濟)괘 구사효에서, "구사효는 올바르면 길하여, 후회가 없어지니, 진동하여 귀방(鬼方)을 정벌해서 3년 만에야 대국(大國)에 상을 내린다.[九四, 貞吉, 悔亡. 震用伐鬼方, 三年有賞于大國.]"라고 했다.

● 以九二應六五者，凡十六卦，皆吉．蒙之'子克家'，師之'在師中'，泰之'得尙於中行'，大有之'大車以載'，蠱之'幹母蠱'而'得中道'，臨之'咸臨吉而無不利'，恒之'悔亡'，大壯之'貞吉'，睽之'遇主於巷'，解之'得黃矢'，損之'弗損益之'，升之'利用禴'，鼎之'有實'，皆吉辭也．唯大畜之'輿說輹'，則時當止也；歸妹'利幽貞'，則時當守也；未濟'曳輪貞吉'，則時當待也，亦非凶辭也．

구이효가 육오효에 호응하는 것은 16괘인데 모두 길하다. 몽(蒙䷃)괘의 '자식이 집안일을 다스린다'[35]는 것과 사(師䷆)괘의 '군사의 일에서 중(中)을 얻었다'[36]는 것과 태(泰䷊)괘의 '중(中)을 시행하는 것에 합치된다'[37]는 것과 대유(大有䷍)괘의 '거대한 수레가 무거운 물건을 싣다'[38]는 것과 고(蠱䷑)괘의 '어머니의 일을 주관하여'[39]

35) 자식이 집안일을 다스린다 : 『주역』 몽(蒙)괘 구이효에서, "구이효는 어리석음을 포용해주면 길하고 부인을 받아들이면 길할 것이니 자식이 집안일을 다스린다.[九二，包蒙，吉，納婦，吉，子克家.]"라고 했다.

36) 군사의 일에서 중(中)을 얻었다 : 『주역』 사(師)괘 구이효에서, "구이효는 군사의 일에서 중(中)을 얻어서 길하고, 허물이 없으니, 왕이 세 번이나 명령을 내렸다.[九二，在師中吉，無咎，王三錫命.]"라고 했다.

37) 중(中)을 시행하는 것에 합치된다 : 『주역』 태(泰)괘 구이효에서, "구이효는 더러운 것을 포용하고, 맨몸으로 바다를 건너며 먼 것을 버리지 않고 당파를 없애면 중(中)을 시행하는 것에 합치된다.[九二，包荒，用馮河，不遐遺，朋亡，得尙于中行.]"라고 했다.

38) 거대한 수레가 무거운 물건을 싣다 : 『주역』 대유(大有)괘 구이효에서, "구이효는 거대한 수레가 무거운 물건을 실은 모습이니, 일을 진행해 가서 허물이 없을 것이다.[九二，大車以載，有攸往，無咎.]"라고 했다.

39) 어머니의 일을 주관하여 : 『주역』 고(蠱)괘 구이효에서, "구이효는 어머니의 일을 주관하니, 지나치게 곧으면 안 된다.[九二，幹母之蠱，不可貞.]"라고 했다.

'중도(中道)를 얻었다'[40]는 것과 임(臨☷)괘의 '감동시켜 다가감이니 길하여 이롭지 않음이 없다'[41]는 것과 항(恒☷)괘의 '후회가 없어진다'[42]는 것과 대장(大壯☷)괘의 '올바름을 굳게 지켜 길하다'[43]는 것과 규(睽☲)괘의 '골목에서 군주를 만난다'[44]는 것과 해(解☷)괘의 '누런 화살을 얻었다'[45]는 것과 손(損☶)괘의 '덜어내지 않는 것이 오히려 증진시키는 것이다'[46]는 것과 승(升☷)괘의 '소박한 제사를 드리는 것이 이롭다'[47]는 것과 정(鼎☲)괘의 '꽉 찬 내용물이

40) 중도(中道)를 얻었다 : 『주역』 고(蠱)괘 구이효 「상전」에서, "어머니의 일을 주관하는 것은 중도(中道)를 얻은 것이다.[象曰, 幹母之蠱, 得中道也.]"라고 했다.

41) 감동시켜 다가감이니 길하여 이롭지 않음이 없다 : 『주역』 임(臨)괘 구이효에서, "구이효는 감동시켜 다가감이니, 길하여 이롭지 않음이 없다.[九二, 咸臨, 吉無不利.]"라고 했다.

42) 후회가 없어진다 : 『주역』 항(恒)괘 구이효에서, "구이효는 후회가 없어진다.[九二, 悔亡.]"라고 했다.

43) 올바름을 굳게 지켜 길하다 : 『주역』 대장(大壯)괘 구이효에서, "구이효는 올바름을 굳게 지켜 길하다.[九二, 貞吉.]"라고 했다.

44) 골목에서 군주를 만난다 : 『주역』 규(睽)괘 구이효에서, "구이효는 골목에서 군주를 만나면, 허물이 없다.[九二, 遇主于巷, 无咎.]"라고 했다.

45) 누런 화살을 얻었다 : 『주역』 해(解)괘 구이효에서, "구이효는 사냥하여 세 마리 여우를 잡아, 누런 화살을 얻으니, 올바르게 하여 길하다.[九二, 田獲三狐, 得黃矢, 貞吉.]"라고 했다.

46) 덜어내지 않는 것이 오히려 증진시키는 것이다 : 『주역』 손(損)괘 구이효에서, "구이효는 올바름을 지키는 것이 이롭고, 함부로 나가면 흉하니, 덜어내지 않는 것이 오히려 증진시키는 것이다.[九二 利貞, 征凶, 弗損益之.]"라고 했다.

47) 소박한 제사를 드리는 것이 이롭다 : 『주역』 승(升)괘 구이효에서, "구이효는 진실한 믿음이 있으면 소박한 제사를 드리는 것이 이로우니, 허물이

있다'[48]는 것은 모두 길한 말이다. 오직 대축(大畜䷙)괘의 '수레에서 바퀴통이 빠졌다'[49]는 것은 때가 마땅히 멈추어야하고, 귀매(歸妹䷵)괘의 '그윽한 은둔자의 올바름이 이롭다'[50]는 것은 때가 마땅히 지켜야 하는 것이고, 미제(未濟䷿)괘의 '수레바퀴를 잡아당기면, 올바르게 해서 길하다'[51]는 것은 때가 마땅히 기다려야 하는 것이니 또한 흉한 말은 아니다.

● 以六二應九五, 亦十六卦, 則不能皆吉, 而凶吝者有之. 如否之'包承'也, 同人之'於宗吝'也, 隨之'係小子失丈夫'也, 觀之'闚觀可醜'也, 咸之'咸其腓凶'也, 皆非吉辭也. 屯之'屯如邅如', 遯之'鞏用黃牛', 蹇之'蹇蹇匪躬', 旣濟之'喪茀勿逐, 則以遭時艱難, 而顯其貞順之節者'也, 惟比之'自內'也, 无妄之'利有攸往'也, 家人之'在中饋貞吉'也, 益之'永貞吉'也, 萃之'引吉无咎'也, 革之'已日乃孚征吉'也, 漸之'飮食衎衎'也. 皆適當上下合德之時. 故其

---

없다.[九二, 孚乃利用禴, 无咎.]"라고 했다.

48) 꽉 찬 내용물이 있다 : 『주역』 정(鼎)괘 구이효에서, "구이효는 솥에 꽉 찬 내용물이 있지만, 나의 상대가 병이 있으니, 나에게 오지 못하게 하면, 길하다.[九二, 鼎有實, 我仇有疾, 不我能卽, 吉.]"라고 했다.

49) 수레에서 바퀴통이 빠졌다 : 『주역』 대축(大畜)괘 구이효에서, "구이효는 수레에서 바퀴통이 빠졌다.[九二, 輿說輹.]"라고 했다.

50) 그윽한 은둔자의 올바름이 이롭다 : 『주역』 귀매(歸妹)괘 구이효에서, "구이효는 애꾸눈이 보는 것이니, 그윽한 은둔자의 올바름이 이롭다.[九二, 眇能視, 利幽人之貞.]"라고 했다.

51) 수레바퀴를 잡아당기면, 올바르게 해서 길하다 : 『주역』 미제(未濟)괘 구이효에서, "구이효는 수레바퀴를 잡아당기면, 올바르게 해서 길하다.[九二, 曳其輪, 貞吉.]"라고 했다.

辭皆吉. 夫子所謂其要无咎, 其用柔中者, 信矣.

육이효가 구오효에 호응하는 것 역시 16괘이니, 모두 길할 수 없고 흉함과 유감이 있다. 비(否䷋)괘의 '마음에 품고 있는 것이 윗사람을 따르는 것이다'[52]라는 것과 동인(同人䷌)괘 '집안사람끼리 연대하니 인색하다'[53]는 것과 수(隨䷐)괘의 '작은 사람과 관계하면 장부를 잃는다'[54]는 것과 관(觀䷓)괘의 '문틈으로 엿보는 것이다'[55]는 것과 함(咸䷞)괘의 '장단지에서 감동하면 흉하다'[56]는 것은 모두 길한 말은 아니다. 준(屯䷂)괘 '혼돈스러워서 나아가지 못한다'[57]는 것과

52) 마음에 품고 있는 것이 윗사람을 따르는 것이다 : 『주역』 비(否)괘 육이효에서, "육이효는 마음에 품고 있는 것이 윗사람의 뜻을 따르는 것이니, 소인은 길하고 대인은 정체되지만 형통하다.[六二, 包承, 小人吉, 大人否亨.]"라고 했다.

53) 집안사람끼리 연대하니 인색하다 : 『주역』 동인(同人)괘 육이효에서, "육이효는 같은 집안사람끼리 연대하니 인색하다.[六二, 同人于宗, 吝.]"라고 했다.

54) 작은 사람과 관계하면 장부를 잃는다 : 『주역』 수(隨)괘 육이효에서, "육이효는 작은 사람과 관계하면 장부를 잃는다.[六二, 係小子, 失丈夫.]"라고 했다.

55) 문틈으로 엿보는 것이다 : 『주역』 관(觀)괘 육이효에서, "육이효는 문틈으로 엿보는 것이니, 여자의 올바름이 이롭다.[六二, 闚觀, 利女貞.]"라고 했다.

56) 장단지에서 감동하면 흉하다 : 『주역』 함(咸)괘 육이효에서, "육이효는 장단지에서 감동하면, 흉하니, 그 자리에 있으면 길하다.[六二, 咸其腓, 凶, 居吉.]"라고 했다.

57) 혼돈스러워서 나아가지 못한다 : 『주역』 준(屯)괘 육이효에서, "육이효는 혼돈스러워서 나아가지 못하며 말을 탔다가 내리니 도적이 아니라면 혼인을 한다. 여자가 올바름을 지켜 아이를 잉태하지 않다가, 10년 만에 아이를 잉태한다.[六二, 屯如邅如, 乘馬班如, 匪寇, 婚媾. 女子貞不字, 十年乃字.]"라고

둔(遯䷠)괘의 '황소의 가죽으로 잡아맨다'[58]는 것과 건(蹇䷦)괘의 '고난 속에서 더욱 어려운 것이니, 자신의 잘못이 아니다'[59]라는 것과 기제(旣濟䷾)괘의 '그 가리개를 잃은 것이니 쫓아가지 않는다'[60]는 것들은 때가 어려움을 만나서 곧고 순종하는 절개를 드러낸 자들이다. 오직 비(比䷇)괘의 '스스로 선택한다'[61]는 것과 무망(无妄䷘)괘의 '나아갈 바가 있는 것이 이롭다'[62]는 것과 가인(家人䷤)괘의 '집 안에서 음식을 장만하다'[63]는 것과 익(益䷩)괘의 '오래도록 올바

---

했다.

58) 황소의 가죽으로 잡아맨다 : 『주역』 둔(遯)괘 육이효에서, "육이효는 황소의 가죽으로 잡아매니, 그것을 벗길 수가 없다.[六二, 執之用黃牛之革, 莫之勝說.]"라고 했다. 『주역절중』 원문은 '공용황우[鞏用黃牛)로 되어 있지만 이는 혁(革)괘 초구효의 효사이다.

59) 고난 속에서 더욱 어려운 것이니, 자신의 잘못이 아니다 : 『주역』 건(蹇)괘 육이효에서, "육이효는 왕의 신하가 고난 속에서 더욱 어려운 것이니, 이는 자신의 잘못 때문에 일어난 것이 아니다.[六二, 王臣蹇蹇, 匪躬之故.]"라고 했다.

60) 그 가리개를 잃은 것이니 쫓아가지 않는다 : 『주역』 기제(旣濟)괘 육이효에서, "육이효는 부인이 그 가리개를 잃은 것이니 쫓아가지 않으면, 7일 만에 얻는다.[六二, 婦喪其茀, 勿逐, 七日得.]"라고 했다.

61) 스스로 선택한다 : 『주역』 비(比)괘 육이효에서, "육이효는 친밀한 협력을 스스로 선택하니, 올바름을 지켜서 길하다.[六二, 比之自內, 貞吉.]"라고 했다.

62) 나아갈 바가 있는 것이 이롭다 : 『주역』 무망(无妄)괘 육이효에서, "육이효는 밭을 갈지 않았는데도 거두며, 땅을 묵히지 않았는데도 옥토가 되니, 나아갈 바가 있는 것이 이롭다.[六二, 不耕穫, 不菑畬, 則利有攸往.]"라고 했다.

63) 집 안에서 음식을 장만하다 : 『주역』 가인(家人)괘 육이효에서, "육이효는 이루려는 바가 없고, 집 안에서 음식을 장만하면, 올바르고 길하다.[六二,

름을 굳게 지키면 길하다'64)는 것과 췌(萃䷬)괘의 '끌어당기면 길하여 허물이 없다'65)는 것과 혁(革䷰)괘의 '하루가 지나서야 변혁할 수 있다'66)는 것과 점(漸䷴)괘의 '음식을 먹는 것이 즐겁고 즐겁다'67)는 것은 모두 위와 아래가 덕을 합치할 때에 적절히 합당한 것이므로 그 말이 모두 길하다. 공자가 '그 요체에 허물이 없음은 모두 부드러움으로 중(中)을 쓰기 때문이다'68)라고 했으니 믿을만하다.

---

无攸遂, 在中饋, 貞吉.]"라고 했다.

64) 오래도록 올바름을 굳게 지키면 길하다 : 『주역』 익(益)괘 육이효에서, "육이효는 혹 증진시킬 일이 있으면, 열 명의 벗이 도와주는 것이다. 거북일지라도 이를 어길 수가 없으나, 오래도록 올바름을 굳게 지키면 길하니, 왕이 상제에게 제사하더라도, 길하다.[六二, 或益之, 十朋之. 龜弗克違, 永貞吉, 王用享于帝, 吉.]"라고 했다.

65) 끌어당기면 길하여 허물이 없다 : 『주역』 췌(萃)괘 육이효에서, "육이효는 끌어당기면 길하여 허물이 없으니, 진실한 믿음이 있으면 소박한 제사를 드리는 것이 이롭다.[六二, 引吉无咎, 孚乃利用禴.]"라고 했다.

66) 하루가 지나서야 변혁할 수 있다 : 『주역』 혁(革)괘 육이효에서, "육이효는 하루가 지나서야 변혁할 수 있으니, 그대로 해나가면 길하여, 허물이 없다.[六二, 已日乃革之, 征吉, 无咎.]"라고 했다.

67) 음식을 먹는 것이 즐겁고 즐겁다 : 『주역』 점(漸)괘 육이효에서, "육이효는 기러기가 반석에 점차적으로 나아가는 것이라서, 음식을 먹는 것이 즐겁고 즐거우니, 길하다.[六二, 鴻漸于磐, 飮食衎衎, 吉.]"라고 했다.

68) 그 요체에 허물이 없음은 모두 부드러움으로 중(中)을 쓰기 때문이다 : 『주역』「계사하」에서, "이효와 사효는 공이 같으나 자리가 달라 선함이 같지 않으니, 이효는 명예가 많고 사효는 두려움이 많음은 군주의 자리와 가깝기 때문이다. 부드러움이 도가 됨은 멀리 있는 것이 이롭지 않으나 그 요체에 허물이 없음은 모두 부드러움으로 중(中)을 쓰기 때문이다.[二與四, 同功而異位, 其善不同, 二多譽, 四多懼, 近也, 柔之爲道, 不利遠者, 其要无咎, 其用柔中也.]"라고 했다.

● 自二·五之外, 亦有應焉. 自四·五之外, 亦有比焉. 然其義不如應五承五者之重也.

이효와 오효 이외에도 또한 호응이 있다. 사효와 오효 이외에도 또한 나란함이 있다. 그러나 그 뜻은 오효와 호응하고 오효를 받드는 것의 중요함보다 못하다.

● 以應言之, 四與初, 猶或取相應之義, 三與上則取應義者絕少矣. 其故何也? 四, 大臣之位也. 居大臣之位, 則有以人事君之義, 故必取在下之賢德以自助, 此其所以相應也. 上居事外, 而下應於當事之人, 則失清高之節矣. 三居臣位, 而越五以應上, 則失勿二之心矣. 此其所以不相應也. 然四之應初而吉者, 亦唯以六四應初九耳. 蓋初九爲剛德之賢, 而六四有善下之美, 故如屯·賁之'求婚媾'也, 頤之'虎視耽耽'也, 損之'使遄有喜'也, 皆吉也. 若九四應初六, 則反以下交小人爲累, 大過之'不橈乎下', 解之'解而拇', 鼎之'折足'是也.

호응으로 말하면, 사효와 초효는 간혹 서로 호응하는 의미를 취하지만, 삼효와 상효는 호응의 의미를 취하는 것이 매우 적다. 그 까닭는 무엇인가? 사효는 대신의 자리이다. 대신의 자리에 있으면 사람이 군주를 섬기는 뜻이 있으므로 반드시 아래에 있는 현명한 덕을 취하여 스스로 도와주니 이것이 서로 호응하는 까닭이다.
상효는 일의 밖에 자리하고 있는데 아래로 일과 관계한 사람과 호응하고 있으면, 맑고 고결한 절개를 잃은 것이다. 삼효는 신하의 자리에 있으며 오효를 뛰어넘어 상효와 호응하면 두 사람을 섬기지 말라는 마음을 잃는다. 이것이 서로 호응하지 않는 까닭이다. 그러나 사효가 초효와 호응하여 길한 것은 또한 육사효가 초구효에 호응하는 것일 뿐이다. 왜냐하면 초구효는 강(剛)한 덕의 현자이고 육사효는 자신을 잘 낮추는 아름다움이 있기 때문이다.

그러므로 준(屯䷂)괘·비(賁䷕)괘의 '혼인을 구한다'[69]는 것과 이(頤䷚)괘의 '호랑이가 위엄스럽게 바라보듯이 하다'[70]는 것과 손(損䷨)괘의 '신속하게 하면 기쁨이 있다'[71]는 것은 모두 길하다. 구사효가 초육효에 호응하면 반대로 아래로 소인과 교류하여 얽매임이 되니, 대과(大過䷛)괘의 '아래에서 휘어지지 않는다'[72]는 것과 해(解䷧)괘의 '엄지발가락을 풀어 없애버린다'[73]는 것과 정(鼎䷱)괘의

69) 혼인을 구한다 : 『주역』 준(屯)괘 육사효에서, "육사효는 말을 탔다가 내리는 모습이니, 혼인을 구하여 가면 길하고 이롭지 않음이 없다.[六四, 乘馬班如, 求婚媾, 往吉, 无不利.]"라고 했다. 비(賁)괘 육사효에서, "육사효는 꾸미는 것이 희며, 흰 말이 나는 듯하니, 도적이 아니면 혼인을 구한다.[六四, 賁如皤如, 白馬翰如, 匪寇婚媾.]"라고 했다.

70) 호랑이가 위엄스럽게 바라보듯이 하다 : 『주역』 이(頤)괘 육사효에서, "육사효는 턱을 거꾸로 들고 있지만, 길하니, 호랑이가 위엄스럽게 바라보듯이 하고, 바라는 것을 분주하게 이어가면, 허물이 없다.[六四, 顚頤, 吉. 虎視耽耽, 其欲逐逐, 无咎.]"라고 했다.

71) 신속하게 하면 기쁨이 있다 : 『주역』 손(損)괘 육사효에서, "육사효는 그 병을 덜어내되, 신속하게 하면 기쁨이 있어, 허물이 없게 된다.[六四, 損其疾, 使遄有喜, 无咎.]"라고 했다.

72) 아래에서 휘어지지 않는다 : 『주역』 대과(大過)괘 구사효에서, "구사효는 들보기둥이 높아지는 것이니 길하지만, 다른 마음을 가지면 부끄럽다.[九四, 棟隆吉, 有它吝.]"라고 했다. 구사효 「상전」에서, "들보기둥이 높아져서 길한 것은 아래에서 휘어지지 않기 때문이다.[象曰, 棟隆之吉, 不橈乎下也.]"라고 했다.

73) 엄지발가락을 풀어 없애버린다 : 『주역』 해(解)괘 구사효에서, "구사효는 자신의 엄지발가락을 풀어 없애버리면, 벗들이 몰려와서 신뢰하게 된다.

'솥이 다리가 부러졌다'[74]는 말이 이것이다.

● 以比言之, 唯五與上, 或取相比之義, 餘爻則取比義者亦絶少. 其故何也? 五, 君位也, 尊莫尙焉, 而能下於上者, 則尙其賢也, 此其所以有取也. 然亦唯六五遇上九, 乃取斯義. 蓋上九爲高世之賢, 而六五爲虛中之主. 故如大有·大畜之六五·上九, 孔子則贊之以'尙賢'; 頤·鼎之六五·上九, 孔子則贊之以'養賢', 其辭皆最吉. 若以九五比上六, 則亦反以尊寵小人爲累, 如大過之'老婦得其士夫', 咸之'志末', 夬之'莧陸', 兌之'孚於剝', 皆是也. 獨隨之九五下上六, 而義有取者, 卦義剛來下柔故爾, 若初與二, 二與三, 三與四, 則非正應而相比者, 或恐陷於朋黨比周之失, 故其義不重.

나란함으로 말하면, 오직 오효와 상효가 서로 나란히 하는 의미를 취하고 나머지 효는 나란히 하는 의미를 취하는 것이 또한 매우 적다. 그 까닭은 무엇인가? 오효는 군주의 자리라서 존귀함이 그보다 높은 것이 없는데도, 상효에게 자신을 낮출 수 있는 것은 그 어짐을 숭상해서이니, 이것이 취함이 있는 까닭이다. 그러나 오직 육오효가 상구효를 만나면 곧 그 의미를 취한다. 왜냐하면 상구효는 세상을 초월한 현자이고 육오효는 마음을 텅 비운 군주이기 때문이다. 그러므로 대유(大有☲)괘와 대축(大畜☶)괘의 육오효와 상구효를

[九四, 解而拇, 朋至斯孚.]"라고 했다.

74) 솥이 다리가 부러졌다 : 『주역』 정(鼎)괘 구사효에서, "구사효는 솥이 다리가 부러져, 공(公)에게 바칠 음식을 엎었으니, 그 얼굴에 땀이 흘러, 흉하다.[九四, 鼎折足, 覆公餗, 其形渥, 凶.]"라고 했다.

공자는 '현자를 숭상한다'[75]라고 찬미했고 이(頤䷚)괘와 정(鼎䷱)괘의 육오효와 상구효를 공자는 '현자를 배양한다'[76]라고 찬미했으니 그 말이 모두 가장 길하다. 그러나 구오효가 상육효와 나란히 했다면 또한 반대로 존귀함으로 소인을 총애하여 누를 끼치게 된다. 예를 들어 대과(大過䷛)괘의 '늙은 부인이 젊은 남자를 얻는다'[77]는 것과 함(咸䷞)괘의 '그 뜻이 말단에 있다'[78]는 것과 쾌(夬䷪)괘의

75) 현자를 숭상한다 : 『주역』「계사하」에서, "역(易)에 이르기를 '하늘로부터 돕는지라 길하여 이롭지 않음이 없다'라고 하니, 공자가 다음과 같이 말했다. '우(祐)는 도움이니, 하늘이 돕는 것은 순함이요, 사람이 돕는 것은 신(信)이니, 신(信)을 행하여 순(順)함을 생각하고 또 현자를 높인다.' 이 때문에 하늘로부터 도와서 길하여 이롭지 않음이 없는 것이다.[易曰, 自天祐之, 吉无不利. 子曰, 祐者, 助也. 天之所助者順也, 人之所助者信也, 履信思乎順, 又以尙賢也, 是以自天祐之吉无不利也.]"라고 했다. 『주역』 대축(大畜)괘 「단전」에서, "강한 것이 위에 있고 현명한 자를 숭상하여, 강건한 것을 멈출 수 있음이 크게 올바른 일이다.[剛上而尙賢, 能止健, 大正也.]"라고 했다.

76) 현자를 배양한다 : 『주역』 이(頤)괘 「단전」에서, "천지는 만물을 배양하고, 성인은 현자를 배양하여 모든 백성에게 영향을 미치니, 배양의 때는 크구나![天地養萬物, 聖人養賢以及萬民, 頤之時大矣哉!]"라고 했다. 정(鼎)괘 「단전」에서, "나무로써 불에 들어가는 것은 삶아서 음식을 만드는 일이니, 성인은 음식을 삶아 상제에게 제사를 올리고, 크게 삶아, 성현(聖賢)을 기른다.[以木巽火, 亨飪也, 聖人, 亨以享上帝, 而大亨, 以養聖賢.]"라고 했다.

77) 늙은 부인이 젊은 남자를 얻는다 : 『주역』 대과(大過)괘 구오효에서, "구오효는 마른 버드나무가 꽃을 피우며, 늙은 부인이 젊은 남자를 얻는 것이니, 허물도 없지만 영예도 없다.[九五, 枯楊生華, 老婦得其士夫, 无咎, 无譽.]"라고 했다.

78) 그 뜻이 말단에 있다 : 『주역』 함(咸)괘 구오효에서, "구오효는 그 등살에 감동하는 것이니, 후회는 없다.[九五, 咸其脢, 无悔.]"라고 했다. 구오효

'현륙(莧陸 : 쇠비름나물)'[79]과 태(兌☱)의 '깎으려는 것을 믿는다'[80]는 말이 모두 이것이다. 유독 수(隨☳)괘 구오효가 상육효에 낮추어 뜻을 취한 것이 있으니 괘의 뜻의 강(剛)이 와서 유(柔)에 낮춘다[81]는 것이기 때문일 뿐이다. 초효와 이효나 이효와 삼효나 삼효와 사효는 올바른 호응이 아닌데 서로 나란히 하는 것이니, 무리를 지어 사사로움을 꾀하는 과실에 빠지므로 그 뜻이 중요하지 않다.

● 此皆例之常也. 若其爻爲卦主, 則群爻皆以比之應之爲吉凶焉, 故五位之爲卦主者, 不待言矣. 如豫四爲卦主, 則初'鳴'而三'盱'. 剝上爲卦主, 則三'無咎'而五'無不利'. 復初爲卦主, 則二'下仁'而四'獨復'. 夬上爲卦主, 則三'壯頄'而五'莧陸'. 姤初爲卦主, 則二'包有魚'而四'包無魚'. 此又易之大義, 不可以尋常比·應之例論也.

---

「상전」에서, "그 등살에 감동하라는 것은 그 뜻이 말단에 있기 때문이다. [象曰, 咸其脢, 志末也.]"라고 했다.

79) 현륙(莧陸 : 쇠비름나물) : 『주역』 쾌(夬)괘 구오효에서, "구오효는 현륙(莧陸 : 쇠비름나물)을 과감하게 끊듯이 하면, 중(中)을 이룬 행위에 허물이 없다.[九五, 莧陸夬夬, 中行无咎.]"라고 했다.

80) 깎으려는 것을 믿는다 : 『주역』 태(兌)괘 구오효에서, "구오효는 깎으려는 것을 믿으면, 위태로움이 있다.[九五, 孚于剝, 有厲.]"라고 했다.

81) 유독 수(隨☳)괘 구오효가 상육효에 … 유(柔)에 낮춘다 : 『주역』 수(隨)괘 「단전」에서, "수괘는 강함이 와서 유함에 자신을 낮추고, 움직이되 기뻐하는 것이 뒤따름이다. 크게 형통하고 올바르고 허물이 없어서, 천하가 때를 따른다.[彖曰, 隨, 剛來而下柔, 動而說, 隨. 大亨貞, 無咎, 而天下隨時.]"라고 했다.

이것은 모두 범례의 정상이다. 그 효가 괘의 주효가 되면 여러 효는 모두 나란히 하거나 호응하는 것이 길흉이 되므로, 다섯 자리가 괘의 주효가 되는 것은 말할 필요가 없다.

예(豫☳☷)괘는 사효가 괘의 주효이니 초육효는 '소리를 내고'[82] 육삼효는 '우러러 본다.'[83] 박(剝☶☷)괘는 상구효가 괘의 주효이니 육삼효는 '허물이 없고'[84] 육오효는 '이롭지 않음이 없다.'[85] 복(復☷☳)괘는 초효가 괘의 주효이니 육이효는 '인자에게 자신을 낮추고'[86] 육사효는 '홀로 회복한다.'[87] 쾌(夬☱☰)괘는 상육효가 괘의 주효이니 '광대뼈에서 강건하고'[88] 구오효는 '현륙을 과감하게 끊는다.'[89] 구

82) 소리를 내고 : 『주역』 예(豫)괘 초육효에서, "초육효는 소리를 내는 기쁨이니, 흉하다.[初六, 鳴豫, 凶.]"라고 했다.

83) 우러러 본다 : 『주역』 예(豫)괘 육삼효에서, "육삼효는 위를 우러러 보며 기뻐하니, 회한이 있고, 머뭇거려도 후회가 있다.[六三, 盱豫, 悔, 遲有悔.]"라고 했다.

84) 허물이 없고 : 『주역』 박(剝)괘 육삼효에서, "육삼효는 깎아 없애는 때에 허물이 없다.[六三, 剝之無咎.]"라고 했다.

85) 이롭지 않음이 없다 : 『주역』 박(剝)괘 육오효에서, "육오효는 물고기를 꿰듯이 하여 궁인(宮人)이 총애를 받듯이 하면 이롭지 않음이 없다.[六五, 貫魚, 以宮人寵, 無不利.]"라고 했다.

86) 인자에게 자신을 낮추고 : 『주역』 복(復)괘 육이효 「상전」에서, "아름다운 회복의 길함은 인자에게 자신을 낮춘 것이다.[象曰, 休復之吉, 以下仁也.]"라고 했다.

87) 홀로 회복한다 : 『주역』 복(復)괘 육사효에서, "육사효는 음효들 사이에서 행하지만 홀로 회복한다.[六四, 中行, 獨復.]"라고 했다.

88) 광대뼈에서 강건하고 : 『주역』 쾌(夬)괘 구삼효에서, "구삼효는 광대뼈에서 강건하여 흉함이 있다. 군자는 제거함을 과감하게 하고, 홀로 가서 비를 만나니, 젖는 듯해서, 노여워함이 있으면, 허물이 없다.[九三, 壯于頄, 有凶, 君子夬夬, 獨行遇雨, 若濡, 有慍, 无咎.]"라고 했다.

(姤䷫)는 초효가 괘의 주효이니 구이효는 '꾸러미에 물고기를 잡아 담고'[90] 구사효는 '꾸러미에 물고기가 없다.'[91]
이것은 또 『역』의 큰 의미이지 평상시의 비·응(比應)의 사례로 논할 수 없다.

## 괘의 주효[卦主]

● 凡所謂卦主者, 有成卦之主焉, 有主卦之主焉. 成卦之主, 則卦之所由以成者. 無論位之高下, 德之善惡, 若卦義因之而起, 則皆得爲卦主也. 主卦之主, 必皆德之善, 而得時·得位者爲之, 故取於五位者爲多, 而它爻亦閒取焉. 其成卦之主, 卽爲主卦之主者, 必其德之善, 而兼得時位者也. 其成卦之主, 不得爲主卦之主者, 必其德與時·位, 參錯而不相當者也. 大抵其說皆具於夫子之「彖傳」, 當逐卦分別觀之.

이른바 괘의 주효는 괘를 이루는 주효가 있고 괘를 주재하는 주효가 있다. 괘를 이루는 주효는 괘가 그것으로 말미암아 이루어진다. 지위의 높고 낮음, 덕의 선·악과 무관하게, 괘의 의미가 그것으로

89) 현륙을 과감하게 끊는다 : 『주역』 쾌(夬)괘 구오효에서, "구오효는 현륙(莧陸 : 쇠비름나물)을 과감하게 끊듯이 하면, 중(中)을 이룬 행위에 허물이 없다.[九五, 莧陸夬夬, 中行无咎.]"라고 했다.

90) 꾸러미에 물고기를 잡아 담고 : 『주역』 구(姤)괘 구이효에서, "구이효는 꾸러미에 물고기를 잡아 담은 듯이 하면 허물이 없으니, 손님에게는 이롭지 않다.[九二, 包有魚, 无咎, 不利賓.]"라고 했다.

91) 꾸러미에 물고기가 없다 : 『주역』 구(姤)괘 구사효에서, "구사효는 꾸러미에 물고기가 없으니, 흉함이 일어난다.[九四, 包无魚, 起凶.]"라고 했다.

인해 생겨난다면 모두 괘의 주효가 된다. 괘를 주재하는 주효는 반드시 모두 덕이 선하고 때를 얻고 지위를 얻음이 그것이 되기 때문에, 오효의 지위에서 취하는 경우가 많고 다른 효 또한 간혹 취한다. 괘를 이루는 주효가 곧 괘를 주재하는 주효라면, 반드시 그 덕이 선하고 때와 지위를 아울러 얻은 자이다. 괘를 이루는 주효가 괘를 주재하는 주효가 되지 못하는 것은 반드시 덕과 때와 자리가 섞여 어긋나서 서로 마땅하지 못한 것이다. 대체로 그 설명은 공자의 「단전」에 구비되어 있으니, 마땅히 매 괘마다 하나하나 분별해서 살펴보아야 한다.

● 若其卦成卦之主, 卽主卦之主, 則是一主也; 若其卦有成卦之主, 又有主卦之主, 則兩爻皆爲卦主矣. 或其成卦者兼取兩爻, 則兩爻又皆爲卦主矣. 或其成卦者兼取兩象, 則兩象之兩爻, 又皆爲卦主矣. 亦當逐卦分別觀之.

그 괘에서 괘를 이루는 주효가 곧 괘를 주재하는 주효라면 하나의 주효이다. 그 괘에서 괘를 이루는 주효가 있고 또 괘를 주재하는 주효가 있으면 두 효가 모두 괘의 주효이다. 간혹 그 괘를 이루는 것이 두 효를 아울러 취하면 두 효가 또 모두 괘의 주효이다. 간혹 그 괘를 이루는 것이 두 상을 아울러 취하면 두 상의 양효가 또 모두 괘의 주효이다. 또한 마땅히 매 괘마다 하나하나 분별해서 살펴보아야 한다.

● 乾以九五爲卦主, 蓋乾者天道, 而五則天之象也. 乾者君道, 而五則君之位也, 又剛健中正. 四者具備, 得天德之純, 故爲卦主也.

觀「彖傳」所謂'時乘六龍以禦天', '首出庶物'者, 皆主君道而言.

건(乾☰)괘는 구오효가 괘의 주효이니, 건(乾)은 하늘의 도이고 오(五)는 하늘의 상이기 때문이다. 건(乾)은 군주의 도이고 오(五)는 군주의 자리이며 또 강·건·중·정(剛·健·中·正)하다. 4가지를 구비하여 하늘이 지닌 덕의 순수함을 얻었으므로 괘의 주효가 된다. 「단전」의 이른바 '때에 따라 여섯 마리 용이 올라타고 하늘의 운행을 제어한다'와 '모든 것 가운데 가장 뛰어나다'[92]라는 것을 보면 모두 군주의 도를 위주로 말했다.

● 坤以六二爲卦主, 蓋坤者地道, 而二則地之象也. 坤者臣道, 而二則臣之位也, 又柔順中正. 四者具備, 得坤德之純, 故爲卦主也. 觀「彖辭」所謂'先迷後得主''得朋''喪朋'者, 皆主臣道而言.

곤(坤☷)괘는 육이효가 괘의 주효이니, 곤(坤)은 땅의 도이고 이(二)는 땅의 모습이기 때문이다. 곤(坤)은 신하의 도리이고 이(二)

92) 「단전」의 이른바 '때에 따라 … 가운데 가장 뛰어나다' : 『주역』 건(乾)괘 「단전」에서, "크구나, 건원(乾元)이여! 만물이 이를 바탕으로 시작하니 천도(天道)를 통괄한다. 구름이 모여들고 비가 내려 모든 종류의 것들이 형체를 완성한다. 천도의 시작과 끝을 크게 밝히면 괘의 여섯 자리가 각각의 때를 이루니, 각각의 때에 따라 여섯 마리 용이 올라타고서 하늘의 운행을 제어한다. 건도(乾道)가 변화하여 모든 것이 각각 본성과 천명을 바르게 하니, 큰 조화를 오래도록 보존하고 화합해서, 만물을 이롭게 하면서도 올바르다. 그래서 모든 것 가운데 가장 뛰어나 모든 나라가 모두 편안하다.[彖曰 : 大哉乾元! 萬物資始乃統天. 雲行雨施, 品物流形. 大明終始, 六位時成, 時乘六龍以御天. 乾道變化, 各正性命, 保合太和, 乃利貞. 首出庶物, 萬國咸寧.]"라고 했다.

는 신하의 자리이며 또 유·순·중·정(柔·順·中·正)하다. 4가지를 구비하여 땅이 지닌 덕의 순수함을 얻었으므로 괘의 주효가 된다. 「단전」의 이른바 '앞서서 주도하면 미혹하고, 뒤이어 따르면 주인을 얻는다'[93]와 '동류를 얻는다'와 '동류를 잃는다'[94]라는 말을 보면 모두 신하의 도리를 위주로 말했다.

● 屯以初九·九五爲卦主. 蓋卦唯兩陽, 初九在下, 侯也, 能安民者也; 九五在上, 能建侯以安民者也.

준(屯䷂)괘는 초구효와 구오효가 괘의 주효이다. 괘에는 오직 두 개의 양이 있는데, 초구효는 아래에 있어 제후이니 백성을 안정시킬 수 있는 자이고 구오효는 위에 있으면서 제후를 세워 백성을 안정시킬 수 있는 자이기 때문이다.

---

93) 앞서서 주도하면 미혹하고, 뒤이어 따르면 주인을 얻는다 : 『주역』 곤(坤)괘 「단전」에서는 "앞서서 주도하면 미혹하여 도를 잃고, 뒤이어 따르면 상도(常道)를 얻는다.[先迷失道, 後順得常.]"라고 되어 있으나 『주역절중』에서는 "앞서서 주도하면 미혹하고, 뒤이어 따르면 주인을 얻는다.[先迷後得主.]"라고 하여 주인, 곧 군주의 의미를 강화했다.

94) '동류를 얻는다'와 '동류를 잃는다' : 『주역』 곤(坤)괘 「단전」에서, "앞서서 주도하면 미혹하여 도를 잃고, 뒤이어 따르면 상도(常道)를 얻는다. 서남쪽은 동류를 얻는다는 말은 같은 종류의 사람과 함께 가는 것이고, 동북쪽은 동류를 잃는다는 말은 결국에는 좋은 일이 있다는 것이다. 안정되면서 올바르게 해야 길하다는 것은 끝없는 땅의 도에 호응하는 것이다.[先迷失道, 後順得常. 西南得朋, 乃與類行, 東北喪朋, 乃終有慶. 安貞之吉, 應地無疆.]"라고 했다.

● 蒙以九二·六五爲主. 蓋九二有剛中之德, 而六五應之, 九二在下, 師也, 能敎人者也; 六五在上, 能尊師以敎人者也.

몽(蒙䷃)괘는 구이효와 육오효가 주효이다. 구이효는 강중(剛中)의 덕이 있고 육오효와 호응하니, 구이효는 아래에 있어 스승으로 사람을 가르칠 수 있는 자이고, 육오효는 위에 있으면서 스승을 존중하여 사람을 가르칠 수 있는 자이기 때문이다.

● 需以九五爲主. 蓋凡事皆當需, 而王道尤當以久而成. 「彖傳」所謂'位乎天位, 以正中也', 指五而言之也.

수(需䷄)괘는 구오효가 주효이다. 모든 일은 마땅히 기다려야 하고 왕도(王道)는 더욱 마땅히 오래되어야 이루어지기 때문이다. 「단전」에서 이른바 '천자의 지위에 자리하여 정중(正中)을 이루었다'[95]는 것은 구오효를 가리켜 말했다.

● 訟以九五爲主. 蓋諸爻皆訟者也, 九五則聽訟者也. 「彖傳」所謂'利見大人, 尙中正也.' 亦指五而言之也.

---

95) 천자의 지위에 자리하여 정중(正中)을 이루었다 : 『주역』 수(需)괘 「단전」에서, "수(需)란 기다림으로 위험한 장애가 앞에 있는 모습이다. 강건하나 위험에 빠지지는 않으니, 그 의리가 곤란과 궁핍에 빠지지는 않는다. 기다림은 믿음을 가지고 있어 빛나고 형통하며 올바름을 지키고 있어 길하다고 한 것은 천자의 지위에 자리하여 정중(正中)을 이루었기 때문이다.[彖曰, 需須也, 險在前也. 剛建而不陷, 其義不困窮矣. 需有孚, 光亨, 貞吉, 位乎天位以正中也.]"라고 했다.

송(訟䷅)괘는 구오효가 주효이다. 여러 효는 모두 쟁송하는 자인데 구오효는 쟁송을 듣는 자이기 때문이다. 「단전」에서 이른바 '대인을 만나면 이로운 것은 중정(中正)을 숭상하기 때문이다'[96]라고 한 것은 또한 구오효를 가리켜 말했다.

● 師以九二·六五爲主. 蓋九二在下, 丈人也, 六五在上, 能用丈人者也.

사(師䷆)괘는 구이효와 육오효가 주효이다. 구이효는 아래에 있어서 장인(丈人)이고, 육오효는 위에 있어서 장인을 쓸 수 있는 자이기 때문이다.

● 比以九五爲主. 蓋卦唯一陽居尊位, 爲上下所比附者也.

비(比䷇)괘는 구오효가 주효이다. 괘에서 오직 하나의 양이 존귀한 자리에 있어 위와 아래가 친밀하게 붙는 자이기 때문이다.

---

96) 대인을 만나면 이로운 것은 중정(中正)을 숭상하기 때문이다 : 『주역』 송(訟)괘 「단전」에서, "송괘는 위는 강하고 아래는 위험하여 위험한데도 강건한 것이 다툼이다. 다툼은 믿음이 있으나 막혀서 두려우니 중(中)하면 길하다는 것은 강함이 와서 중(中)을 얻는 것이다. 끝가지 가면 흉하다고 한 것은 다툼은 끝까지 가서는 안 되는 일이기 때문이다. 대인을 만나면 이롭다고 한 것은 중정(中正)을 숭상하기 때문이다.[彖曰, 訟, 上剛下險, 險而健, 訟. 訟有孚窒惕中吉, 剛來而得中也. 終凶, 訟不可成也. 利見大人, 尙中正也.]"라고 했다.

● 小畜以六四爲成卦之主, 而九五則主卦之主. 蓋六四以一陰畜陽, 故「彖傳」曰'柔得位而上下應之'; 九五與之合志, 以成其畜, 故「彖傳」曰'剛中而志行'.

소축(小畜䷈)괘는 육사효가 괘를 이루는 주효이고, 구오효는 괘를 주재하는 주효이다. 육사효는 하나의 음으로 양을 기르므로 「단전」에서 '유(柔)가 자리를 얻어 위와 아래가 호응한다'[97]고 했고, 구오효는 그와 함께 뜻을 합치하여 그 기름을 이루므로 「단전」에서 '강(剛)하면서 중(中)을 이루고 뜻이 행해진다'[98]고 했다.

● 履以六三爲成卦之主, 而九五則主卦之主也. 蓋六三以一柔履衆剛之間, 多危多懼, 卦之所以名履也. 居尊位尤當常以危懼存心, 故九五之辭曰'貞厲', 而「彖傳」曰'剛中正, 履帝位而不疚'.

이(履䷉)괘는 육삼효가 괘를 이루는 주효이고, 구오효는 괘를 주재하는 주효이다. 육삼효는 하나의 유(柔)로 여러 강(剛) 사이에서 실행하고 있으니, 위험이 많고 두려움이 많아 괘를 이(履)라고 이름붙인 것이다. 존귀한 지위에 자리하여 더욱 마땅히 항상 위험과 두

---

97) 유(柔)가 자리를 얻어 위와 아래가 호응한다 : 『주역』 소축(小畜)괘 「단전」에서, "소축은 유(柔)가 자리를 얻어 위와 아래가 호응하기 때문에 작은 것으로 길들여 키움이라고 한다.[彖曰, 小畜, 柔得位而上下應之, 曰小畜.]"라고 했다.

98) 강(剛)하면서 중(中)을 이루고 뜻이 행해진다 : 『주역』 소축(小畜)괘 「단전」에서, "강건하고 공손하며, 강(剛)하면서 중(中)을 이루고 행하는 것에 뜻이 행해져 마침내 형통하다.[健而巽, 剛中而志行, 乃亨.]"라고 했다.

려움으로 마음을 보존하므로 구오효의 효사는 '올바르더라도 위태롭다'[99]고 했고, 「단전」에서는 '강(剛)하면서 중정(中正)하고 제왕의 지위를 이행하여 허물이 없다'[100]고 했다.

● 泰以九二·六五爲主. 蓋泰者上下交而志同, 九二能盡臣道以上交者也, 六五能盡君道以下交者也. 二爻皆成卦之主, 亦皆主卦之主也.

태(泰䷊)괘는 구이효와 육오효가 주효이다. 태(泰)는 위와 아래가 교류하여 뜻을 함께 하니, 구이효는 신하의 도리를 다하여 위와 교류하는 자이고 육오효는 군주의 도리를 다하여 아래와 교류하는 자이기 때문이다. 두 효는 모두 괘를 이루는 주효이고 또한 모두 괘를 주재하는 주효이다.

● 否以六二·九五爲主. 蓋否者上下不交, 六二'否亨', '斂德辟難'者也; 九五'休否', 變否爲泰者也. 然則六二成卦之主, 而九五則主卦之主也.

---

99) 올바르더라도 위태롭다 : 『주역』 이(履)괘 구오효에서, "구오효는 강경하고 과감하게 이행하니, 올바르더라도 위태롭다.[九五, 夬履, 貞厲.]"라고 했다.

100) 강(剛)하면서 중정(中正)하고 제왕의 지위를 이행하여 허물이 없다 : 『주역』 이(履)괘 「단전」에서, "강(剛)하면서 중정(中正)하고 제왕의 지위를 이행하여 허물이 없으면 그 덕이 빛나리라.[剛中正, 履帝位, 而不疚, 光明也.]"라고 했다.

비(否䷋)괘는 육이효와 구오효가 주효이다. 비(否)는 위와 아래가 교류하지 않아서 육이효는 '막히지만 형통하다'[101]고 하여 '덕을 단속하고 어려움을 피하는'[102] 자이고, 구오효는 '막힘을 그치게 한다'[103]고 하여 막힘을 변화시켜 소통시키는 자이기 때문이다. 그러하니 육이효는 괘를 이루는 주효이고 구오효는 괘를 주재하는 주효이다.

● 同人以六二·九五爲主. 蓋六二以一陰能同衆陽, 而九五與之應. 故「彖傳」曰'柔得位得中, 而應乎乾'.

동인(同人䷌)괘는 육이효와 구오효가 주효이다. 육이효는 하나의 음으로 여러 양과 함께 하고 구오효는 그와 호응한다. 그러므로 「단전」에서 '유(柔)가 올바른 지위를 얻었고 중도(中道)를 얻어 강건함에 호응한다'[104]고 했다.

---

101) 막히지만 형통하다 : 『주역』 비(否)괘 육이효에서, "육이효는 마음에 품고 있는 것이 윗사람의 뜻을 따름이니, 소인은 길하고 대인은 막히지만 형통하다.[六二, 包承, 小人吉, 大人否亨.]"라고 했다.

102) 덕을 단속하고 어려움을 피하는 : 『주역』 비(否)괘 「상전」에서, "하늘과 땅이 교류하지 않는 것이 비괘의 모습이니, 군자는 이것을 본받아 덕을 단속하고 어려움을 피하여, 녹봉으로 영화를 누려서는 안 된다.[象曰, 天地不交, 否, 君子, 以儉德辟難, 不可榮以祿.]"라고 했다.

103) 막힘을 그치게 한다 : 『주역』 비(否)괘 구오효에서, "구오효는 막힘을 그치게 하니, 대인의 길함이다. 망할까 망할까 염려해야, 뽕나무 뿌리 무더기에 묶어놓은 듯할 것이다.[九五, 休否, 大人吉. 其亡其亡, 繫于苞桑.]"라고 했다.

104) 유(柔)가 올바른 지위를 얻었고 중도(中道)를 얻어 강건함에 호응한다 : 『주역』 동인(同人)괘 「단전」에서, "동인(同人)은 유(柔)가 올바른 지

● 大有以六五爲主. 蓋六五以虛中居尊, 能有衆陽. 故「彖傳」曰 '柔得尊位, 大中, 而上下應之'.

대유(大有䷍)괘는 육오효가 주효이다. 육오효는 마음을 텅 비워 존귀함에 자리하여 여러 양을 소유할 수 있기 때문이다. 그러므로 「단전」에서 '유(柔)가 존귀한 자리를 얻고, 큰 중도(中道)를 얻어 위와 아래가 호응한다'[105]고 했다.

● 謙以九三爲主. 蓋卦唯一陽, 得位而居下體, 謙之象也. 故其爻辭與卦同. 傳曰'三多凶', 而唯此爻最吉.

겸(謙䷎)괘는 구삼효가 주효이다. 괘에서 오직 하나의 양이 지위를 얻어 하체(下體)에 자리하니 겸손의 모습이기 때문이다. 그러므로 그 효사가 괘사와 같다. 「계사전」에서 '제3효는 흉함이 많다'[106]고 했지만 오직 이 효는 가장 길하다.

---

위를 얻었고, 중도(中道)를 얻고, 강건함에 호응하니, 동인이라고 한다.[彖曰, 同人, 柔得位, 得中而應乎乾, 曰同人.]"라고 했다.

105) 유(柔)가 존귀한 자리를 얻고, 큰 중도(中道)를 얻어 위와 아래가 호응한다 : 『주역』 대유(大有)괘 「단전」에서, "대유(大有)괘는 유(柔)가 존귀한 자리를 얻고, 위대한 중도(中道)의 덕을 얻어 위와 아래가 호응하므로 대유라고 한다.[彖曰, 大有, 柔得尊位, 大中而上下應之, 曰大有.]"라고 했다.

106) 제3효는 흉함이 많다 : 『주역』「계사하」에서, "삼효와 오효는 공이 같으나 자리가 달라 삼효는 흉함이 많고 오효는 공이 많음은 귀천(貴賤)의 차등 때문이니, 유함은 위태롭고 강함은 이겨낼 것이다.[三與五, 同功而異位, 三多凶, 五多功, 貴賤之等也, 其柔, 危, 其剛, 勝耶.]"라고 했다.

● 豫以九四爲主. 卦唯一陽, 而居上位, 卦之所由以爲豫者. 故「彖傳」曰'剛應而志行'.

예(豫☳☷)괘는 구사효가 주효이다. 괘에서 오직 하나의 양이 위의 자리에 있고 괘가 말미암는 것이 예(豫 : 기쁨)로 하기 때문이다. 그러므로 「단전」에서 '호응을 얻어서 뜻이 행해진다'107)고 했다.

● 隨以初九·九五爲主. 蓋卦之所以爲隨者, 剛能下柔也. 初·五兩爻, 皆剛居柔下, 故爲卦主.

수(隨☱☳)괘는 초구효와 구오효가 주효이다. 괘가 수(隨)가 되는 까닭은 강(剛)이 유(柔)에 낮출 수 있기 때문이다. 초효와 오효 두 효는 모두 강(剛)이 유(柔)의 아래에 자리했으므로 괘의 주효가 된다.

● 蠱以六五爲主. 蓋諸爻皆有事於幹蠱者, 至五而功始成. 故諸爻皆有戒辭, 而五獨曰'用譽'也.

고(蠱☶☴)괘는 육오효가 주효이다. 여러 효는 모두 부패를 주간하는 일을 도모하고 있는 자인데, 오효에 이르러 공이 비로소 이루어지기 때문이다. 그러므로 여러 효는 모두 경계의 말이 있는데 오효는 유독 '영예를 얻는다'108)고 했다.

107) 호응을 얻어서 뜻이 행해진다 : 『주역』 예(豫)괘 「단전」에서, "예괘는 강함이 호응을 얻어 뜻이 실행되고, 순종하여 움직이는 것이니, 기쁨이다.[彖曰, 豫, 剛應而志行, 順以動, 豫.]"라고 했다.

108) 영예를 얻는다 : 『주역』 고(蠱)괘 육오효에서, "육오효는 아버지의 일을

● 臨以初九·九二爲主. 「彖傳」所謂'剛浸而長'是也.

임(臨䷒)괘는 초구효와 구이효가 주효이다. 「단전」에서 '강(剛)이 침범하여 자라난다'[109]고 한 말이 이것이다.

● 觀以九五·上九爲主. 「彖傳」所謂'大觀在上'是也.

관(觀䷓)괘는 구오효와 상구효가 주효이다. 「단전」에서 '크게 보이는 것이 위에 있다'[110]고 한 말이 이것이다.

● 噬嗑以六五爲主. 「彖傳」所謂'柔得中而上行'是也.

서합(噬嗑䷔)괘는 육오효가 주효이다. 「단전」에서 '유(柔)이지만 중(中)을 얻어 위로 행한다'[111]는 말이 이것이다.

---

주관하여, 영예를 얻는다.[六五, 幹父之蠱, 用譽.]"라고 했다.

109) 강(剛)이 침범하여 자라난다 : 『주역』 임(臨)괘 「단전」에서, "임(臨)은 강(剛)이 침범하여 자라나며, 기뻐하며 순종하고 강(剛)하면서 중(中)을 이루어 호응하여, 크게 형통하고 올바르니, 하늘의 도이다.[彖曰, 臨, 剛浸而長, 說而順, 剛中而應, 大亨以正, 天之道也.]"라고 했다.

110) 크게 보이는 것이 위에 있다 : 『주역』 관(觀)괘 「단전」에서, "크게 보이는 것이 위에 있어 유순하면서 겸손하고 중정(中正)을 이룬 덕으로 세상에 보인다.[彖曰, 大觀在上, 順而巽, 中正以觀天下.]"라고 했다.

111) 유(柔)이지만 중(中)을 얻어 위로 행한다 : 『주역』 서합(噬嗑)괘 「단전」에서, "유(柔)이지만 중(中)을 얻어 위로 행하니, 합당한 지위는 아니지만, 송사를 사용하는 것이 이롭다.[柔得中以上行, 雖不當位, 利用獄也.]"라고 했다.

● 賁以六二·上九爲主. 「彖傳」所謂'柔來而文剛', '剛上而文柔'是也.

비(賁☶☲)괘는 육이효와 상구효가 주효이다. 「단전」에서 이른바 '유(柔)가 와서 강(剛)을 꾸민다'와 '강(剛)이 올라가 유(柔)를 꾸민다'[112]는 말이 이것이다.

● 剝以上九爲主. 陰雖剝陽, 而陽終不可剝也, 故爲卦主.

박(剝☶☷)괘는 상구효가 주효이다. 음이 비록 양을 깎지만 양은 끝내 깎일 수 없으므로 괘의 주효이다.

● 復以初九爲主. 「彖傳」所謂'剛反'者是也.

복(復☷☳)괘는 초구효가 주효이다. 「단전」에서 '강(剛)이 돌아왔다'[113]는 말이 이것이다.

---

112) '유(柔)가 와서 강(剛)을 꾸민다'와 '강(剛)이 올라가 유(柔)를 꾸민다' : 『주역』 비(賁)괘 「단전」에서, "꾸밈이 형통하다는 것은 유(柔)가 와서 강(剛)을 꾸미기 때문에 형통하고, 강(剛)이 나누어져 올라가 유(柔)를 꾸미므로, 나아갈 바가 있는 것이 조금 이롭다고 했으니, 천문(天文)이고, 그 문을 밝혀 적절한 데 멈추는 것이 인문(人文)이다.[彖曰, 賁亨, 柔來而文剛, 故亨, 分剛上而文柔, 故小利有攸往, 天文也. 文明以止, 人文也.]"라고 했다.

113) 강(剛)이 돌아왔다 : 『주역』 복(復)괘 「단전」에서, "회복은 형통하다는 것은 강(剛)이 돌아왔기 때문이다. 움직여 이치에 순종함으로 행하기 때문에 나가고 들어오는 데 병이 없어 친구들이 와야 허물이 없다.[彖曰, 復亨, 剛反. 動而以順行, 是以出入無疾, 朋來無咎.]"라고 했다.

● 無妄以初九·九五爲主. 蓋初九陽動之始, 如人誠心之初動也; 九五乾德之純, 如人至誠之無息也. 故「彖傳」曰'剛自外來而爲主於內', 指初也; 又曰'剛中而應', 指五也.

무망(無妄☰)괘는 초구효와 구오효가 주효이다. 초구효는 양이 움직이는 시작이니 사람의 성실한 마음이 처음 움직이는 것과 같고, 구오효는 건(乾) 덕의 순수함이니 사람의 지극한 성실함이 그치지 않는 것과 같기 때문이다. 그러므로 「단전」에서 '강(剛)이 밖에서 와서 안에서 주인이 된다'[114]고 했으니 초구효를 가리키고, 또 '강(剛)하면서 중(中)을 이루어 호응한다'[115]고 했으니 구오효를 가리킨다.

● 大畜以六五·上九爲主. 「彖傳」所謂'剛上而尙賢'者是也.

대축(大畜☰)괘는 육오효와 상구효가 주효이다. 「단전」에서 '강(剛)이 위에 있고 현명한 자를 숭상한다'[116]고 한 말이 이것이다.

114) 강(剛)이 밖에서 와서 안에서 주인이 된다 : 『주역』 무망(無妄)괘 「단전」에서, "진실무망함은 강(剛)이 밖에서 와서 안에서 주인이 된다.[彖曰, 無妄, 剛自外來, 而爲主於內.]"라고 했다.

115) 강(剛)하면서 중(中)을 이루어 호응한다 : 『주역』 무망(無妄)괘 「단전」에서, "움직이되 강건하고, 강(剛)하면서 중(中)을 이루어 호응해서 올바름으로 크게 형통하니 하늘의 명이다.[動而健, 剛中而應, 大亨以正, 天之命也.]"라고 했다.

116) 강(剛)이 위에 있고 현명한 자를 숭상한다 : 『주역』 대축(大畜)괘 「단전」에서, "강(剛)이 위에 있고 현명한 자를 숭상하여, 강건함을 멈출 수 있는 것이 크게 올바르다.[剛上而尙賢, 能止健, 大正也.]"라고 했다.

● 頤亦以六五 · 上九爲主. 「彖傳」所謂‘養賢以及萬民’者是也.

이(頤䷚)괘는 또한 육오효와 상구효가 주효이다. 「단전」에서 ‘현자를 배양하여 모든 백성에게 영향을 미친다’[117]는 말이 이것이다.

● 大過以九二 · 九四爲主. 蓋九二剛中而不過者也, 九四棟而不橈者也.

대과(大過䷛)괘는 구이효와 구사효가 주효이다. 구이효는 강중(剛中)하여 과도하지 않은 자이고 구사효는 들보기둥으로 휘어지지 않은 자이기 때문이다.

● 坎以二 · 五二陽爲主, 而五尤爲主. 水之積滿者行也.

감(坎䷜)괘는 구이효와 구오효 두 양이 주효이지만, 구오효가 특히 주효이다. 물이 가득 차서 흐르는 것이다.

● 離以二 · 五二陰爲主, 而二尤爲主. 火之方發者明也.

이(離䷝)괘는 육이효와 육오효 두 음이 주효이지만, 육이효가 특히 주효이다. 불이 막 일어나서 밝은 것이다.

---

117) 『주역』 이(頤)괘 「단전」에서, “천지는 만물을 배양하고, 성인은 현자를 배양하여 모든 백성에게 영향을 미치니, 배양의 때는 크구나![天地養萬物, 聖人養賢以及萬民, 頤之時大矣哉!]”라고 했다.

● 咸之九四當心位, 心者感之君, 則四卦主也. 然九五當背位, 爲咸中之艮, 感中之止, 是謂動而能靜則五尤卦主也.

함(咸䷞)괘의 구사효는 마음의 자리에 해당하며 마음은 감응하는 군주이니, 구사효가 괘의 주효이다. 그러나 구오효는 등의 자리에 해당하며 함(咸)괘 가운데 간(艮)이 되고 감응 가운데 멈춤이 되어, 이것을 움직이면서도 고요할 수 있는 것이라고 하니, 구오효가 특히 괘의 주효이다.

● 恒者常也, 中則常矣. 卦唯二·五居中, 而六五之柔中, 尤不如九二之剛中, 則二卦主也.

항(恒䷟)괘는 불변하는 것이니 중(中)하면 불변한다. 괘에서 구이효와 육오효만이 중(中)에 자리하는데, 특히 육오효의 유중(柔中)은 구이효의 강중(剛中)만 못하니 구이효가 괘의 주효이다.

● 遯之爲遯以二陰, 則初·二成卦之主也. 然處之盡善者唯九五, 則九五又主卦之主也. 故「彖傳」曰'剛當位而應, 與時行'也.

둔(遯䷠)괘가 둔괘가 되는 까닭은 두 개의 음 때문이니, 초효와 이효가 괘를 이루는 주효이다. 그러나 처신을 매우 잘하는 자는 오직 구오효이니, 구오효는 또 괘를 주재하는 주효이다. 그러므로 「단전」에서 '강(剛)이 자리에 합당하고 호응을 받으니 때에 따라 행하는 것이다'라고 했다.

● 大壯之爲壯以四陽, 而九四當四陽之上, 則四卦主也.

대장(大壯䷡)괘가 대장괘가 되는 까닭은 네 개의 양 때문이고, 구사효가 네 개의 양 가운데 가장 위에 해당하니, 구사효가 괘의 주효이다.

● 晉以明出地上成卦, 六五爲離之主, 當中天之位, 則五卦主也. 故「彖傳」曰'柔進而上行'.

진(晉䷢)괘는 밝음이 땅위에 올라와서 괘를 이루니 육오효가 이(離☲)의 주효이고, 중천(中天)의 위치에 해당하니 육오효가 괘의 주효이다. 그러므로 「단전」에서 '유(柔)가 나아가 위로 행한다'[118]고 했다.

● 明夷以日入地中成卦, 而上六積土之厚, 夷人之明者也, 成卦之主也. 六二·六五皆秉中順之德, 明而見夷者也, 主卦之主也. 故「彖傳」曰'文王以之'·'箕子以之'.

명이(明夷䷣)괘는 해가 땅 속으로 들어가 괘를 이루고, 상육효가 땅이 누적된 두터움이고 사람의 밝음을 해치는 것이니 괘를 이루는 주

118) 유(柔)가 나아가 위로 행한다 : 『주역』 진(晉)괘 「단전」에서, "'진晉'은 나아감이니, 밝음이 땅 위로 나와, 순종하면서 큰 밝음에 붙어 있고, 유함이 나아가 위로 행한다. 이 때문에 나라를 안정시키는 제후에게 말을 하사하기를 많이 하고, 하루에 세 번 접견하는 것이다.[晉, 進也, 明出地上, 順而麗乎大明, 柔進而上行, 是以康侯用錫馬蕃庶晝日三接也.]"라고 했다.

효이다. 육이효와 육오효는 모두 중순(中順)의 덕을 가지고 있어, 밝은데도 해침을 당하는 자이니 괘를 주재하는 주효이다. 그러므로 「단전」에서 '문왕이 그렇게 했다'[119]고 하고 '기자가 그렇게 했다'[120]고 했다.

● 家人以九五·六二爲主. 故「彖傳」曰'女正位乎內, 男正位乎外'.

가인(家人䷤)괘는 구오효와 육이효가 주효이다. 그러므로 「단전」에서 '여자가 안에서 지위를 바르게 하고, 남자가 밖에서 지위를 바르게 한다'[121]고 했다.

● 睽以六五·九二爲主. 故「彖傳」曰'柔進而上行, 得中而應乎剛'.

규(睽䷥)괘는 육오효와 구이효가 주효이다. 「단전」에서 '유(柔)가

119) 문왕이 그렇게 했다 : 『주역』 명이(明夷)괘 「단전」에서, "밝은 빛이 땅속으로 들어가는 것이 명이괘이니, 안으로 문을 밝히면서 겉으로는 유순하여, 큰 환난을 무릅쓰니, 문왕이 그렇게 했다.[明入地中, 明夷, 內文明而外柔順, 以蒙大難, 文王以之.]"라고 했다.

120) 기자가 그렇게 했다 : 『주역』 명이(明夷)괘 「단전」에서, "어려움을 알고 올바름을 굳게 지키는 일이 이롭다는 것은 그 현명함을 감추는 것이다. 안에 있어 어렵지만 그 뜻을 올바르게 할 수 있으니, 기자(箕子)가 그렇게 했다.[利艱貞, 晦其明也. 內難而能正其志, 箕子以之.]"라고 했다.

121) 여자가 안에서 지위를 바르게 하고, 남자가 밖에서 지위를 바르게 한다 : 『주역』 가인(家人)괘 「단전」에서, "가정의 도리는 여자가 안에서 지위를 바르게 하고, 남자가 밖에서 지위를 바르게 하니, 남자와 여자가 올바른 것이 천지의 큰 뜻이다.[家人, 女正位乎內, 男正位乎外, 男女正, 天地之大義也.]"라고 했다.

나아가 위로 가서, 중(中)을 얻어 강(剛)에 호응한다'[122]고 했다.

● 蹇以九五爲主. 故「彖傳」曰'往得中也'. 蓋彖辭所謂'大人'者, 卽指五也.

건(蹇䷦)괘는 구오효가 주효이다. 그러므로 「단전」에서 '가서 중(中)을 얻는다'[123]고 했다. 괘사에서 말하는 대인(大人)은 곧 구오효를 가리킨다.

● 解以九二·六五爲主. 故「彖傳」曰'往得衆也', 指五也. 又曰'乃得中也', 指二也.

해(解䷧)괘는 구이효와 육오효가 주효이다 그러므로 「단전」에서 '가서 군중을 얻는다'[124]고 했는데 구이효를 가리킨다. 또 '중도를 얻는 것이다'[125]라고 했는데 구이효를 가리킨다.

---

122) 유(柔)가 나아가 위로 가서, 중(中)을 얻어 강(剛)에 호응한다 : 『주역』 규(睽)괘 「단전」에서, "기뻐하고 밝음에 붙으며, 유(柔)가 나아가 위로 가서, 중(中)을 얻어 강(剛)에 호응한다. 그래서 작은 일에 길한 것이다. [說而麗乎明, 柔進而上行, 得中而應乎剛. 是以小事吉.]"라고 했다.

123) 가서 중(中)을 얻는다 : 『주역』 건(蹇)괘 「단전」에서, "고난의 때에 서남쪽이 이로운 것은 가서 중(中)을 얻기 때문이고, 동북쪽은 이롭지 않은 것은 그 도가 궁색해지기 때문이다.[蹇利西南, 往得中也, 不利東北, 其道窮也.]"라고 했다.

124) 가서 군중을 얻는다 : 『주역』 해(解)괘 「단전」에서, "풀어짐은 서남쪽이 이롭다는 말은 가서 군중을 얻는 것이다.[解利西南, 往得衆也.]"라고 했다.

● 損以損下卦上畫, 益上卦上畫爲義, 則六三 · 上九, 成卦之主也. 然損下益上, 所益者君也, 故六五爲主卦之主.

손(損䷨)괘는 하괘(下卦☱)의 위 획을 덜어서 상괘(上卦☶)의 위 획을 덧붙이는 것을 의미로 삼으니, 육삼효와 상구효가 괘를 이루는 주효이다. 그러나 아래를 덜어서 위를 덧붙이는 것에서 덧붙여지는 것은 군주이므로 육오효가 괘를 주도하는 주효이다.

● 益以損上卦下畫, 益下卦下畫爲義, 則六四 · 初九, 成卦之主也. 然損上益下者, 君施之而臣受之, 故九五 · 六二爲主卦之主.

익(益䷩)괘는 상괘(上卦☴)의 아래 획을 덜어서 하괘(下卦☳)의 아래 획을 덧붙이는 것을 의미로 삼으니, 육사효와 초구효가 괘를 이루는 주효이다. 그러나 위를 덜어서 아래를 덧붙이는 것은 군주가 시혜를 베풀고 신하는 받는 것이기 때문에 구오효와 육이효가 괘를 주재하는 주효이다.

● 夬以一陰極於上爲義, 則上六成卦之主也. 然五陽決陰, 而五居其上, 又尊位也, 故九五爲主卦之主.

쾌(夬䷪)괘는 하나의 음이 위에서 극에 이른 것을 의미로 삼으니, 상육효가 괘를 이루는 주효이다. 그러나 다섯 양이 하나의 음을 척결하지만, 구오효가 그 위에 자리하고 또 존귀한 지위이므로 구오

---

125) 중도를 얻는 것이다 : 『주역』 해(解)괘 「단전」에서, "와서 회복함이 길하다는 것은 중도를 얻음이다.[其來復吉, 乃得中也.]"라고 했다.

효가 괘를 주도하는 주효이다.

● 姤以一陰生於下爲義, 則初六成卦之主也. 然五陽皆有制陰之責, 而唯二·五以剛中之德, 一則與之相切近以制之, 一則居尊臨其上以制之, 故九五·九二爲主卦之主.

구(姤䷫)괘는 하나의 음이 아래에서 생겨나는 것을 의미로 삼으니, 초육효가 괘를 이루는 주효이다. 그러나 다섯 양이 모두 음을 제어하는 책무를 가지고 있지만, 오직 구이효과 구오효가 강중(剛中)의 덕으로 하나는 함께 서로 가깝게 하여 제지하고, 하나는 존귀한 자리에서 그 위에 임하여 제지하므로, 구오효와 구이효가 괘를 주재하는 주효이다.

● 萃以九五爲主, 而九四次之. 卦唯二陽而居高位, 爲衆陰所萃也.

췌(萃䷬)괘는 구오효가 주효이고 구사효는 그 다음이다. 괘에서 오직 두 개의 양이 높은 지위에 자리하여 여러 음들을 모은다.

● 升以六五爲主. 「象傳」曰'柔以時升', 六五升之最尊者也. 然升者必自下起, 其卦以地中生木爲象, 則初六者巽體之主, 乃木之根也. 故初六亦爲成卦之主.

승(升䷭)괘는 육오효가 주효이다. 「단전」에서 '유(柔)가 때에 따라 올라간다'[126]고 하였으니, 육오효가 가장 높은 지위로 올라간 자이다. 그러나 올라감은 반드시 아래로부터 일어나고, 이 괘는 땅에서 나무가 자라나는 것을 상으로 삼았으니, 초육효는 손체(巽體☴)의 주효이고 나무의 뿌리이다. 그러므로 초육효 역시 괘를 이루는 주효이다.

● 困以九二·九五爲主. 蓋卦以剛掩爲義, 謂二·五以剛中之德, 而皆掩於陰也. 故兩爻皆成卦之主, 又皆主卦之主.

곤(困䷮)괘는 구이효와 구오효가 주효이다. 괘는 강(剛)이 가리워진 것을 의미로 삼았고, 구이효와 구오효는 강중(剛中)의 덕으로 모두 음에 가려졌다고 하기 때문이다. 그러므로 이 두 개의 효가 모두 괘를 이루는 주효이고 또 모두 괘를 주재하는 주효이다.

● 井以九五爲主. 蓋井以水爲功, 而九五坎體之主也; 井以養民爲義, 而九五養民之君也.

정(井䷯)괘는 구오효가 주효이다. 우물은 물로 공을 삼는데 구오효가 감체(坎體☵)의 주효이며, 우물은 백성 기르는 일을 의미로 삼는데 구오효가 백성을 기르는 군주이기 때문이다.

126) 유(柔)가 때에 따라 올라간다 : 『주역』 승(升)괘 「단전」에서, "유(柔)가 때에 따라 올라가서, 공손하고 순종하며, 강(剛)하면서 중을 이루어 호응한다. 그래서 크게 형통한다.[彖曰, 柔以時升, 巽而順, 剛中而應, 是以大亨.]"라고 했다.

● 革以九五爲主. 蓋居尊位, 則有改革之權 ; 剛中正, 則能盡改革之善. 故其辭曰'大人虎變.'

혁(革☱)괘는 구오효가 주효이다. 존귀한 자리에 있으면 개혁의 권한이 있고 강(剛)하고 중정(中正)을 이루면 개혁의 선함을 다할 수 있기 때문이다. 그러므로 효사에서 '대인(大人)이 호랑이로 변하는 것이다'[127]라고 했다.

● 鼎以六五·上九爲主. 蓋鼎以養賢爲義, 而六五尊尙上九之賢, 其象如鼎之鉉耳之相得也.

정(鼎☲)괘는 육오효와 상구효가 주효이다. 정괘는 현자를 기르는 것을 의미로 삼는데 육오효가 상구효의 현자를 숭상하는 모습이 솥의 귀를 서로 얻는 것과 같기 때문이다.

● 震以二陽爲主, 然震陽動於下者也, 故四不爲主, 而初爲主.

진(震☳)괘 또한 두 개의 양(陽)이 주효이지만, 진(震☳)괘는 양(陽)이 아래에서 움직이는 것이기 때문에 구사효는 주효가 아니고 초구효가 주효이다.

---

127) 대인(大人)이 호랑이로 변하는 것이다 : 『주역』 혁(革)괘 구오효에서, "구오효는 대인(大人)이 호랑이로 변하는 것이니, 점치지 않아도 믿음이 있다.[九五, 大人虎變, 未占有孚.]"라고 했다.

● 艮亦爲二陽爲主, 然艮陽止於上者也, 故三不爲主, 而上爲主.

간(艮☶)괘 또한 두 개의 양(陽)이 주효이지만, 간(艮☶)괘는 양(陽)이 위에서 멈추는 것이기 때문에 구삼효는 주효가 아니고 상구효가 주효이다.

● 漸以女歸爲義, 而諸爻唯六二應五, 合乎女歸之象, 則六二卦主也. 然漸又以進爲義, 而九五進居高位, 有剛中之德, 則九五亦卦之主也.

점(漸䷴)괘는 여자가 시집가는 것을 의미로 삼지만, 여러 효에서 오직 육이효가 구오효에 호응하여 여자가 시집가는 상에 부합하니 육이효가 괘의 주효이다. 그러나 점괘는 또 나아간다는 것을 의미로 삼는데, 구오효가 나아가 높은 지위에 자리하여 강중(剛中)의 덕을 가지고 있으니 구오효 또한 괘의 주효이다.

● 歸妹以女之自歸爲義, 其德不善. 故「彖傳」曰'無攸利, 柔乘剛也'. 是六三, 上六成卦之主也. 然六五居尊, 下交, 則反變不尊而爲尊, 化凶而爲吉. 是六五又主卦之主也.

귀매(歸妹䷵)괘는 여자가 스스로 시집가는 것을 의미로 삼으니 그 덕이 선하지 않다. 그러므로 「단전」에서 '이로울 것이 없으니 유(柔)가 강(剛)을 탔기 때문이다'[128]라고 했다. 이것은 육삼효와 상

128) 이로울 것이 없으니 유(柔)가 강(剛)을 탔기 때문이다: 『주역』 귀매(歸妹)괘, 「단전」.

육효가 괘를 이루는 주효이다. 그러나 육오효는 존귀한 지위에 자리하여 아래와 교제하니, 거꾸로 존귀하지 않은 것을 바뀌게 만들어 존귀한 것이 되었고, 흉한 것을 탈바꿈하여 길한 것이 되었다. 이에 육오효 또한 괘를 주재하는 주효이다.

● 豐以六五爲主. 蓋其彖辭曰'王假之, 勿憂, 宜日中', 六五之位則王之位也. 柔而居中, 則日中之德也.

풍(豐䷶)괘는 육오효가 주효이다. 단사에 '왕이 이에 이르러 근심이 없으려면 마땅히 해가 중천에 뜬 듯이 해야 한다'[129]고 했는데 육오의 자리는 왕의 지위이기 때문이다. 유(柔)이면서 중(中)에 자리하니 해가 중천에 뜬 덕이다.

● 旅亦以六五爲主. 故「彖傳」曰'柔得中乎外', 又曰'止而麗乎明'. 五居外體, 旅於外之象也. 處中位, 爲離體之主, 得中麗明之象也.

여(旅䷷)괘는 육오효가 주효이다. 그러므로 「단전」에서 '유(柔)가 밖에서 중(中)을 얻었다'고 했고, 또 '합당한 자리에 멈추고 밝은 빛에 붙어 있다'[130]고 했다. 육오효는 외체(外體)로 밖에서 떠도는 모

129) 왕이 이에 이르러 근심이 없으려면 마땅히 해가 중천에 뜬 듯이 해야 한다 : 『주역』 풍(豐)괘 단사에서, "풍요는 형통하니, 왕이 이에 이르러, 근심이 없으려면, 마땅히 해가 중천에 뜬 듯이 해야 한다.[豐, 亨, 王假之, 勿憂, 宜日中.]"라고 했다.

130) '유(柔)가 밖에서 중(中)을 얻었다'·'합당한 자리에 멈추고 밝은 빛에

습이다. 중(中)의 위치에 처하여 이체(離體☲)의 주효가 되니 중(中)을 얻어 밝은 빛에 붙어 있는 상(象)이다.

● 巽雖主於二陰, 然陰卦以陰爲主者, 唯離爲然, 以其居中故也. 巽之二陰, 則爲成卦之主, 而不得爲主卦之主. 主卦之主者, 九五也. 申命行事, 非居尊位者不可. 故「彖傳」曰'剛巽乎中正而志行', 指五也.

손(巽☴)괘는 두 개의 음이 주재하지만, 음괘(陰卦)에서 음을 위주로 하는 것은 이(離☲)괘만이 그러하니, 그것이 중(中)에 자리하기 때문이다. 손괘의 두 개 음은 괘를 이루는 주효이지만, 괘를 주재하는 주효가 될 수 없다. 괘를 주재하는 주효는 구오효이다. 명령을 거듭하여 일을 행하는 것은 존귀한 지위에 자리 잡은 자가 아니면 불가능하다. 그러므로 「단전」에서 '강(剛)이 중정(中正)을 공손하게 따라 뜻을 행한다'[131]고 했으니, 구오효를 가리킨다.

---

붙어 있다': 『주역』 여(旅)괘 「단전」에서, "방랑이 조금 형통하다고 한 것은 유(柔)가 밖에서 중(中)을 얻고, 강(剛)에 순종하며 합당한 자리에 멈추고 밝은 빛에 붙어 있기 때문이다. 그래서 조금 형통하고, 방랑의 도가 올바르게 행해져 길하다."[彖曰, 旅小亨, 柔得中乎外, 而順乎剛, 止而麗乎明, 是以小亨旅貞吉也.]"라고 했다.

131) 강(剛)이 중정(中正)을 공손하게 따라 뜻을 행한다: 『주역』 손(巽)괘 「단전」에서, "강(剛)이 중정(中正)의 도에 공손하게 따라 뜻을 행하며, 유(柔)가 모두 강(剛)한 것에 순종하니, 그래서 조금 형통하다.[剛巽乎中正而志行, 柔皆順乎剛, 是以小亨.]"라고 했다.

● 兌之二陰亦爲成卦之主, 而不得爲主卦之主. 主卦之主, 則二·五也. 故「彖傳」曰'剛中而柔外, 說以利貞'.

태(兌☱)괘의 두 음 또한 괘를 이루는 주효이지만 괘를 주재하는 주효가 될 수 없다. 괘를 주재하는 주효는 구이효와 구오효이다. 그러므로 「단전」에서 '강(剛)이 중(中)에 있고 유(柔)가 밖으로 드러나 기뻐하되 올바른 것이 이롭다'[132]고 했다.

● 渙以九五爲主. 蓋收拾天下之散, 非居尊不能也. 然九二居內以固其本, 六四承五以成其功, 亦卦義之所重. 故「彖傳」曰'剛來而不窮, 柔得位乎外而上同'.

환(渙☴)괘는 구오효가 주효이다. 세상이 어지럽게 흩어짐을 수습하는 것은 존귀한 지위에 자리 잡은 자가 아니면 불가능하기 때문이다. 그러나 구이효는 안에 자리하여 그 근본을 견고히 하고, 육사효는 구오효를 받들어 그 공로를 이루니, 또한 괘의 의미에서 중요하다. 그러므로 「단전」에서 '강(剛)이 와서 다하지 않고, 유(柔)가

132) 강(剛)이 중(中)에 있고 유(柔)가 밖으로 드러나 기뻐하되 올바른 것이 이롭다 : 『주역』 태(兌)괘 「단전」에서, "태(兌)는 기쁨이다. 강(剛)이 중(中)에 있고 유(柔)가 밖으로 드러나 기뻐하되 올바른 것이 이로우니 그래서 하늘을 따르고 사람들에게 호응한다. 기뻐하도록 설득함으로써 백성들을 선도하면, 백성들은 그 수고로움을 잊고, 기뻐하도록 설득함으로써 어려운 일을 범하게 하더라도, 백성들은 그 죽음을 잊으니, 기뻐하는 것이 이렇게 커서, 백성들이 권면되는구나![彖曰, 兌, 說也. 剛中而柔外, 說以利貞, 是以順乎天而應乎人. 說以先民, 民忘其勞, 說以犯難, 民忘其死. 說之大, 民勸矣哉!]"라고 했다.

밖에서 자리를 얻어 위와 함께 한다'[133]고 했다.

● 節亦以九五爲主. 蓋立制度以節天下, 亦唯居尊有德者能之. 故「彖傳」曰'當位以節, 中正以通'.

절(節䷻)괘 역시 구오효가 주효이다. 제도를 세워 세상일을 조절하는 것 또한 존귀한 지위에 자리 잡은 덕이 있는 자만이 가능하기 때문이다. 그러므로 「단전」에서 '제 지위를 맡아 절제하고, 중정(中正)을 이루어 통한다'[134]고 했다.

● 中孚之成卦以中虛, 則六三·六四, 成卦之主也. 然孚之取義以中實, 則九二·九五, 主卦之主也. 至於孚乃化邦, 乃居尊者之事, 故卦之主在五.

중부(中孚䷼)괘가 괘를 이루는 것은 가운데가 비어있기 때문이니, 육삼효와 육사효가 괘를 이루는 주효이다. 그러나 진실한 믿음을 의미로 취한 것은 가운데가 차있기 때문이니 구이효와 구오효가 괘를 주재하는 주효이다. 진실한 믿음이 나라를 교화시키는 데 이르

133) 강(剛)이 와서 다하지 않고, 유(柔)가 밖에서 자리를 얻어 위와 함께 한다 : 『주역』 환(渙)괘 「단전」에서, "흩어짐이 형통하다는 것은 강(剛)이 와서 다하지 않고, 유(柔)가 밖에서 자리를 얻어 위와 함께 하기 때문이다.[彖曰, 渙, 亨, 剛來而不窮, 柔得位乎外, 而上同.]"라고 했다.

134) 제 지위를 맡아 절제하고, 중정(中正)을 이루어 통한다 : 『주역』 절(節)괘 「단전」에서, "기뻐하면서 위험을 행하고, 제 지위를 맡아 절제하고, 중정(中正)을 이루어 통한다.[說以行險, 當位以節, 中正以通.]"라고 했다.

는 것은 곧 존귀한 지위에 자리 잡은 자의 일이므로 괘의 주효가 오효에 있다.

● 小過以二·五爲主., 以其柔而得中, 當過之時而不過也.

소과(小過䷽)괘는 이효와 오효가 주효이다. 그것은 유(柔)이면서 중(中)을 얻어 지나치는 때를 맞아 지나치지 않기 때문이다.

● 旣濟以六二爲主. 蓋旣濟則初吉而終亂, 六二居內體, 正初吉之時也. 故「彖傳」曰'初吉柔得中也'.

기제(旣濟䷾)는 육이효가 주효이다. 기제는 처음이 길하고 끝이 혼란한데, 육이효가 내체(內體)에 자리하여 바로 처음 길한 때다. 그러므로 「단전」에서 '처음에 길한 것은 유(柔)가 중도를 이룬 것이다'라고 했다.

● 未濟以六五爲主. 蓋未濟則始亂而終治, 六五居外體, 正開治之時也. 故「彖傳」曰'未濟亨, 柔得中也'.

미제(未濟䷿)괘는 육오효가 주효이다. 미제는 시작이 혼란하고 끝이 다스려지는데, 육오효가 외체(外體)에 자리하여 바로 다스림이 열리는 때다. 그러므로 「단전」에서 '미제가 형통하다는 것은 유(柔)가 중(中)을 얻었다'고 했다.

● 以上之義, 皆可以據「彖傳」·爻辭而推得之. 大抵『易』者, 成大業之書. 而成大業者, 必歸之有德有位之人. 故五之爲卦主者獨多. 中間亦有因時, 義不取五爲王位者, 不過數卦而已.

이상의 의미는 모두 「단전」과 효사에 근거하여 유추해서 얻을 수 있다. 대체로 『역』은 큰 사업을 이루는 책이다. 큰 사업을 이루는 것은 반드시 덕이 있고 지위가 있는 사람에게 귀결된다. 그러므로 오효가 괘의 주효가 되는 경우가 유독 많다. 그 가운데 또한 때에 따라 오효를 왕의 지위로 취하지 않은 것이 있지만, 몇 괘에 불과할 뿐이다.

自五而外, 諸爻之辭, 有曰王者, 皆非以其爻當王也, 乃對五位而爲言耳. 如隨之上曰'王用亨於西山', 則因其係於五也. 益之二曰'王用亨於帝', 則因其應於五也. 升之四曰'王用亨於岐山', 則因其承於五也. 皆其德與時稱, 故王者簡而用之, 以答乎神明之心也.

오효 이외에 여러 효의 말에서 왕이라고 말한 것은 모두 그 효를 왕의 지위에 해당시키는 것이 아니라, 오효의 자리에 짝하여 말했을 뿐이다. 예를 들어 수(隨䷐)괘 상육효에서 '왕이 서산(西山)에서 번성했다'[135]고 한 것은 그것이 오효에 묶여 있기 때문이다. 익(益䷩)괘 육이효에서 '왕이 상제(上帝)에게 제사하다'[136]라고 한 것은,

135) 왕이 서산(西山)에서 번성했다 : 『주역』 수(隨)괘 상육효에서, "상육효는 붙잡아 묶어 놓고, 따라서 동여매니, 왕이 서산(西山)에서 번성했다.[上六, 拘係之, 乃從維之, 王用亨于西山.]"라고 했다.

그것이 오효에 호응하기 때문이다. 승(升䷭)괘 육사효에서 '왕이 기산(岐山)에서 형통하듯이 하다'[137]라고 한 것은, 그것이 오효를 받들기 때문이다. 모두 그 덕과 때가 걸맞기 때문에 왕이라고 간편하게 표현하여 신명(神明)의 마음에 답한 것이다.

又上爻有蒙五爻而終其義者, 如師之上曰'大君有命', 則因五之出師定亂, 而至此則奏成功也. 離之上曰'王用出征', 則因五之憂勤圖治, 而至此則除亂本也. 皆蒙五爻之義, 而語其成效如此. 『易』中五·上兩爻, 此類最多, 亦非以其爻當王也.

또 상효가 다섯 효를 덮어 그 의미를 결말짓는 것이 있는데, 예를 들어 사(師䷆)괘 상효에서 '대군(大君)이 명을 내린다'[138]라고 한 것은, 오효가 군사를 내어 혼란을 안정시키지만 여기에 이르면 성공을 아뢰기 때문이다. 이(離䷝)괘 상육효에서 '왕이 정벌 나가는 것을 사용한다'[139]라고 한 것은, 오효가 근심하여 다스림을 도모하

136) 왕(王)이 상제(上帝)에게 제사하다 : 『주역』 익(益)괘 육이효에서, "육이효는 간혹 증진시킬 일이 있으면, 열 명의 벗이 도와준다. 거북일지라도 이를 어길 수가 없으나, 오래도록 올바름을 굳게 지키면 길하니, 왕(王)이 상제(上帝)에게 제사하더라도, 길하다.[六二, 或益之, 十朋之. 龜弗克違, 永貞吉, 王用享于帝, 吉.]"라고 했다.

137) 왕이 기산(岐山)에서 형통하듯이 하다 : 『주역』 승(升)괘 육사효에서, "육사효는 왕이 기산(岐山)에서 형통하듯이 하면, 길하고 허물이 없을 것이다.[六四, 王用亨于岐山, 吉, 无咎.]"라고 했다.

138) 대군(大君)이 명을 내린다 : 『주역』 사(師)괘 상육효에서, "상육효는 대군이 명을 내리는 것이니, 제후를 봉하고 경대부를 삼을 때, 소인은 쓰지 말라.[上六, 大君有命, 開國承家, 小人勿用.]"라고 했다.

지만 여기에 이르면 혼란의 근본을 제거하기 때문이다. 이들은 모두 다섯 효의 의미를 덮어서 그 효과를 이룸이 이와 같음을 말했다. 『역』에서 오효와 상효 두 효는 이런 부류가 가장 많지만, 또한 그 효를 왕에 해당시키는 것은 아니다.

139) 왕이 정벌 나가는 것을 사용한다 : 『주역』 이(離)괘 상육효에서, "상구효는 왕이 정벌 나가는 것을 사용하니, 아름다움이 있고, 괴수를 죽이고, 잡아들인 자들이 추악한 부류가 아니라면, 허물은 없다.[上九, 王用出征, 有嘉, 折首, 獲匪其醜, 无咎.]"라고 했다.

| 역주자 소개 |

## 신창호申昌鎬

현 고려대학교 교수
고려대학교 박사(Ph. D, 동양철학/교육철학 전공)
권우(卷宇) 홍찬유(洪贊裕), 일평(一平) 조남권(趙南勸), 중관(中觀) 최권흥(崔權興), 위재(威齋) 김중렬(金重烈), 수강(修岡) 유명종(劉明鍾) 선생 등으로부터 한학 및 동양학 사사
한국교육철학학회 회장(역임)
「중용(中庸) 교육사상의 현대적 조명」(박사논문) 외 『관자』, 「주역 계사전」, 『유교의 교육학 체계』, 한글사서(『논어』, 『맹자』, 『대학』, 『중용』) 등 100여 편의 논저가 있음

## 김학목金學睦

현 고려대학교 연구교수
건국대학교 박사(Ph. D, 한국철학 전공)
해송학당 원장(사주명리 · 동양학 강의)
「박세당의 『신주도덕경』 연구」(박사논문)를 비롯하여 『왕필의 노자주』, 『하상공의 노자』, 『한국주역대전』 등 50여 편의 논저가 있음

## 심의용沈義用

현 숭실대학교 H.K 연구교수
숭실대학교 박사(Ph. D, 주역철학 전공)
「정이천의 『역전』 연구」(박사논문)를 비롯하여 『주역』, 『성리대전』, 『인역』, 『주역과 운명』, 『세상과 소통하는 힘』 『시적 상상력으로 주역을 읽다』 등 30여 편의 논저가 있음.

## 윤원현尹元鉉

전 고려대학교 연구교수
臺灣 文化大學校 박사(Ph. D, 주자철학 전공)
한중철학회 회장(역임)
「從朱子思想中之天人架構闡論其義理脈絡」(박사논문)를 비롯하여 『성리대전』, 『태극해의』, 『역학계몽』, 『율려신서』 등 10여 편의 논저가 있음.

한국연구재단
학술명저번역총서
[동 양 편] 620

주역절중周易折中 *1*

초판 인쇄 2018년 11월 1일
초판 발행 2018년 11월 15일

편　　찬 | 이광지
책임역주 | 신창호
공동역주 | 김학목 · 심의용 · 윤원현
펴 낸 이 | 하운근
펴 낸 곳 | 學古房

주　　소 | 경기도 고양시 덕양구 통일로 140 삼송테크노밸리 A동 B224
전　　화 | (02)353-9908 편집부(02)356 9903
팩　　스 | (02)6959-8234
홈페이지 | www.hakgobang.co.kr
전자우편 | hakgobang@naver.com, hakgobang@chol.com
등록번호 | 제311-1994-000001호

ISBN 978-89-6071-791-6 94140
978-89-6071-287-4 (세트)

**값 : 29,000원**

이 책은 2015년도 정부재원(교육부)으로 한국연구재단의 지원을 받아 연구되었음(NRF-2015S1A5A7018113).
This work was supported by National Research Foundation of Korea Grant funded by the Korean Government(NRF-2015S1A5A7018113).

이 도서의 국립중앙도서관 출판예정도서목록(CIP)은 서지정보유통지원시스템 홈페이지(http://seoji.nl.go.kr)와 국가자료종합목록시스템(http://www.nl.go.kr/kolisnet)에서 이용하실 수 있습니다. (CIP제어번호 : CIP2018032001)